THE MORTAL INSTRUMENTS

LES ORIGINES

Livre 1. L'Ange mécanique

L'auteur

Cassandra Clare s'est tournée vers l'écriture de romans après avoir été journaliste. Elle a beaucoup voyagé dans sa jeunesse et lu un nombre incroyable de romans d'horror fantasy. Forte de ces influences et de son amour pour la ville de New York, elle a écrit la série à succès « The Mortal Instruments », puis la genèse de celle-ci : « Les Origines » et sa suite « Renaissance ».

Cassandra Clare

THE MORTAL INSTRUMENTS

LES ORIGINES

Livre 1. L'Ange mécanique

Traduit de l'anglais (États-Unis)
par Julie Lafon

POCKET JEUNESSE
PKJ·

Directeur de collection :
Xavier d'Almeida

Titre original :
Clockwork Angel
Livre 1 de *The Infernal Devices*

Loi n° 49 956 du 16 juillet 1949 sur les publications
destinées à la jeunesse : mai 2017.

First published in 2010 by Margaret K. McElderry Books
An imprint of Simon & Schuster Children's Publishing Division,
New York. Copyright © 2010 by Cassandra Clare, LLC.

© 2012, éditions Pocket Jeunesse, département d'Univers Poche,
pour la traduction française.
© 2017, éditions Pocket Jeunesse, département d'Univers Poche,
pour la présente édition.

ISBN : 978-2-266-27872-0

À Jim et à Kate

Le chant de la Tamise

Une touche de sel
s'immisce et le fleuve monte,
prend la teinte sombre du thé,
enfle jusqu'à toucher l'herbe.
Au-dessus de ses berges les rouages
de monstrueuses machines
tournent et claquent, le fantôme à l'intérieur
disparaît dans ses plis
en murmurant des mystères.
Chaque petit engrenage d'or a des dents,
chaque grande roue actionne
Une paire de mains qui prennent
l'eau du fleuve, la dévorent,
la transforment en vapeur,
contraignent la grande machine à marcher
avec la force de sa dissolution.
Doucement, la marée monte
Et corrompt le mécanisme.
Le sel, la rouille, la vase
ralentissent sa marche.
Le long des berges
les citernes en fer
tanguent sur leurs amarres
en produisant le son creux
d'une gigantesque cloche,
du tambour et du canon
qui crient dans une langue de tonnerre
tandis que le fleuve roule plus bas.

Elka Cloke

PROLOGUE

Londres, avril 1878

Le démon explosa en une pluie d'ichor et de boyaux.

William Herondale recula vivement la main, mais l'acide visqueux contenu dans le sang du démon avait déjà commencé à ronger la lame de son poignard. Il poussa un juron et jeta son arme au loin ; elle atterrit dans une flaque d'eau boueuse et se mit à fumer. Quant au démon, il avait disparu, reparti dans son enfer originel, non sans avoir semé le chaos derrière lui.

— Jem ! cria Will en se retournant. Où es-tu ? Tu as vu ? Il m'a suffi d'un seul coup de poignard pour le tuer ! Pas mal, hein ?

Will n'obtint aucune réponse ; il aurait pourtant juré que, quelques instants plus tôt, son partenaire de chasse se trouvait encore à ses côtés dans la rue sinueuse et humide à surveiller ses arrières. Mais Will était seul à présent dans les ténèbres. Agacé, il fronça les sourcils : à quoi bon faire l'intéressant si Jem n'était pas là ? Dans son dos, la rue s'étrécissait avant de déboucher sur les eaux noires et tumultueuses de la Tamise. Au loin, Will distinguait les silhouettes sombres des bateaux à l'ancre, et une forêt de mâts pareille à un verger dépourvu

9

de feuilles. Pas de Jem à l'horizon ; il avait peut-être rejoint Narrow Street plus éclairée. Avec un haussement d'épaules, Will revint sur ses pas.

Narrow Street traversait Limehouse, entre les docks et les innombrables taudis qui s'étendaient à l'ouest, jusqu'à Whitechapel. Comme son nom l'indiquait, c'était une rue étroite, bordée d'entrepôts et de constructions en bois branlantes. À cette heure, elle était déserte ; même les ivrognes qui sortaient du Grapes en titubant avaient trouvé un endroit où échouer pour la nuit. Will chérissait le quartier de Limehouse, il aimait cette sensation de se trouver aux portes du monde, là où chaque jour des navires appareillaient pour des ports lointains. Le fait que l'endroit soit un repaire de marins, qu'il regorge de tripots, de fumeries d'opium et de bordels ajoutait à son charme. Il était facile de s'y perdre. Will ne sentait même plus les odeurs de fumée, de cordages, de goudron et d'épices mêlées à la puanteur des eaux sales de la Tamise.

Après avoir jeté un coup d'œil de part et d'autre de la rue, il s'essuya le visage du revers de sa manche pour ôter l'ichor qui lui brûlait la peau. Le sang du démon laissa des taches noires et verdâtres sur le tissu. Will avait une vilaine coupure sur le dos de la main. Une rune de guérison n'aurait pas été de trop. De préférence, une rune de Charlotte. Elle était particulièrement douée pour dessiner des *iratze*.

Une silhouette émergea de l'obscurité et marcha dans sa direction. Il s'avança à sa rencontre, mais s'arrêta net. Ce n'était pas Jem, seulement un Terrestre coiffé d'un casque de policier en forme de cloche, engoncé dans un manteau épais et qui parut un instant perplexe. Son

10

regard glissa sur Will ; il avait beau s'être accoutumé aux charmes, ce dernier s'étonnait toujours qu'on ne puisse pas le voir. Il fut pris d'une envie soudaine de dérober à l'agent sa matraque pour le plaisir de le voir s'affoler à l'idée de l'avoir perdue, mais Jem ne serait pas content. Or, s'il n'avait jamais vraiment compris ses objections à ce genre de plaisanterie, il n'aimait pas le contrarier.

Avec un haussement d'épaules, l'homme passa près de Will en secouant la tête et en grommelant qu'il était temps de renoncer au gin avant d'avoir des hallucinations. Will attendit qu'il se soit éloigné pour crier :

— James Carstairs ! Jem ! Où es-tu donc, espèce de traître ?

Cette fois, une voix lointaine lui répondit :

— Par ici. Suis la lumière de sort.

La voix semblait provenir d'un passage entre deux entrepôts ; une faible lueur perçait l'obscurité telle la flamme dansante d'un feu follet.

— Tu m'as entendu tout à l'heure ? Ce démon Shax a cru qu'il pouvait m'avoir avec ses grosses pinces, mais je l'ai acculé dans une ruelle…

— Oui, j'ai entendu.

Le jeune homme qui surgit de la pénombre était pâle sous la lumière du réverbère, plus pâle encore que d'ordinaire. Il était sorti sans chapeau, si bien qu'on remarquait immédiatement l'étrange reflet argenté de sa chevelure brillante. Ses yeux, du même argent, ressortaient sur son visage fin aux traits anguleux, et leur forme en amande était le seul signe de son héritage génétique.

Il y avait deux taches sombres sur le plastron de sa chemise blanche, et ses mains étaient maculées de sang.

Will se figea.

— Tu saignes. Qu'est-ce qui t'est arrivé ?

Jem le rassura d'un revers de main.

— Ce n'est pas mon sang. (Il indiqua la ruelle derrière lui.) C'est le sien.

Will scruta les ténèbres épaisses et aperçut dans un
recoin un corps recroquevillé. Ce n'était qu'une ombre
parmi les ombres, mais en y regardant de plus près, il
distingua les contours d'une main livide et une touffe de
cheveux blonds.

— C'est le cadavre d'une Terrestre ?

— D'une toute jeune fille. Elle ne doit pas avoir plus
de quatorze ans.

Will lâcha une bordée de jurons. Jem attendit patiemment qu'il eût fini.

— Si seulement on était arrivés un peu plus tôt,
reprit Will. Ce satané démon…

Jem fronça les sourcils.

— C'est là le problème. Je ne crois pas que ce soit lui.
Les Shax sont des parasites reproducteurs. Il aurait traîné
sa victime jusque dans son repaire pour pondre sous sa
peau tant qu'elle était encore en vie. Or cette fille a été
poignardée à plusieurs reprises. En outre, je ne crois pas
qu'elle ait été tuée ici : il n'y a pas beaucoup de sang. On
a dû l'attaquer ailleurs, et elle s'est traînée jusque-là avant
de succomber à ses blessures.

— Mais le Shax…

— Je te le répète, je ne pense pas que ce soit lui. Il
devait la pourchasser pour le compte de quelqu'un d'autre.

— Les Shax ont l'odorat très fin, concéda Will. J'ai
entendu dire que certains sorciers se servaient d'eux pour

12

retrouver la trace des disparus. Et il semblait poursuivre un but précis.

Il regarda de nouveau la mince silhouette recroquevillée.

— Tu n'as pas retrouvé l'arme, par hasard ?

— Si. (Jem sortit de sa veste un couteau enveloppé dans une étoffe blanche.) C'est une espèce de miséricorde[1]. Regarde comme la lame est fine.

Will prit le couteau. Jem disait vrai. Le manche était en os poli, la lame était entièrement couverte de sang séché. Il fronça les sourcils et l'essuya sur sa veste jusqu'à faire apparaître un symbole gravé : deux serpents se dévorant la queue et qui formaient un cercle parfait.

— Un *ouroboros*, dit Jem. Et un double, avec ça. Qu'est-ce que ça signifie, à ton avis ?

— La fin du monde, répondit Will avec un petit sourire, les yeux toujours fixés sur la lame. Et le commencement.

Jem se renfrogna.

— Je connais la symbolique, William. Ce que je voulais dire, c'est : que signifie, à ton avis, sa présence sur cette dague ?

Le vent venu du fleuve ébouriffa les cheveux de Will ; il les repoussa d'un geste impatient et se replongea dans l'examen du couteau.

— C'est un symbole alchimique qui n'a trait ni aux sorciers ni à aucune autre Créature Obscure. D'ordinaire, il concerne les humains, et en particulier ces Terrestres stupides qui s'imaginent que fricoter avec la magie leur rapportera un ticket pour la gloire ou la richesse.

---

1. Sorte de dague ou de poignard à lame mince. (*N.d.T.*)

— Ceux-là mêmes qui finissent en charpie à l'intérieur d'un pentagramme, ajouta Jem, impassible.

— Et qui aiment rôder dans les lieux de notre belle ville que fréquentent les Créatures Obscures.

Après avoir soigneusement remis le couteau dans l'étoffe, Will le glissa dans la poche de sa veste.

— Tu crois que Charlotte me laissera m'occuper de cette enquête ?

— Tu crois qu'on peut te lâcher en toute confiance dans le Monde Obscur ? Les tripots, les lieux de perdition magiques, les femmes de petite vertu…

Will esquissa un sourire diabolique, tel Lucifer avant d'être déchu du paradis.

— Demain c'est peut-être trop tôt pour s'y mettre, qu'en penses-tu ?

Jem soupira.

— À ta guise, William. Tu n'en fais toujours qu'à ta tête, de toute manière..

Southampton, mai

Aussi loin qu'elle se souvienne, Tessa avait toujours aimé cet ange mécanique. Il avait appartenu à sa mère ; elle l'avait au cou le jour de sa mort. Par la suite, il était resté dans la boîte à bijoux maternelle jusqu'à ce que le frère de Tessa, Nathaniel, l'en sorte un beau jour pour vérifier s'il fonctionnait encore.

L'ange, une statuette en cuivre pas plus grosse que le petit doigt de Tessa, était doté d'ailes en bronze repliées de la taille de celles d'un cricket. Il avait un visage délicatement sculpté, des paupières closes en forme de croissant de lune et les mains croisées sur le pommeau d'une épée. Une chaîne passant entre les ailes permettait de le porter en médaillon.

Tessa savait que l'ange était pourvu d'un mécanisme car elle percevait à l'oreille un bruit régulier semblable au tic-tac d'une montre. Nate s'était étonné qu'il marche encore après tant d'années, et il avait cherché en vain une vis, un bouton ou un autre procédé permettant de le remonter. Avec un haussement d'épaules, il l'avait rendu à Tessa. Depuis, elle ne s'en était jamais séparée ; même la nuit, l'ange reposait contre sa poitrine, ses tic-tac incessants résonnant comme les battements d'un second cœur.

Maintenant, elle le serrait dans ses doigts tandis que *Le Main* se frayait un chemin entre les paquebots pour chercher un mouillage. Nate avait insisté pour qu'elle débarque à Southampton plutôt qu'à Liverpool, où accostaient la plupart des transatlantiques. Il prétendait que Southampton était une ville bien plus agréable, aussi Tessa ne put s'empêcher d'être déçue par son premier aperçu de l'Angleterre. Le ciel était uniformément gris. Une pluie battante tombait sur la flèche d'une lointaine église tandis que des colonnes de fumée noire s'élevaient des cheminées monstrueuses des paquebots, obscurcissant encore le ciel. Une foule de badauds vêtus de sombre attendaient sur le quai, abrités sous leurs parapluies. Tessa tendit le cou pour repérer son frère, mais la brume et les embruns l'empêchaient de distinguer les visages.

Elle frissonna ; le vent soufflant du large était glacial. Dans toutes ses lettres, Nate l'assurait que Londres était une cité magnifique, où le soleil brillait tous les jours. « Eh bien, songea-t-elle, espérons que le temps est plus clément là-bas qu'ici. » En effet, elle avait pour tout vêtement chaud un châle en laine ayant appartenu à tante Harriet et une paire de gants fins. Elle avait vendu l'essentiel de sa garde-robe pour payer les obsèques de sa tante, certaine que son frère lui en achèterait d'autres à son arrivée à Londres.

Des cris s'élevèrent. *Le Main*, dont les flancs noirs luisaient sous la pluie, venait de jeter l'ancre, et les canots progressaient péniblement sur les flots bouillonnants pour amener à terre bagages et passagers. Ceux-ci se déversaient du navire, visiblement pressés de sentir la terre ferme sous leurs pieds. Cette arrivée était si différente du départ de New York ! Là-bas, le ciel était bleu et une fanfare jouait. Tessa dut reconnaître cependant que, sans personne pour lui dire au revoir, ce n'avait guère été un moment joyeux.

Épaules voûtées, elle se joignit à la foule en passe de débarquer. Les gouttes de pluie s'abattaient sur sa tête et sa gorge nues, comme de minuscules épingles de glace, et sous ses gants légers ses mains étaient humides et gelées. En atteignant le quai, elle chercha avidement des yeux Nate parmi la cohue. Cela faisait presque deux semaines qu'elle n'avait pas ouvert la bouche, ayant préféré s'isoler pendant la plus grande partie de la traversée. Elle était impatiente de retrouver son frère et de bavarder avec lui.

Mais il n'était pas là. Des piles de bagages, ainsi que des caisses et des cargaisons de toutes sortes – y compris des montagnes de fruits et de légumes qui s'abîmaient sous la pluie – s'amoncelaient sur le quai. Un bateau appareillait pour Le Havre, et des marins trempés jusqu'aux os se pressaient autour de Tessa en s'interpellant en français. Elle s'écarta d'eux et faillit être piétinée par les passagers fraîchement débarqués qui se précipitaient pour s'abriter dans la gare.

Nate demeurait introuvable.

— Vous êtes Miss Gray ? fit une voix gutturale au fort accent.

Tessa leva les yeux. Un homme de haute taille lui barrait la route ; il portait un long manteau noir et un chapeau dont les bords très larges retenaient l'eau de pluie comme une citerne. Il avait des yeux globuleux de batracien et la peau boursouflée. Tessa eut un mouvement de recul. Qui pouvait connaître son nom hormis quelqu'un qui côtoyait Nate ?

— Oui ?

— C'est votre frère qui m'envoie. Suivez-moi.

— Où est-il ? demanda Tessa.

Mais l'homme s'éloignait déjà. Il claudiquait comme s'il souffrait d'une ancienne blessure. Après une hésitation, Tessa rassembla ses jupes et se précipita pour le rattraper.

Il fendait la foule d'un pas déterminé. Les gens s'écartaient sur son passage en pestant contre sa grossièreté quand il les bousculait, et Tessa devait presque courir pour le suivre. Il bifurqua subitement derrière une pile de caisses et s'arrêta devant un attelage noir luisant, sur lequel était peinte une inscription en lettres dorées. Sous la pluie battante, Tessa ne parvint pas à la déchiffrer.

La portière s'ouvrit et une femme se pencha au-dehors. Elle était coiffée d'un énorme chapeau à plumes qui lui dissimulait le visage.

— Miss Theresa Gray ?

Tessa hocha la tête. L'homme aux yeux globuleux s'empressa d'aider la femme à descendre de voiture, puis fit de même avec une autre femme. Toutes deux ouvrirent immédiatement leur parapluie et fixèrent Tessa avec insistance.

Elles formaient un duo pour le moins étrange. L'une, l'air pincé, était grande et maigre avec un visage osseux. Ses cheveux ternes étaient rassemblés en chignon sur sa nuque. Elle portait une robe en soie d'un violet criard, déjà éclaboussée ici et là de gouttes de pluie, ainsi que des gants assortis. L'autre femme était petite et replète, avec des yeux enfoncés ; ses mains que dissimulaient des gants rose vif évoquaient de grosses pattes colorées.

— Theresa Gray ? dit-elle. Quel plaisir de faire enfin votre connaissance ! Je suis Mrs Black et voici ma sœur, Mrs Dark. Votre frère nous envoie pour vous escorter jusqu'à Londres.

Tessa serra son châle humide autour d'elle. Elle était trempée, glacée jusqu'aux os et pour le moins désorientée.

— Où est Nate ? Pourquoi n'est-il pas venu me chercher en personne ?

— Il a été retenu à Londres par des affaires urgentes. Mortmain ne peut plus se passer de lui ! Mais il nous a remis un message pour vous.

Mrs Black tendit à Tessa une feuille de papier roulée. Elle se détourna pour la lire. Il s'agissait d'un mot écrit de la main de son frère, qui s'excusait de ne pas être venu la chercher, et qui l'assurait de s'en remettre à Mrs Black et à Mrs Dark pour la conduire à Londres. « Pour des raisons évidentes, je les surnomme les Sœurs Noires, Tessie, et ce nom semble leur plaire. » Elles étaient, disait-il, ses logeuses et des amies de confiance qu'il tenait en grande estime.

Cette dernière précision la décida. Cette lettre ne pouvait provenir que de Nate. C'était son écriture, et personne d'autre ne l'appelait Tessie. Elle glissa le message dans sa manche et se tourna vers les deux sœurs, la gorge nouée.

— Très bien, fit-elle en s'efforçant de cacher sa déception, elle qui était si impatiente de retrouver son frère. Faut-il appeler un porteur pour ma malle ?

— Oh, c'est inutile, répondit Mrs Dark, dont le ton enjoué contredisait l'air pincé. Nous avons déjà fait le nécessaire et on vous l'enverra.

Après avoir claqué des doigts à l'intention de l'homme-batracien qui se hissa sur le siège du cocher, elle posa la main sur l'épaule de Tessa.

— Venez vous abriter, mon enfant.

Au moment où Tessa montait en voiture, poussée par la main osseuse de Mrs Dark, la brume se dissipa, laissant voir l'inscription sur la portière. Tessa lut les mots « Club Pandémonium ». Les lettres d'or s'enroulaient autour de deux serpents se mordant la queue et formant un cercle. Tessa fronça les sourcils.

— Qu'est-ce que ça signifie ?

— Rien d'intéressant, répondit Mrs Black, qui avait déjà pris place sur un des sièges et étalé sa jupe autour d'elle.

L'intérieur de la voiture était luxueux, les banquettes capitonnées de velours violet, et les rideaux aux fenêtres retenus par des cordons dorés.

Après que Mrs Dark se fut hissée péniblement dans l'habitacle, Mrs Black se pencha pour claquer la portière, occultant le ciel d'ardoise. Elle sourit et ses dents brillèrent dans l'obscurité comme du métal.

— Installez-vous confortablement, Theresa. Le voyage sera long.

Tessa toucha l'ange mécanique à son cou et puisa du réconfort dans ses battements réguliers tandis que la voiture s'ébranlait.

SIX SEMAINES PLUS TARD

1

LA MAISON NOIRE

En ce lieu de colère et de pleurs
Se profile l'ombre de la mort.

William Ernest Henley,
« Invictus »

— Les sœurs vous attendent dans leurs appartements,
Miss Gray.

Tessa reposa son livre sur la table de chevet et se
tourna vers Miranda qui venait d'entrer dans sa chambre,
comme chaque jour à cette heure, pour lui transmettre le
même message. Dans un moment, Tessa la prierait de
patienter dans le couloir, et Miranda quitterait la pièce.
Dix minutes plus tard, elle reviendrait pour répéter la
même rengaine. Si Tessa refusait toujours de la suivre,
elle la traînerait de force dans l'escalier, au mépris de
ses cris et de ses gesticulations, pour la conduire dans
la pièce malodorante et surchauffée où l'attendaient les
Sœurs Noires.

Une scène identique s'était répétée chaque jour de la première semaine qu'elle avait passée dans la maison noire, ainsi qu'elle appelait la demeure où on la retenait prisonnière, jusqu'à ce qu'elle finisse par comprendre qu'il ne servait à rien de crier et de se débattre, et qu'elle avait probablement intérêt à économiser ses forces.

— Un instant, Miranda, dit-elle.

La domestique esquissa une courbette maladroite et sortit en refermant la porte derrière elle.

Tessa se leva et parcourut du regard la chambre qui lui tenait lieu de cellule depuis six semaines. Elle était petite, avec des murs tapissés de papier peint à fleurs, et meublée avec parcimonie d'une table en bois recouverte d'un napperon blanc, à laquelle elle prenait ses repas, d'un lit étroit en cuivre, d'une cuvette et d'un broc en porcelaine ébréché pour ses ablutions, de quelques livres entassés sur le rebord de la fenêtre, et d'une chaise où elle s'asseyait chaque soir pour écrire à son frère des lettres qu'elle n'enverrait jamais, et qu'elle dissimulait sous son matelas pour ne pas qu'elles tombent entre les mains des Sœurs Noires. C'était un moyen pour elle de tenir un journal et de se persuader qu'elle reverrait bientôt Nate. Ce jour-là elle pourrait lui remettre ces lettres en main propre.

Elle se planta devant le miroir accroché au mur pour arranger ses cheveux. Les Sœurs Noires, qui insistaient pour être appelées ainsi, ne toléraient pas de laisser-aller dans son apparence, même si par ailleurs elles accordaient peu d'importance à sa tenue. Ce qui était un soulagement au vu de son reflet dans le miroir. Ses yeux cernés ressortaient sur l'ovale pâle de son visage, ses joues avaient perdu leur couleur, et le désespoir se peignait sur ses traits. Elle portait la robe noire d'institutrice peu flatteuse que les sœurs lui avaient donnée à son arrivée ; sa malle n'était jamais parvenue à bon port malgré leurs promesses, et cette robe était désormais le seul vêtement qu'elle possédait. Elle détourna vivement les yeux.

Elle n'avait pas toujours frémi devant son reflet. Dans la famille, on convenait généralement que Nate, avec ses cheveux blonds, avait hérité de la beauté de leur mère, mais Tessa s'était toujours contentée de sa chevelure brune soyeuse et de ses yeux gris à l'expression franche. Jane Eyre était brune, elle aussi, ainsi que beaucoup d'autres héroïnes romanesques. En outre, ce n'était pas si mal d'être grande. Il est vrai que Tessa dépassait la plupart des garçons de son âge mais, comme le répétait toujours tante Harriet, dès lors qu'une femme adoptait une bonne posture, elle aurait toujours l'air majestueux quelle que soit sa taille.

Tessa n'avait plus rien de majestueux en ce moment même. Elle avait l'air d'un épouvantail effrayé. Elle se demanda si Nate la reconnaîtrait.

À cette pensée, il lui sembla que son cœur se ratatinait dans sa poitrine. Nate. C'était pour lui qu'elle faisait tout cela, et il lui manquait cruellement. Sans lui, elle se sentait seule au monde. Si elle mourait, qui s'en soucierait ? Parfois, l'horreur de cette perspective menaçait de la précipiter dans des ténèbres insondables dont on ne revenait pas. Si personne ne se préoccupait d'elle, existait-elle vraiment ?

Le cliquetis de la serrure l'arracha brusquement à ses sombres réflexions. La porte s'ouvrit et Miranda apparut sur le seuil.

— Mrs Black et Mrs Dark vous attendent, annonça-t-elle.

Tessa la considéra avec dégoût. Elle ne parvenait pas à deviner son âge. Dix-neuf ans ? Vingt-cinq ? Son visage rond et lisse paraissait figé dans le temps. Ses cheveux ternes étaient rassemblés en un chignon strict sur sa nuque. À l'instar du cocher des Sœurs Noires, elle avait des yeux de batracien qui lui donnaient l'air constamment surpris. Tessa en avait déduit qu'ils étaient parents.

En descendant l'escalier derrière Miranda qui marchait d'un pas raide, dépourvu de grâce, Tessa porta la main à son pendentif. C'était une habitude qu'elle avait prise chaque fois qu'elle devait voir les Sœurs Noires. Bizarrement, ce contact la rassurait. Elle le garda dans sa main en longeant une porte après l'autre. La maison noire était un véritable labyrinthe, mais Tessa ne connaissait que les appartements des sœurs, ainsi que les corridors et l'escalier qui les séparaient de sa chambre. Elles finirent par atteindre une cave plongée dans la pénombre. L'air y était humide, et les murs suintaient, ce qui ne paraissait pas gêner les sœurs outre mesure. Leur bureau se trouvait droit devant, au-delà d'une large porte à deux battants. Dans la direction opposée, un corridor étroit disparaissait dans les ténèbres ; Tessa ignorait où il menait, toutefois l'obscurité épaisse des lieux la dissuadait de chercher à le découvrir.

La porte était ouverte. Sans hésiter, Miranda s'engouffra dans la pièce, et Tessa la suivit à contrecœur. Elle détestait cet endroit.

Pour commencer, il y régnait en permanence une chaleur moite de marécage, même quand le temps était gris et pluvieux. L'humidité semblait perler sur les murs, et le revêtement des sièges et des sofas était constellé de taches de moisissure. En outre, une odeur étrange flottait dans l'air, rappelant celle des berges de l'Hudson par une journée caniculaire : une odeur d'eau croupie, d'ordures et de vase.

Les sœurs étaient déjà là, assises derrière leur immense bureau surélevé. Elles étaient, comme toujours, affublées de vêtements criards. La robe de Mrs Black était rose saumon, celle de Mrs Dark, bleu paon. Leur visage ressortait sur ces satins de couleur vive comme une baudruche terne et dégonflée. Elles portaient toutes deux des gants malgré la touffeur ambiante.

— Laisse-nous, Miranda, et ferme la porte derrière toi, ordonna Mrs Black en faisant tourner d'un doigt boudiné et ganté de blanc le globe terrestre en cuivre qui trônait sur le bureau.

Tessa avait souvent cherché à l'examiner de plus près : quelque chose la chiffonnait dans la répartition des continents, et en particulier de l'Europe centrale. Mais les sœurs ne la laissaient pas s'en approcher.

Miranda obéit, impassible. Tessa s'efforça de garder son calme tandis que la porte se refermait en confinant le peu d'air qui circulait dans la pièce.

Mrs Dark pencha la tête de côté.

— Approchez, Tessa. Et prenez ceci.

Des deux femmes, c'était la plus douce, plus encline à la cajoler et à l'amadouer que sa sœur, qui préférait la persuader à coups de gifles et de menaces. Elle tendit à Tessa un bout de tissu rose noué comme un ruban. Elle avait pris l'habitude de recevoir de la main des sœurs des objets personnels : épingles de cravate, montres, bijoux, jouets d'enfant. Une fois, elle avait eu droit à un lacet de chaussure, une autre à une boucle d'oreille tachée de sang.

— Prenez-le, répéta Mrs Dark avec une pointe d'impatience dans la voix. Et transformez-vous.

Tessa prit le ruban sous l'œil impassible des Sœurs Noires ; il était aussi léger qu'une aile de papillon. Des romans qu'elle avait lus lui revinrent en mémoire, dans lesquels les protagonistes étaient jugés : ils attendaient en tremblant le verdict sur le banc des accusés et priaient pour être acquittés. Elle avait souvent l'impression de subir le même calvaire dans cette pièce, sans toutefois savoir de quel crime on l'accusait.

Elle retourna le ruban dans sa main en se remémorant sa première expérience : les Sœurs Noires lui avaient remis un gant de femme, avec des perles aux poignets. Elles lui avaient ordonné de se transformer, puis l'avaient giflée et secouée comme un prunier bien qu'elle leur répétât sans cesse avec une hystérie grandissante qu'elle n'avait aucune idée de ce qu'elles lui demandaient.

Elle n'avait pas versé une larme, quoique l'envie ne lui en manquât pas. Elle n'aurait pas supporté de pleurer en présence de gens indignes de sa confiance. Des deux seules personnes à qui elle se fiait, l'une était morte et l'autre en captivité. Les Sœurs Noires lui avaient appris qu'elles détenaient Nate et que, si elle refusait de leur obéir, il mourrait. Pour preuve, elles lui avaient montré la bague qui avait appartenu à leur père, à présent tachée de sang. Elles ne l'avaient pas laissée la toucher, mais elle l'aurait reconnue entre mille. C'était bien la bague de Nate.

Par la suite, elle s'était pliée à toutes leurs volontés. Elle avait bu les potions qu'elles lui donnaient, pratiqué pendant des heures leurs exercices éreintants et s'était forcée à se concentrer comme elles le lui avaient indiqué. Elle

28

devait devenir de l'argile informe et malléable modelée par le tour d'un potier, puis faire corps avec les objets en les assimilant à des êtres vivants, afin d'en retirer l'esprit qui les animait.

Cela lui avait pris des semaines, et la première fois qu'elle avait réussi à se transformer, l'expérience avait été si douloureuse qu'elle avait vomi puis tourné de l'œil. À son réveil, elle était affalée sur un fauteuil rongé par la moisissure, une serviette humide sur le front. Mrs Black était penchée sur elle, les yeux brillant d'excitation, et lui soufflait son haleine aigre au visage.

— Vous avez bien travaillé aujourd'hui, Theresa, avait-elle déclaré.

Ce soir-là, quand Tessa était remontée dans sa chambre, un cadeau l'y attendait : deux nouveaux livres posés sur sa table de nuit. Les Sœurs Noires avaient fini par s'apercevoir que la lecture était sa passion. Elles avaient choisi un roman de Dickens, *De grandes espérances*, et surtout, *Les Quatre Filles du docteur March*. Une fois seule dans sa chambre, Tessa s'était laissée aller à pleurer en étreignant les livres contre elle.

Dès lors, se transformer avait été plus facile. Elle ne comprenait toujours pas ce qui se passait en elle, mais elle avait bien retenu les étapes que les sœurs lui avaient apprises, tel un aveugle mémorisant le nombre de pas séparant son lit de la porte de sa chambre. Si elle ignorait ce qui se trouvait dans l'endroit étrange et obscur qu'elles lui demandaient de visiter, elle en connaissait néanmoins le chemin.

À présent, elle faisait appel à ces souvenirs en serrant dans sa main le bout de tissu rose. Elle ouvrait son esprit aux ténèbres et laissait le lien qui l'unissait à ce ruban – et à l'esprit qui l'habitait, écho fantomatique de la personne à qui il avait appartenu – se dérouler comme un fil d'or dans l'obscurité. La pièce où elle se trouvait, la chaleur oppressante, la respiration bruyante des sœurs, tout cela s'évanouit à mesure qu'elle suivait le fil. La lumière s'intensifia autour d'elle, et elle s'en enveloppa comme d'une couverture.

Elle commença à éprouver des picotements sur la peau semblables à une multitude de minuscules chocs électriques. C'était l'étape qu'elle détestait le plus, avant : il lui semblait être à l'agonie. Pourtant, elle avait fini par s'y habituer, et endura stoïquement les frissons qui la traversaient des orteils jusqu'au sommet du crâne. L'ange mécanique pendu à son cou sembla battre plus vite, comme s'il s'accordait au rythme de son cœur affolé. La tension sous sa peau redoubla, Tessa laissa échapper un soupir, et ses yeux, qu'elle avait gardés fermés, s'ouvrirent au moment où la sensation atteignait son paroxysme… puis elle se dissipa.

C'était fini.

Tessa cligna des paupières, étourdie. Immédiatement après une transformation, elle avait l'impression de sortir la tête de l'eau. Elle examina son nouveau corps ; il était menu, voire frêle, et sa robe, à présent trop longue, s'étalait à ses pieds. Ses mains nouées devant elle étaient pâles et fines, ses doigts gercés et ses ongles rongés. C'étaient les mains d'une étrangère.

— Quel est ton nom ? demanda Mrs Black.

Elle s'était levée, et observait Tessa d'un œil perçant, presque avide. Tessa n'eut pas besoin de répondre. La fille dont elle avait pris la forme s'en chargea, faisant entendre sa voix à travers elle, comme on s'imagine que les esprits communiquent par le biais des médiums, sauf que Tessa n'aimait pas voir les choses en ces termes : pour elle, la transformation était un acte beaucoup plus intime et beaucoup plus effrayant que cela.

— Emma, fit la voix à l'intérieur d'elle. Miss Emma Bayliss, m'dame.

— Et qui es-tu, Emma Bayliss ?

Les mots qui jaillirent de la bouche de Tessa s'accompagnèrent d'images fortes. Née à Cheapside, Emma était l'aînée de six enfants. Depuis la mort de son père, sa mère vendait de l'eau mentholée en poussant son chariot dans les rues de l'East End. Dès son plus jeune âge, Emma avait appris à coudre pour rapporter un peu d'argent à la maison. Elle passait ses nuits à travailler à la lueur d'une bougie, assise à la table de la cuisine. Parfois, quand la bougie s'était consumée et qu'il n'y avait pas de quoi en acheter une neuve, elle allait s'asseoir dehors sous un réverbère et reprenait son ouvrage…

— C'est ce que tu faisais la nuit de ta mort, Emma Bayliss ? s'enquit Mrs Dark.

Elle souriait à demi en se passant la langue sur les lèvres, comme si elle connaissait déjà la réponse à sa question.

Tessa distingua des rues étroites, obscures, enveloppées d'un épais brouillard, et l'éclat argenté d'une aiguille qui s'activait sous la pâle lumière jaunâtre du réverbère. Un bruit de pas ténu s'éleva de la brume. Des mains surgirent de la pénombre et l'agrippèrent par les épaules pour l'entraîner dans l'obscurité. Elle poussa un hurlement, lâcha le fil et l'aiguille, perdit son ruban en se débattant. Une voix sévère proféra des menaces. Puis la lame d'un couteau étincela dans les ténèbres et s'enfonça dans sa chair en faisant jaillir le sang. Elle ressentit une douleur aussi vive qu'une brûlure, et une immense terreur la submergea. Elle parvint à désarmer son agresseur d'un coup de pied, ramassa le couteau et s'enfuit en titubant, plus faible à mesure que le sang s'écoulait. Elle s'affala dans une ruelle, entendit un sifflement derrière elle. Elle savait que cette chose la suivait, et elle priait pour mourir avant qu'elle l'ait rejointe…

Le lien avec la morte se brisa comme du verre. Avec un cri de frayeur, Tessa tomba à genoux, et le ruban glissa de sa main. Emma avait disparu. Tessa était de nouveau seule à l'intérieur de sa tête.

La voix de Mrs Black lui parvint, lointaine.

— Theresa ? Où est Emma ?

— Elle est morte, murmura Tessa. Elle s'est vidée de son sang dans une ruelle.

— Parfait, fit Mrs Dark avec un soupir de satisfaction. C'est bien, Theresa. Très bien, même.

Tessa ne répondit pas. Le devant de sa robe était taché de sang, et pourtant elle n'éprouvait aucune douleur. Elle savait que ce sang n'était pas le sien ; cela s'était déjà produit par le passé. Elle ferma les yeux, sentit les ténèbres tournoyer autour d'elle et pria pour ne pas s'évanouir.

— Nous aurions dû lui confier cette tâche avant, déclara Mrs Black. L'histoire de cette Bayliss me chiffonnait depuis un moment.

— Je ne la jugeais pas prête, répliqua Mrs Dark d'un ton sec. Rappelle-toi ce qui s'est passé avec Mrs Adams.

Tessa comprit immédiatement à quoi elle faisait référence. Quelques semaines plus tôt, elle avait pris la forme d'une femme tuée d'une balle en plein cœur. Du sang avait coulé sur sa robe, et elle avait retrouvé son apparence sur-le-champ en hurlant comme une hystérique jusqu'à ce que les sœurs la persuadent qu'elle n'était pas blessée.

— Elle a énormément progressé depuis, tu ne trouves pas ? objecta Mrs Black. Au vu des efforts que nous avons dû fournir au début… Elle ne savait même pas ce qu'elle était vraiment.

— Il est exact qu'elle était totalement inexpérimentée, reconnut Mrs Dark. Nous avons accompli un miracle. Le Magistère sera content.

Mrs Black laissa échapper un petit cri de surprise.

— Tu veux dire… que le moment est venu ?

— Absolument, ma chère sœur. Elle est prête. Il est temps que notre Theresa rencontre son maître.

Il y avait une note triomphante dans la voix de Mrs Dark, une inflexion si déplaisante que Tessa la perçut malgré son vertige. De quoi parlaient-elles ? Qui était ce Magistère ? Derrière ses paupières mi-closes, elle vit Mrs Dark tirer sur le cordon de soie pour appeler Miranda afin qu'elle la reconduise dans sa chambre. Apparemment, la leçon d'aujourd'hui était terminée.

— Demain, peut-être, dit Mrs Black, ou même ce soir. Si nous prévenons le Magistère qu'elle est prête, je suppose qu'il se présentera ici dans les plus brefs délais.

Mrs Dark contourna le bureau en gloussant.

— Je conçois que tu sois pressée de recevoir le paiement de notre travail, ma chère sœur, mais il ne suffit pas que Theresa soit prête. Elle doit aussi être… présentable, tu ne crois pas ?

Mrs Black suivit sa sœur en marmonnant une réponse interrompue par l'arrivée de Miranda, qui affichait le même air absent que d'habitude. La vue de Tessa recroquevillée sur elle-même et couverte de sang ne parut pas l'émouvoir. « Elle a probablement vu bien pire », songea Tessa.

— Ramène-la dans sa chambre, Miranda.

L'enthousiasme de Mrs Black semblait s'être dissipé, et elle avait retrouvé ses manières brusques.

— Va chercher ses affaires… Tu sais, celles qu'on t'a montrées… et habille-la.

— Les affaires… que vous m'avez montrées ? répéta Miranda.

Mrs Dark et Mrs Black échangèrent un regard exaspéré et s'approchèrent de Miranda en la dérobant à la vue de Tessa. Elle saisit quelques bribes de leur conversation à voix basse, telles que « robes », « penderie », « fais ton possible pour la rendre jolie » ou encore, en guise de conclusion, la remarque suivante, fort cruelle au demeurant : « Je ne suis pas sûre que Miranda soit assez maligne pour s'acquitter d'une instruction aussi vague, ma chère sœur. »

Que leur importait son physique alors qu'elles pouvaient la forcer à prendre n'importe quelle apparence ? Et en quoi cela intéressait-il le Magistère ? Car, à en juger par leur comportement, cela comptait pour lui.

Mrs Black quitta précipitamment la pièce, sa sœur, comme toujours, sur ses talons. Sur le seuil, elle fit une pause et se tourna vers Tessa.

— Souvenez-vous bien de cette journée, Theresa. C'est l'aboutissement de tous nos efforts.

Relevant le bas de sa robe de ses mains osseuses, elle ajouta :

— Ne nous décevez pas.

À ces mots, elle claqua la porte derrière elle. Ce bruit fit tressaillir Tessa ; Miranda, elle, comme à son habitude, ne montra aucune émotion. Depuis son arrivée dans la maison noire, Tessa n'avait jamais trouvé le moyen de surprendre cette fille, ni décelé chez elle la moindre spontanéité.

— Venez, dit-elle. Il faut remonter dans votre chambre.

Tessa se leva lentement. Elle avait le tournis. Sa vie dans la maison noire était horrible, mais elle s'apercevait à présent qu'elle s'y était presque accoutumée. Elle savait à quoi s'attendre chaque jour. Elle devinait que les Sœurs Noires la préparaient en vue d'un événement, bien qu'elle ignorât de quoi il s'agissait précisément. Jusqu'alors, elle avait cru – naïvement, peut-être – qu'elles n'avaient aucune intention de la tuer. À quoi bon s'acharner à la faire travailler si elle devait mourir ?

Pourtant, le ton réjoui de Mrs Dark semait le doute dans son esprit. Quelque chose avait changé. Elles avaient atteint leur objectif avec elle. Elles seraient « payées » pour leurs efforts. Mais qui se chargerait du paiement ?

— Venez, répéta Miranda. Il faut vous préparer pour le Magistère.

— Miranda, dit Tessa de la voix caressante qu'on prend pour amadouer un chat inquiet (Miranda n'avait jamais répondu à ses questions jusqu'alors, il n'était pas interdit d'essayer). Qui est le Magistère ?

Un long silence suivit. Miranda regarda droit devant elle, impassible, puis, à la stupéfaction de Tessa, elle répondit :

— Le Magistère est un grand homme. C'est un honneur de l'épouser.

— L'épouser ? Qui ça, moi ? Mais... qui est-ce ?

Le choc de cette révélation fut si violent que, soudain, la pièce apparut à Tessa avec une netteté effrayante : Miranda, le tapis éclaboussé de sang, le globe terrestre en cuivre posé sur le bureau, dans la position où Mrs Black l'avait laissé.

— Un grand homme, répéta Miranda. C'est un honneur. (Elle s'approcha de Tessa.) Maintenant, vous devez venir avec moi.

— Non, fit Tessa en reculant jusqu'à ce que ses reins heurtent violemment le bureau.

Elle jeta un regard affolé autour d'elle. Comment fuir ? Miranda lui barrait l'accès à la porte et la pièce ne comportait aucune autre issue.

— Miranda, je t'en supplie !

— Vous devez venir avec moi, répéta la domestique.

Elle avait presque rejoint Tessa. Elle distinguait son reflet dans ses pupilles noires, et percevait la légère odeur de brûlé qui émanait de son corps et de ses vêtements.

— Vous devez...

Avec une énergie dont elle ne se savait pas capable, Tessa saisit la base du globe terrestre, le souleva et l'abattit de toutes ses forces sur la tête de Miranda.

Le choc s'accompagna d'un bruit répugnant. Miranda recula en titubant, la tête baissée, puis se redressa lentement. Tessa poussa un cri, lâcha le globe et observa, médusée, le visage de la jeune femme dont toute la partie gauche était enfoncée tel un masque de papier qu'on aurait écrasé d'un coup de poing. Sa pommette était tout aplatie, ses lèvres en bouillie laissaient voir ses dents, mais pas une goutte de sang ne s'écoulait de ses blessures.

— Maintenant, vous devez venir avec moi, répéta Miranda de sa voix désincarnée habituelle.

Tessa en resta bouche bée.

— Vous devez… vous d-d-devez… vous… vous… vous…v-v-v-v…

La voix de Miranda trembla, se tut brusquement. Soudain, elle vomit un flot ininterrompu de syllabes dénuées de signification. Elle s'avança vers Tessa, le corps agité de soubresauts, puis, sans cesser de proférer des paroles incompréhensibles, elle se mit à tituber comme un ivrogne avant d'aller s'écraser contre le mur opposé. Le choc parut l'avoir sonnée ; elle s'effondra par terre et s'immobilisa.

Tessa courut jusqu'à la porte et se précipita dans le couloir en jetant un dernier regard derrière elle. Un instant, il lui sembla qu'un ruban de fumée noire s'élevait du corps inerte de Miranda, mais elle n'avait pas le temps d'en avoir le cœur net. Elle s'enfuit à toutes jambes en laissant la porte claquer derrière elle.

Elle gravit l'escalier quatre à quatre, se prit les pieds dans sa robe et se cogna le genou sur une marche. Étouffant un cri, elle reprit sa course, atteignit le palier et s'élança dans le couloir qui s'étendait devant elle, long et sinueux, avant de se perdre dans les ténèbres. Il était jalonné de portes. Elle s'arrêta devant l'une d'elles, tourna la poignée, et constata qu'elle était verrouillée, ainsi que la suivante et celle d'après.

Le corridor débouchait sur une autre volée de marches. Tessa les descendit à toute allure et se retrouva dans un vestibule qui jadis avait dû être magnifique, au vu du sol en marbre craquelé et des hautes fenêtres. Un rai de lumière filtrait à travers la dentelle des rideaux, éclairant une imposante porte d'entrée. Le cœur de Tessa bondit dans sa poitrine. Elle saisit la poignée et ouvrit.

Au-delà se trouvait une étroite rue pavée bordée de maisons mitoyennes. L'odeur de la ville assaillit Tessa de plein fouet ; cela faisait si longtemps qu'elle n'avait pas respiré l'air du dehors ! La nuit tombait : le ciel se teintait d'un bleu crépusculaire obscurci par des nappes de brouillard. Au loin, elle discernait des voix, des cris d'enfants qui jouaient, le claquement de sabots d'un cheval. Mais la rue était déserte, à l'exception d'un homme qui lisait le journal, adossé à un réverbère proche.

Tessa dévala les marches du perron et se jeta sur l'inconnu qu'elle agrippa par la manche.

— S'il vous plaît, monsieur, aidez-moi…

Il se tourna pour la dévisager et elle étouffa un hurlement. Son visage était aussi pâle et cireux que la première fois où elle l'avait vu sur le quai de Southampton. Ses yeux globuleux lui rappelaient toujours ceux de Miranda, et ses dents étincelèrent comme du métal quand il grimaça un sourire.

C'était le cocher des Sœurs Noires.

Tessa se détourna pour fuir, mais il était déjà trop tard.

2
L'ENFER EST GLACÉ

La vie est une étoile qui luit à l'horizon
Sur les limites des deux mondes, entre la nuit et l'aurore.
Comme nous savons peu ce que nous sommes !
Combien moins encore ce que nous serons !

Lord Byron, *Don Juan*

— **P**etite idiote, cracha Mrs Black en tirant sur les liens qui retenaient les poignets de Tessa aux montants de son lit. Qu'est-ce qui vous a pris de vous enfuir ? Où pensiez-vous donc aller ?

Tessa ne répondit pas, releva la tête et fixa obstinément le mur. Elle ne voulait pas que Mrs Black et son horrible sœur s'aperçoivent qu'elle était au bord des larmes et que les cordes qui lui enserraient les chevilles et les poignets la mettaient au supplice.

— Elle est complètement insensible à l'honneur qu'on lui fait, lâcha Mrs Dark, campée près de la porte comme si elle craignait que Tessa se libère de ses liens et s'enfuie en courant. Quelle attitude révoltante !

— Nous avons fait notre possible pour la préparer à la venue du Magistère, déclara Mrs Black en soupirant. Quel dommage de devoir travailler avec un matériau aussi médiocre, même si elle n'est pas sans talent. Quelle petite fourbe sans cervelle !

— Oh ça oui ! renchérit sa sœur. Elle a conscience, n'est-ce pas, de ce qui arriverait à son frère si elle essayait de nous désobéir encore ? Nous voulons bien faire preuve de clémence pour cette fois, mais à la prochaine incartade… (elle siffla entre ses dents, et Tessa sentit ses cheveux se dresser sur sa nuque)… Nathaniel n'aura pas de seconde chance.

Tessa ne put en supporter davantage ; même si elle savait qu'elle ne devait pas leur donner la satisfaction de répliquer, elle ne pouvait tenir sa langue plus longtemps.

— Si vous m'aviez expliqué qui est ce Magistère et ce qu'il veut de moi…

— Il veut vous épouser, petite sotte. Il a tout à vous offrir.

Mrs Black, qui venait de finir de resserrer les nœuds, recula pour admirer son œuvre.

— Mais pourquoi ? murmura Tessa. Pourquoi moi ?

— À cause de votre don, répondit Mrs Dark. À cause de ce que vous êtes et de ce que vous avez le pouvoir de faire grâce à l'entraînement que nous vous avons fait suivre. Vous devriez nous remercier.

— Mais mon frère…

Des larmes piquèrent les yeux de Tessa. « Je ne vais pas pleurer, je ne vais pas pleurer, je ne vais pas pleurer », s'enjoignit-elle.

— Vous m'aviez promis que, si je vous obéissais, vous lui rendriez sa liberté…

— Quand vous l'aurez épousé, le Magistère vous offrira tout ce que vous désirez. Si c'est vraiment votre frère que vous voulez, il vous le rendra.

Il n'y avait ni remords ni émotion d'aucune sorte dans la voix de Mrs Black.

Mrs Dark ricana.

— Je sais ce qui lui passe par la tête. Elle se dit que si elle peut obtenir tout ce qu'elle souhaite, elle nous fera tuer.

— N'y pensez même pas ! s'exclama Mrs Black en pinçant le menton de Tessa. Nous avons passé un accord avec le Magistère. Il ne peut – ni ne voudrait – nous nuire. Il nous doit tout, puisque nous vous donnons à lui. (Elle se pencha et poursuivit d'une voix réduite à un murmure.) Il vous veut en bonne santé, intacte. Le cas échéant, je vous aurais battue jusqu'au sang. Si vous osez nous désobéir à nouveau, je vous ferai fouetter contre sa volonté. Vous m'avez bien comprise ?

Pour toute réponse, Tessa tourna la tête vers le mur.

Une nuit, alors que le bateau passait au large de Terre-Neuve, Tessa n'avait pas pu fermer l'œil. Elle était sortie sur le pont pour prendre l'air, et avait vu des montagnes blanches et scintillantes se dresser dans le ciel nocturne. Des icebergs, avait expliqué un marin, ces énormes blocs de glace qui se détachaient de la banquise quand le temps se réchauffait. Ils dérivaient lentement sur les flots noirs, telles les tours d'une cité blanche engloutie. À ce moment-là, Tessa s'était sentie plus seule que jamais.

Elle savait désormais qu'alors elle avait seulement touché du doigt la solitude. Après le départ des sœurs, elle s'aperçut qu'elle n'avait plus envie de pleurer. Les picotements derrière ses paupières avaient laissé place à un sentiment muet de profond désespoir. Mrs Dark avait raison. Si Tessa avait pu les tuer toutes les deux, elle n'aurait pas hésité.

Elle remua pour tester les liens qui retenaient ses chevilles et ses poignets aux montants du lit. Les nœuds étaient assez serrés pour écorcher sa chair et lui donner des fourmillements dans les mains et les pieds. Sous peu, estima-t-elle, ses extrémités seraient complètement engourdies.

Une part d'elle-même était tentée de renoncer, d'attendre passivement que le Magistère vienne la chercher. Le ciel s'était déjà obscurci derrière la petite fenêtre ; il ne tarderait pas. Peut-être tenait-il vraiment à l'épouser. Peut-être avait-il réellement l'intention de tout lui donner.

Soudain, la voix de tante Harriet résonna dans sa tête : « Le jour où tu rencontreras un homme digne de t'épouser, Tessa, souviens-toi de ceci : c'est à ses actes et non à ses paroles que tu le reconnaîtras. »

Tante Harriet avait raison, évidemment. Aucun homme digne d'être épousé n'aurait passé un marché avec deux sorcières pour qu'elles la traitent comme une esclave et la torturent à cause de son « pouvoir » pendant que son frère croupissait dans quelque prison. Dieu seul savait quel sort lui réserverait le Magistère une fois qu'il aurait mis la main sur elle.

« Seigneur, quel don inutile ! » pensa-t-elle. Le pouvoir de changer d'apparence ? Si seulement elle détenait celui d'enflammer des objets, de tordre le fer ou de faire jaillir des lames de ses doigts ! Si seulement elle avait le pouvoir de se rendre invisible ou de se faire aussi petite qu'une souris…

Soudain, elle se figea ; elle n'entendait plus que le tic-tac de l'ange mécanique contre sa poitrine. Elle n'avait pas besoin de se ratatiner comme une souris ! Il suffisait qu'elle se fasse assez petite pour se libérer de ses liens.

Elle avait la capacité de redevenir la même personne sans avoir à toucher un objet lui ayant appartenu… dès lors qu'elle l'avait déjà fait. Les sœurs lui avaient montré comment procéder. Pour la première fois, elle était contente d'avoir appris quelque chose d'elles.

Elle se plaqua contre le matelas dur comme du bois et fouilla sa mémoire. La rue, la cuisine, les va-et-vient de l'aiguille, la lumière du réverbère. Elle appela de ses vœux la transformation. « Quel est ton nom ? Emma. Emma Bayliss… »

La métamorphose déferla en elle tel un train lancé à toute vitesse. Le souffle coupé, elle sentit que sa peau et ses os changeaient de forme. Elle réprima un cri, arrondit le dos…

Et ce fut fini. Clignant des yeux, Tessa vit d'abord le plafond, puis contempla les cordes qui pendaient à présent sur ses mains fines et délicates… les mains d'Emma. D'un geste triomphant, elle libéra ses poignets et se redressa sur le lit en massant les marques rouges laissées par ses liens.

Ses chevilles étaient toujours prisonnières. Elle se pencha pour dénouer la dernière corde. Il apparut que Mrs Black avait la dextérité d'un marin en matière de nœuds. Tessa avait les doigts écorchés et couverts de sang quand la corde tomba enfin à ses pieds.

Les cheveux d'Emma étaient si fins qu'ils s'étaient échappés des épingles qui retenaient le chignon de Tessa. Elle les repoussa d'un geste impatient et se libéra d'Emma, laissant la transformation refluer jusqu'à ce qu'elle sente le contact familier de ses cheveux épais sous ses doigts. En jetant un coup d'œil au miroir de l'autre côté de la pièce, elle constata qu'Emma Bayliss avait disparu et qu'elle était redevenue elle-même.

Un bruit la fit sursauter. La poignée de la porte tourna d'un côté puis de l'autre, comme si on peinait à l'ouvrir.

« Mrs Dark », pensa Tessa. Elle était revenue pour la fouetter jusqu'au sang avant de la conduire auprès du Magistère. Tessa traversa la pièce en hâte, saisit le broc en porcelaine sur la table de toilette et alla se poster près de la porte.

La poignée céda enfin et la porte s'ouvrit. Dans la pénombre, Tessa ne distingua qu'une silhouette. Elle abattit le broc de toutes ses forces sur elle.

À la vitesse de l'éclair, la silhouette s'écarta d'un pas ; le broc s'écrasa sur son bras tendu, avant de se briser contre le mur opposé. Une pluie d'éclats de porcelaine tomba sur le sol et un cri s'éleva, suivi d'un chapelet d'injures.

La voix était indéniablement masculine. Tessa recula, puis se précipita vers la porte, qui s'était déjà refermée. Elle eut beau tirer sur la poignée, elle ne céda pas. Un rai de lumière aveuglant illumina la pièce comme si le soleil venait de se lever. Tessa fit volte-face en clignant des yeux… et se figea, bouche bée.

Le garçon qui se tenait devant elle ne devait pas avoir plus de dix-sept ou dix-huit ans. Il portait une veste noire et un pantalon élimés, des chaussures grossières. Il n'avait pas de gilet, et d'épaisses sangles en cuir lui ceignaient la taille et le torse, sur lesquelles étaient fixées toutes sortes de dagues, de canifs et de couteaux dont la lame semblait faite de glace. Dans sa main droite, il brandissait une espèce de pierre lumineuse qui dispensait une clarté éblouissante. Quant à sa main gauche, une main fine aux longs doigts, elle saignait. Tessa l'avait sans doute entaillée avec le broc.

Mais ce n'était pas la blessure du jeune homme qui retint son attention. Il avait le plus beau visage qu'elle ait jamais vu, avec des cheveux noirs ébouriffés et des yeux bleus perçants, des pommettes hautes, des lèvres pleines et des cils épais. Il ressemblait à tous les héros qu'elle se représentait dans sa tête, bien qu'elle n'eût jamais envisagé que l'un d'eux pût l'agonir d'injures tout en secouant sa main ensanglantée d'un geste accusateur.

Semblant s'apercevoir qu'elle le regardait avec des yeux ronds, il s'interrompit dans sa diatribe.

— Vous m'avez coupé, lâcha-t-il.

Il avait une voix à la fois agréable et très ordinaire, et un accent anglais. Il observa sa main avec un intérêt clinique.

— Cela pourrait bien m'être fatal.

Tessa le dévisagea avec perplexité.

— Êtes-vous le Magistère ?

Il baissa la main, et du sang éclaboussa le sol.

— Diable, je perds beaucoup de sang. La mort est peut-être imminente.

— Êtes-vous le Magistère ?

— Magistère ? répéta-t-il, l'air visiblement surpris par sa véhémence. Cela signifie « maître » en latin, n'est-ce pas ?

— Je…

Tessa avait l'impression d'être prisonnière d'un rêve étrange.

— Je suppose que oui.

— Au cours de ma vie, je suis passé maître en de nombreux domaines. Je sais me repérer dans les rues de Londres, danser le quadrille, arranger les fleurs dans les règles de l'art japonais, mentir aux devinettes, dissimuler un état d'ébriété avancé, user de mes charmes auprès des jeunes femmes…

Tessa le regarda, bouche bée.

— Hélas, poursuivit-il, personne ne m'a jamais appelé « maître » ou « magistère ». Quel dommage…

— Êtes-vous ivre ? s'enquit Tessa.

Sa question se voulait très sérieuse, mais dès l'instant où elle eut franchi ses lèvres, elle s'aperçut qu'elle devait passer pour une malotrue. De toute manière, il n'avait pas des gestes d'ivrogne. Elle avait trop vu son frère pris de boisson pour déceler la différence. Peut-être était-il tout simplement fou.

— Vos manières sont pour le moins directes, mais je suppose que c'est le cas de tous les Américains, n'est-ce pas ? répliqua le garçon d'un air amusé. Oui, votre accent vous a trahie. Et quel est votre nom ?

Tessa lui jeta un regard incrédule.

— Mon nom ?

— Vous ne vous en souvenez pas ?

— Vous… vous faites irruption dans ma chambre, vous me causez une peur bleue, et vous exigez de connaître mon nom ? Et vous ? Qui diable êtes-vous ?

— Je m'appelle Herondale, repartit le garçon d'un ton jovial. William Herondale, mais tout le monde me prénomme Will. C'est vraiment votre chambre ? Elle n'est pas très accueillante, si ?

Il se dirigea vers la fenêtre en s'arrêtant pour examiner la pile de livres sur la table de chevet, puis le lit. Il désigna les cordes.

— Il vous arrive souvent de dormir attachée ?

Tessa sentit ses joues s'empourprer et s'étonna, compte tenu des circonstances, de pouvoir encore rougir. Devait-elle lui dire la vérité ? Se pouvait-il qu'il soit le Magistère ? Bien que, à en juger par son physique, il n'ait pas besoin d'emprisonner une jeune fille pour la forcer à l'épouser…

— Tenez-moi ça, dit-il en lui tendant la pierre lumineuse.

Tessa obéit en s'attendant qu'elle lui brûle les doigts, or elle était froide au toucher. Dès l'instant où elle la serra dans sa paume, sa lumière se réduisit à un faible scintillement. Elle jeta au garçon un regard désemparé mais il s'était posté devant la fenêtre et regardait au-dehors d'un air désinvolte.

— Dommage que nous soyons au troisième étage. Je pourrais sauter, quant à vous, vous risqueriez de vous rompre le cou. Non, nous devrons passer par la porte.

— Passer par la… Quoi ?

Tessa, qui avait l'impression d'être plongée dans un état quasi permanent de perplexité, secoua la tête.

— Je ne comprends pas.

— Comment cela ? (Il montra du doigt ses livres.) Vous lisez des romans. Manifestement, je suis ici pour vous sauver. N'ai-je pas l'allure d'un Galaad ? (Il leva les bras d'un geste théâtral.) « Ma force vaut celle de dix hommes, car j'ai le cœur pur… »

Un bruit résonna dans les entrailles de la maison, le claquement d'une porte.

Will lança un juron qui n'aurait jamais franchi les lèvres du seigneur Galaad et s'écarta d'un bond de la fenêtre. Il retomba sur ses pieds en grimaçant et jeta un regard piteux à sa main blessée.

— Il faudra que je m'occupe de cela plus tard. Venez, Miss…

Il l'observa d'un air interrogateur.

— Miss Gray, répondit-elle d'une petite voix. Theresa Gray.

— Miss Gray, répéta-t-il. Venez, Miss Gray.

Il s'élança vers la porte, tourna et tira sur la poignée… en vain.

— C'est inutile, dit-elle. La porte ne s'ouvre pas de l'intérieur.

Will esquissa un sourire féroce.

— Vraiment ?

Il porta la main à sa ceinture, dégaina une baguette longue et fine en métal clair et en appuya l'extrémité contre la porte. Là, il se mit à dessiner. D'épaisses lignes noires jaillirent du bout du cylindre flexible en produisant un sifflement sonore en même temps qu'elles s'imprimaient sur le panneau de bois tel un jet d'encre maîtrisé.

— Vous dessinez ? s'exclama Tessa. Je ne vois pas comment cela peut…

Il y eut un fracas de verre brisé. La poignée se mit à tourner toute seule de plus en plus vite et la porte s'ouvrit à la volée alors qu'un petit nuage de fumée s'élevait de ses gonds.

— Et voilà ! s'écria Will. (Après avoir rempoché l'étrange objet, il fit signe à Tessa de le suivre.) Allons-nous-en.

Sans pouvoir se l'expliquer, elle hésita et jeta un regard dans la pièce qui était sa prison depuis presque deux mois.

— Mes livres…

— Je vous en donnerai d'autres, répliqua-t-il en la poussant dans le couloir avant de refermer la porte.

Il l'agrippa par le poignet et l'entraîna vers l'escalier qu'elle avait descendu tant de fois avec Miranda, puis dévala les marches quatre à quatre.

Un hurlement leur parvint de l'étage. Tessa reconnut la voix de Mrs Dark.

— Elles se sont aperçues de votre disparition, dit Will.

Ils avaient atteint le rez-de-chaussée, et Tessa ralentit le pas. Will, qui ne semblait pas décidé à s'arrêter, la tira par le bras.

— On ne passe pas par la porte d'entrée ? demanda-t-elle.

— C'est impossible. La maison est cernée. Une file de fiacres stationnent devant. J'ai l'impression que j'arrive à un moment particulièrement excitant. (Il s'engagea dans un autre escalier et Tessa le suivit.) Savez-vous ce que les Sœurs Noires avaient prévu pour ce soir ?

— Non.

— Pourtant vous attendiez la venue d'un certain Magistère ?

Ils avaient gagné la cave ; là, le plâtre des murs laissait soudain place à de la pierre humide. Sans la lanterne de Miranda, il y faisait très sombre. Une vague de chaleur les assaillit.

— Par l'Ange, c'est le neuvième cercle de l'enfer, ici...

— Le neuvième cercle de l'enfer est glacé, rétorqua Tessa aussitôt.

Will la considéra avec surprise.

— Quoi ?

— Dans l'œuvre de Dante, l'enfer est froid. Il est recouvert de glace.

Will la dévisagea pendant un long moment, réprima un sourire et tendit la main.

— Donnez-moi la lumière de sort. (Devant son air interdit, il ajouta avec impatience :) La pierre. Donnez-moi la pierre.

Dès l'instant où sa main se referma sur l'objet, de la lumière filtra à travers ses doigts. Pour la première fois, Tessa remarqua un dessin sur le dos de sa main, qui semblait tatoué à l'encre noire. Il représentait un œil ouvert.

— Quant à la température de l'enfer, Miss Gray, laissez-moi vous donner un conseil. Le beau jeune homme qui s'efforce de vous sauver d'un destin horrible ne se trompe jamais. Même s'il dit que les poules ont des dents.

« Il est fou à lier », songea Tessa, qui se garda toutefois d'exprimer sa pensée, trop alarmée par le fait qu'il se dirigeait vers la grande porte à deux battants accédant aux appartements des sœurs.

— Non ! souffla-t-elle en le retenant par le coude. Pas par ici. Il n'y a pas d'issue.

— On me contredit encore, à ce que je vois.

Will prit la direction opposée et s'engagea dans le couloir obscur qui avait toujours effrayé Tessa. La gorge nouée, elle lui emboîta le pas.

Le corridor s'étrécissait à mesure qu'ils progressaient, et les murs semblaient se refermer sur eux. À cet endroit, la chaleur moite encore plus intense faisait boucler les cheveux de Tessa, les collait sur ses tempes et sur sa nuque. L'air devenu lourd se raréfiait. Pendant quelque temps, ils marchèrent en silence, jusqu'à ce que Tessa n'y tienne plus. Elle devait poser la question.

— Mr Herondale, est-ce mon frère qui vous envoie ?

Elle craignait un peu qu'il lui fasse une réponse insensée, mais il se contenta de la dévisager d'un air intrigué.

— Je n'ai jamais entendu parler de lui, dit-il enfin, et la déception serra le cœur de Tessa.

Elle se doutait que Nate ne pouvait pas avoir envoyé ce jeune homme pour la sauver : le cas échéant, il aurait su son nom, n'est-ce pas ? Et cependant, elle ne pouvait pas s'empêcher d'être malheureuse.

— Et avant ces dix dernières minutes, Miss Gray, je n'avais jamais entendu parler de vous non plus. Je suivais la trace d'une jeune fille morte depuis près de deux mois. Elle a été assassinée, puis elle s'est vidée de son sang dans une ruelle. Elle fuyait… quelque chose.

Le couloir se scindait en deux, et après une pause Will tourna à gauche.

— Il y avait une dague près d'elle, tachée de son sang. Elle était ornée d'un symbole représentant deux serpents se mordant la queue.

Tessa sursauta. Un corps vidé de son sang dans une ruelle ? Il ne pouvait s'agir que d'Emma.

— C'est le symbole qui figure sur la voiture des Sœurs Noires… C'est ainsi que j'appelle Mrs Dark et Mrs Black, expliqua-t-elle.

— Vous n'êtes pas la seule à les nommer ainsi ; les autres Créatures Obscures font de même, déclara Will. Je l'ai découvert au cours de mes recherches sur ce symbole. J'ai dû écumer une centaine de repaires du Monde Obscur avec cette dague à la main pour dénicher quelqu'un qui soit capable de le reconnaître. J'ai offert une récompense en échange de toute information. Pour finir, le nom des Sœurs Noires est parvenu à mes oreilles.

— Le Monde Obscur ? répéta Tessa, perplexe. C'est un endroit de Londres ?

— Aucune importance. Quand je me flatte de mes talents d'enquêteur, je n'aime pas être interrompu. Où en étais-je ?

— La dague…

Tessa s'interrompit au moment où une voix suave, aiguë et reconnaissable entre toutes résonnait dans le couloir.

— Miss Gray ?

C'était la voix de Mrs Dark. Elle semblait s'insinuer à travers les murs comme un ruban de fumée.

— Miss Graaaay ? Où êtes-vous ?

Tessa se figea.

— Oh, mon Dieu, elles vont nous rattraper…

Will lui saisit de nouveau le poignet et ils se remirent à courir. La pierre qu'il tenait projetait de la lumière sur les murs tandis qu'ils se hâtaient dans le couloir. Le sol descendait et devenait de plus en plus humide et glissant sous leurs pieds, l'air se réchauffait progressivement. Ils avaient l'impression de se précipiter dans les entrailles infernales de la terre alors que les voix des Sœurs Noires se répercutaient sur les murs.

— Miss Graaaaaay ! Nous ne vous laisserons pas vous enfuir, vous savez. Il est inutile de vous cacher. Nous finirons par vous retrouver, mon chou, vous le savez bien.

Parvenus à un coude, Will et Tessa s'arrêtèrent net devant une haute porte en fer. Lâchant la main de Tessa, Will se jeta contre le panneau. La porte céda brusquement et il entra, suivi de Tessa qui prit le temps de la claquer derrière elle. Elle était si lourde qu'elle dut s'y appuyer de tout son poids pour y parvenir.

Le seul éclairage de la pièce provenait de la pierre de Will, dont la clarté s'était réduite au faible rougeoiement d'une braise. Elle l'illumina dans les ténèbres comme une torche sur une scène tandis qu'il passait devant Tessa pour pousser le lourd verrou couvert de rouille et, debout près de lui, elle sentit les muscles de son corps se tendre sous l'effort, ainsi que les battements effrénés de son cœur… à moins qu'il ne s'agisse du sien ? L'étrange lumière blanche générée par la pierre éclaira la courbe saillante de ses pommettes et le mince voile de sueur sur sa clavicule. Elle vit des marques dépasser du col déboutonné de sa chemise, épaisses et noires comme des tatouages, semblables à celle qui figurait sur sa main.

— Où sommes-nous ? murmura-t-elle.

Il se détourna sans répondre et leva la pierre pour éclairer la pièce.

C'était une vaste cellule aux parois de pierre. Le sol en pente était creusé en son milieu d'une large gouttière. Une unique fenêtre, percée très haut dans le mur, donnait sur l'extérieur. Il n'y avait pas d'autre porte que celle qu'ils venaient de franchir. Mais ce n'est pas ce dernier détail qui retint l'attention de Tessa.

La pièce était un véritable abattoir. De grandes tables en bois s'alignaient le long des murs. Sur l'une d'elles gisaient des corps humains pâles et dénudés. Chacun d'eux avait une incision noire en forme de Y sur la poitrine, et leur tête pendait dans le vide, les cheveux des femmes balayant le sol. Sur une autre qui trônait au centre de la pièce s'entassaient des couteaux et des outils maculés de sang.

Tessa plaqua la main sur sa bouche pour étouffer un cri et se mordit les doigts jusqu'au sang. Quant à Will, il était livide ; il jeta un regard horrifié autour de lui en marmonnant quelques mots inintelligibles.

Un bruit assourdissant retentit et la porte en fer trembla comme si l'on avait donné un coup de bélier.

— Mr Herondale ! cria Tessa.

Will se retourna et la porte trembla de nouveau sur ses gonds. Une voix s'éleva de l'autre côté.

— Miss Gray ! Sortez immédiatement, nous ne vous ferons aucun mal !

— Elles mentent ! s'exclama Tessa.

— Oh, vous croyez ? répliqua Will d'un ton lourd de sarcasme.

Il rempocha sa pierre lumineuse et bondit sur la table jonchée d'outils, se baissa pour ramasser un rouage en cuivre et le soupesa. Puis, avec un grognement d'effort, il le lança contre la fenêtre. La vitre vola en éclats, et il cria :

— Henry ! De l'aide, s'il te plaît ! Henry !

— Qui est Henry ? demanda Tessa. À cet instant, la porte trembla une troisième fois, et de petites craquelures apparurent dans le métal.

Visiblement, elle ne tiendrait pas très longtemps. Tessa se précipita vers la table, saisit au hasard une scie dentelée dont se servaient les bouchers pour découper les os et fit volte-face au moment où la porte s'ouvrait.

Les Sœurs Noires se tenaient sur le seuil, Mrs Dark, grande et sèche dans sa robe vert anis chatoyante, et Mrs Black, le visage rubicond, les yeux réduits à deux fentes. Une couronne d'étincelles bleues auréolait leur tête tel un minuscule feu d'artifice. Leurs regards glissèrent sur Will qui, debout sur la table, avait tiré de sa ceinture l'un de ses poignards à la lame de glace, avant de se poser sur Tessa. Les lèvres de Mrs Black, semblables à une balafre rouge sur son visage livide, grimacèrent un sourire.

— Miss Gray, quelle idée de vous être enfuie ! Nous vous avions pourtant prévenue que si vous essayiez encore…

— Allez-y ! Fouettez-moi ! Tuez-moi ! Je m'en moque ! s'écria Tessa.

Elle constata avec une certaine satisfaction que son accès de colère avait pris les deux sœurs au dépourvu, d'autant que jusqu'alors elle avait été trop terrifiée pour oser élever la voix.

— Je ne vous laisserai pas me donner en pâture au Magistère ! reprit-elle. Plutôt mourir !

— Finalement, vous avez la langue bien pendue, ma chère Miss Gray, rétorqua Mrs Black.

D'un geste délibéré, elle ôta son gant droit et, pour la première fois, Tessa vit sa main nue. Elle était aussi grise et sèche que la peau d'un éléphant, et terminée par de longues griffes noires qui semblaient tranchantes comme des rasoirs. Mrs Black adressa un sourire figé à Tessa.

— Il faudrait peut-être vous la couper pour vous apprendre les bonnes manières.

Alors qu'elle faisait mine de se jeter sur elle, Will, sautant d'un bond de la table, lui barra le passage.

— Malik, dit-il, et la lame blanche de son poignard s'illumina comme une étoile.

— Ôte-toi de mon chemin, petit Nephilim, grogna Mrs Black, et emporte tes poignards séraphiques. Ce ne sont pas tes affaires.

— Oh que si ! J'ai entendu parler de vous, chère madame. Les plus folles rumeurs circulent sur votre compte dans tout le Monde Obscur. On murmure que vous et votre sœur payez grassement les cadavres humains qu'on vous apporte, et que vous ne vous souciez guère de leur provenance.

— Tu ne vas pas faire d'histoires pour quelques Terrestres ! s'exclama Mrs Dark en allant se poster près de sa sœur, si bien que Will se trouvait à présent entre Tessa et les deux femmes. Nous ne tenterons pas de te nuire,

Chasseur d'Ombres, à moins que tu ne cherches à t'en prendre à nous. En pénétrant sur notre territoire, tu enfreins la Loi. Nous pourrions te dénoncer auprès de l'Enclave…

— Si l'Enclave désapprouve ce genre d'infraction, curieusement elle voit d'un plus mauvais œil encore le fait de décapiter et de dépecer des gens, lâcha Will. Elle est bizarre, sur ce point.

— Des gens ? cracha Mrs Dark. Des Terrestres ! Depuis quand vous intéressez-vous à eux ? (Elle se tourna vers Tessa.) Il ne t'a pas dit qui il est ? Ce n'est pas un être humain…

— Vous pouvez parler, rétorqua Tessa d'une voix tremblante.

— Et elle, t'a-t-elle dit qui elle est ? demanda Mrs Black à Will. T'a-t-elle expliqué ce qu'elle est capable de faire ?

— Si j'osais une hypothèse, je dirais que cela a quelque chose à voir avec le Magistère, répondit-il.

Mrs Dark prit un air suspicieux.

— Tu as entendu parler du Magistère ? (Elle jeta un coup d'œil à Tessa.) Ah, je vois. Tu ne sais que ce qu'elle t'a raconté. Le Magistère, mon petit ange, est plus dangereux que tout ce que tu peux imaginer. Et il attendait depuis longtemps quelqu'un qui possède les pouvoirs de Tessa. On peut même affirmer que c'est lui qui est à l'origine…

Ses paroles furent noyées sous un vacarme assourdissant, et le mur est de la pièce s'effondra, telles les murailles de Jéricho dans la vieille bible illustrée de

Tessa, laissant place à un énorme trou rectangulaire à demi noyé sous un nuage de poussière de plâtre.

Mrs Dark poussa un petit cri et saisit ses jupes de sa main osseuse. Visiblement, elle était aussi éberluée que Tessa.

Will saisit la main de la jeune fille et l'attira contre lui pour faire barrage de son corps tandis que les gravats pleuvaient autour d'eux. Au moment où il l'enlaçait, Mrs Black lâcha un hurlement.

Tessa se retourna pour voir ce qui se passait. Immobile, Mrs Dark pointait un index tremblant vers le trou dans le mur. La poussière commençait à retomber suffisamment pour que Tessa distingue les deux silhouettes qui venaient de franchir l'ouverture, chacune armée d'un couteau qui dispensait la même lumière d'un blanc bleuté que le poignard de Will. « Des anges », songea-t-elle, émerveillée, sans oser formuler sa pensée. Cette lumière si éblouissante… Que pouvaient-ils être d'autre ?

Mrs Black poussa un autre hurlement et fondit sur eux en faisant jaillir de ses mains une pluie d'étincelles. Tessa entendit un cri – très humain, celui-là – et Will, la lâchant brusquement, fit volte-face en lançant son poignard vers Mrs Black. L'arme tournoya dans le vide avant de se planter dans la poitrine de la sorcière. Sans cesser de crier et de se débattre, elle recula en chancelant, puis tomba sur l'une des tables qui s'effondra dans une gerbe de sang et d'éclats de bois.

Will sourit, et ce sourire-là n'avait rien d'amène. Il se tourna vers Tessa et ils se dévisagèrent en silence jusqu'à ce que les compagnons de Will, deux hommes en manteau sombre qui brandissaient des poignards scintillants, les aient rejoints. Ils se déplaçaient si vite que Tessa avait l'impression d'y voir flou.

Elle recula vers le mur en s'efforçant d'éviter le chaos au milieu de la pièce. Mrs Dark s'était mise à proférer des imprécations contre ses assaillants en les tenant à distance avec les étincelles qui fusaient de ses mains comme une pluie de feu. Mrs Black, elle, se tordait par terre, et des volutes de fumée noire s'élevaient de son corps ; on aurait dit qu'elle se consumait de l'intérieur.

Tandis que Tessa courait vers la porte qui donnait sur le couloir, des mains robustes l'agrippèrent. Elle se débattit en criant, mais l'homme avait une poigne de fer. Elle se pencha pour lui mordre la main. Son assaillant lâcha prise dans un cri ; grand, les cheveux roux hirsutes, il l'observa d'un œil rancunier en frottant sa main ensanglantée contre sa poitrine.

— Will ! cria-t-il. Will, elle m'a mordu !

— Vraiment, Henry ?

Will, l'air amusé comme à son habitude, se matérialisa auprès de lui tel un esprit invoqué surgissant d'un chaos de flammes et de fumée. Derrière lui, Tessa entrevit son second compagnon, un jeune homme brun et musclé qui s'efforçait de contenir une Mrs Dark enragée. Mrs Black n'était plus qu'une forme noire recroquevillée sur le sol. Will leva un sourcil à l'adresse de Tessa.

— Cela ne se fait pas de mordre les gens. C'est très mal élevé, vous savez. Personne ne vous a enseigné les bonnes manières ?

— Il est également très mal élevé d'empoigner une dame qu'on ne connaît pas, repartit sèchement Tessa.

Le rouquin que Will avait appelé Henry secoua sa main blessée avec un pauvre sourire. « Il a une tête sympathique », songea Tessa ; elle se sentait presque coupable de l'avoir mordu.

— Will ! Attention ! cria le jeune homme brun.

Will fit volte-face au moment où un objet volait dans leur direction ; il manqua de peu la tête de Henry et alla s'écraser contre le mur derrière Tessa. C'était un gros rouage en cuivre, et il avait heurté si violemment la paroi qu'il resta planté dedans comme une bille enfoncée dans de la pâte. Tessa se retourna… et vit Mrs Black fondre sur eux, les yeux de braise dans son visage pâle et flasque. Des flammes noires montaient du manche du poignard enfoncé dans sa poitrine.

— Bon sang… (Will dégaina un autre poignard pendu à sa ceinture.) Et moi qui pensais que nous en avions fini avec elle…

Mrs Black se jeta sur lui en montrant les dents comme un animal. Il fit un pas de côté. Henry, moins rapide, tomba à la renverse, frappé de plein fouet par la sorcière. S'accrochant à lui comme une tique, elle poussa un rugissement de bête et enfonça ses griffes dans ses épaules, lui arrachant un hurlement de douleur. Will brandit son poignard et cria : « Uriel ! » L'arme s'embrasa soudain comme une torche. Tessa se recroquevilla contre le mur au moment où il se ruait sur Mrs Black. Elle se redressa, toutes griffes dehors, pour riposter…

Et la lame du poignard lui trancha net la gorge. Sa tête roula sur le sol tandis que Henry, couvert de sang noir, repoussait son cadavre avec un hennissement de dégoût avant de se relever tant bien que mal.

Un cri terrible déchira le silence.

— Nooooon !

C'était Mrs Dark. Le jeune homme brun qui la maintenait par les épaules la relâcha avec un sursaut de frayeur en voyant des flammes bleues jaillir de ses yeux et de ses mains. Il s'affaissa avec un cri de douleur tandis qu'elle se précipitait sur Will et Tessa, les yeux semblables à des torches noires, en proférant des incantations dans une langue inconnue. Elle leva la main, et un éclair en fusa. Will s'interposa devant Tessa en brandissant son poignard. L'éclair ricocha sur la lame avant de percuter l'une des parois de pierre, qui s'éclaira d'un coup.

— Henry, brailla Will sans se retourner, pourrais-tu emmener Miss Gray en lieu sûr… au plus vite… ?

Henry prit Tessa par l'épaule au moment où Mrs Dark déchaînait de nouveau sa foudre vers elle. « Pourquoi veut-elle me tuer ? pensa-t-elle confusément. Pourquoi pas Will ? » Puis, en même temps que Henry l'entraînait, une clarté aveuglante jaillit du poignard de Will et se fragmenta en d'innombrables éclats lumineux. Pendant un instant, Tessa se figea, hypnotisée par la beauté irréelle du spectacle, puis elle entendit Henry lui ordonner de se jeter à terre, mais il était trop tard. L'un des éclats la frappa à l'épaule avec une force inouïe. Elle eut l'impression d'être percutée par un train lancé à toute vitesse. Elle fut projetée loin de Henry, sa tête heurta violemment un mur et la dernière chose qu'elle entendit avant que les ténèbres se referment sur elle fut le ricanement aigu de Mrs Dark.

3

L'INSTITUT

Amour, espoir, crainte, foi : ces choses font l'humanité ;
Elles en sont le signe, la marque, la caractéristique.

Robert Browning, *Paracelse*

*D*ans ce rêve, Tessa gisait à nouveau, pieds et poings liés, sur le lit étroit en cuivre de la maison noire. Penchées sur elles, les sœurs faisaient tinter de longues aiguilles à tricoter en poussant des ricanements stridents. Soudain, sous les yeux de Tessa, leurs traits changèrent ; à présent, elles avaient les yeux enfoncés dans les orbites, le crâne chauve et des points de suture leur scellaient les lèvres. Tessa poussa un hurlement, qu'elles ne parurent pas entendre.

Puis les sœurs disparurent, et ce fut au tour de tante Harriet de se pencher sur elle, le visage empourpré de fièvre comme tout au long de la terrible maladie qui avait eu raison d'elle. Elle posa sur sa nièce un regard empreint d'une grande tristesse.

— J'ai essayé, dit-elle. J'ai essayé de t'aimer. Mais ce n'est pas facile d'aimer une enfant qui n'est pas humaine…

— Pas humaine ? fit une voix de femme inconnue. Eh bien, si elle n'est pas humaine, Énoch, alors qu'est-elle donc ?

La voix se fit impatiente.

— Comment ça, vous ne savez pas ? Nous appartenons tous à une espèce. Cette fille ne fait pas exception…

Tessa s'éveilla en hurlant et ouvrit les yeux dans le noir. Malgré son affolement, elle perçut un murmure de voix autour d'elle et se redressa tant bien que mal en repoussant drap et oreillers. Elle se fit la vague remarque que la couverture était épaisse et lourde sous ses doigts ; ce n'était pas celle, fine et tissée, qu'on lui avait donnée dans la maison noire.

Elle était allongée dans un lit, comme dans son rêve, au milieu d'une vaste chambre entièrement plongée dans l'obscurité. Elle perçut son propre souffle, très rauque, et laissa échapper un cri. Le visage de son cauchemar venait de surgir des ténèbres devant elle, un large visage lunaire et blanc au crâne rasé, aussi lisse que du marbre. À la place des yeux, deux fentes se découpaient dans la chair, non pas comme si on avait arraché les globes oculaires, mais plutôt comme s'il n'y en avait jamais eu. Les lèvres du monstre étaient scellées avec du fil noir et ses joues couvertes de marques semblables à celles que portait Will, bien que celles-ci parussent gravées dans la chair.

Tessa cria encore, fit un bond, tomba sur le sol glacé de la chambre, et la couture de la chemise de nuit blanche qu'elle portait (quelqu'un avait dû la lui mettre alors qu'elle était inconsciente) se déchira quand elle se releva.

— Miss Gray !

Quelqu'un l'appelait par son nom, mais dans sa panique, elle s'en tint au fait que cette voix lui était inconnue. Son propriétaire n'était certainement pas le monstre au visage balafré qui la fixait des yeux, impassible ; il n'avait pas bougé quand elle était tombée, et bien qu'il ne manifestât aucune intention de la poursuivre, elle recula à tâtons en cherchant une issue derrière elle. La pièce était si sombre qu'elle en distinguait à peine les contours, de forme vaguement ovale. Les murs et le sol étaient en pierre ; le plafond était si haut qu'il se perdait dans l'obscurité, et de grandes fenêtres voûtées, qui n'auraient pas dépareillé dans une église, se découpaient dans le mur opposé. Un mince rai de lumière filtrait à travers les rideaux ; il lui sembla qu'au-dehors le ciel était noir.

— Theresa Gray…

Elle trouva la porte, tourna la poignée en métal avec gratitude et poussa en vain. La porte était verrouillée. Un sanglot lui noua la gorge.

— Miss Gray ! fit de nouveau la voix, et soudain la chambre fut inondée de lumière… une lumière vive et blanche qu'elle reconnut sur-le-champ. Je suis désolée, Miss Gray. Nous n'avions pas l'intention de vous effrayer.

La voix, juvénile, était celle d'une femme ; elle trahissait l'inquiétude.

— Miss Gray, je vous en prie…

Tessa se retourna lentement et se plaqua, dos à la porte. Maintenant que la pièce était éclairée, elle vit qu'un immense lit à baldaquin trônait en son centre. La courtepointe en velours, qu'elle avait entraînée dans sa chute, pendait, froissée, au bord du lit. Les rideaux étaient tirés ;

un élégant tapis recouvrait le sol. Cela dit, la pièce était quasiment nue. Il n'y avait ni tableaux ni photographies aux murs, et aucun ornement sur les meubles en bois sombre. Deux fauteuils se faisaient face près du lit, séparés par un petit guéridon. Dans un coin, un paravent chinois dissimulait probablement une baignoire et une table de toilette.

Près du lit, elle aperçut un homme de haute taille vêtu d'une longue robe de moine coupée dans un tissu grossier couleur parchemin. Des runes d'un rouge tirant sur le brun en ornaient le bas et les poignets. Il tenait une canne en argent gravée de symboles dont le pommeau sculpté représentait un ange. Il avait repoussé le capuchon de sa robe, dévoilant son visage livide, aveugle, couturé.

Il était accompagné d'une femme très menue, presque de la taille d'un enfant, avec d'épais cheveux bruns rassemblés en chignon, et un petit visage pétri d'intelligence avec des yeux sombres aussi vifs que ceux d'un oiseau. Elle n'était pas jolie à proprement parler, mais il émanait d'elle tant de quiétude et de bonté que la panique de Tessa reflua un peu. La femme avait une pierre blanche pareille à celle qu'avait utilisée Will dans la maison noire. Sa lumière filtrant entre ses doigts illuminait la pièce.

— Miss Gray, reprit-elle, je suis Charlotte Branwell, la directrice de l'Institut de Londres, et voici Frère Énoch…

— Quel genre de monstre est-il ? murmura Tessa.

Frère Énoch ne répondit pas. Il gardait un visage parfaitement impassible.

— Je sais que les monstres existent, poursuivit Tessa. Vous ne pouvez pas dire le contraire. Je les ai vus.

— Je n'ai pas l'intention de vous détromper, répliqua Mrs Branwell. Si le monde n'était pas rempli de monstres, les Chasseurs d'Ombres n'auraient pas d'utilité.

« Chasseur d'Ombres. » C'était ainsi que les Sœurs Noires avaient appelé Will Herondale.

— Will… Will était avec moi, balbutia Tessa d'une voix tremblante. Dans le sous-sol. Will a dit…

Elle s'interrompit et eut envie de rentrer sous terre. Elle n'aurait pas dû désigner Will par son prénom ; cela suggérait qu'ils étaient intimes, ce qui n'était pas le cas.

— Où est Mr Herondale ? demanda-t-elle.

— Il est ici, répondit Mrs Branwell d'un ton tranquille. À l'Institut.

— C'est lui qui m'y a amenée ?

— Oui, mais vous n'avez aucune raison de vous sentir trahie, Miss Gray. Vous vous êtes cogné la tête très fort, et Will s'inquiétait pour vous. En dépit des apparences qui, je le conçois, peuvent être effrayantes, Frère Énoch est un excellent praticien. Il est formel : votre blessure est sans gravité. Pour lui, vous êtes surtout en état de choc et souffrez d'anxiété. À vrai dire, il vaudrait peut-être mieux que vous vous asseyiez. Si vous restez pieds nus près de la porte, vous allez prendre froid et vous ne serez guère plus avancée.

— Vous dites cela parce que je n'ai aucun moyen de fuir, s'écria Tessa en humectant ses lèvres sèches. Je ne peux pas m'en aller.

— Si c'est ce que vous souhaitez, je vous laisserai partir une fois que nous aurons eu une discussion. Les Nephilim n'ont pas le droit de retenir de force une Créature Obscure. Les Accords nous l'interdisent.

— Quels Accords ?

Mrs Branwell hésita, puis se tourna vers Frère Énoch et lui chuchota quelques mots à l'oreille. Au grand soulagement de Tessa, il remit le capuchon de sa robe pour dissimuler son visage et se dirigea vers elle ; elle s'écarta vivement et, après avoir ouvert la porte, Frère Énoch s'arrêta sur le seuil.

À cet instant, il lui parla. Peut-être le mot « parler » n'est-il pas approprié. Disons plutôt qu'elle entendit sa voix dans sa tête.

Tu es un Eidolon, Theresa Gray. Une métamorphe. Mais pas de celles que nous connaissons. Tu ne portes pas la marque du démon.

« Une métamorphe » ? Il savait donc ce qu'elle était ? Le cœur battant, elle le regarda franchir la porte et la refermer derrière lui. Elle pressentait que si elle se précipitait sur la poignée, elle trouverait la porte verrouillée, mais elle n'avait plus envie de fuir. Il lui semblait que ses genoux se dérobaient sous elle. Elle se laissa choir dans l'un des fauteuils près du lit.

— Qu'y a-t-il ? demanda Mrs Branwell en s'asseyant en face d'elle.

Sa robe pendait sur ses épaules frêles, à tel point qu'il était impossible de déterminer si elle portait un corset, et les os de ses poignets étaient aussi fins que ceux d'un enfant.

— Que vous a-t-il dit ?

Tessa, sans répondre, croisa les mains sur ses genoux pour ne pas que Mrs Branwell les voie trembler. Celle-ci l'observa avec attention.

— Tout d'abord, reprit-elle, appelez-moi Charlotte, s'il vous plaît. Comme tout le monde à l'Institut. Nous autres Chasseurs d'Ombres sommes moins formels que le commun des mortels.

Tessa hocha la tête et sentit ses joues s'empourprer. Elle avait du mal à deviner l'âge de Charlotte ; à cause de sa petite taille, elle paraissait jeune de prime abord, mais son air autoritaire lui rajoutait des années, si bien que Tessa trouvait très saugrenue l'idée de l'appeler par son prénom. Bah… comme aurait dit tante Harriet, « à Rome, fais comme les Romains »…

— Charlotte, murmura Tessa à titre d'essai.

Avec un sourire, Mrs Branwell – Charlotte – se renfonça légèrement dans son fauteuil, et Tessa s'aperçut avec stupéfaction qu'elle était tatouée. Une femme avec des tatouages ! Les marques sur sa peau ressemblaient à celles qu'arborait Will : elles dépassaient des manches étroites de sa robe, et un œil ornait le dos de sa main gauche.

— Ensuite, laissez-moi vous dire ce que je sais déjà de vous, Theresa Gray, poursuivit-elle.

Elle parlait toujours de la même voix calme, mais son regard, quoique bienveillant, la transperçait.

— Vous êtes américaine. Vous êtes arrivée de New York pour rejoindre votre frère, qui vous a envoyé un billet pour la traversée. Son nom est Nathaniel.

Tessa se figea.

— Comment savez-vous tout cela ?

— Je sais que Will vous a trouvée dans la maison des Sœurs Noires. Vous prétendiez qu'un individu répondant au nom de Magistère devait venir vous chercher. Je sais que vous ignorez de qui il s'agit. Et je sais qu'au cours d'un affrontement avec les Sœurs Noires vous vous êtes évanouie. Ensuite, on vous a conduite ici.

Les paroles de Charlotte lui firent l'effet d'une clé ouvrant une porte. Soudain, les souvenirs affluèrent. Elle se rappela avoir couru dans le couloir avec Will ; elle revit la porte en fer et la pièce pleine d'outils, le sang sur la table, la tête tranchée de Mrs Black, et Will lançant son poignard…

— Mrs Black, souffla-t-elle.

— Elle est morte, dit Charlotte.

— Et Mrs Dark ?

— Elle a disparu. Nous avons fouillé la maison de fond en comble ainsi que les alentours, mais nous n'avons pas retrouvé sa trace.

— De fond en comble ? répéta Tessa d'une voix un peu tremblante. Et il n'y avait personne ? Ni vivants… ni morts ?

— Nous n'avons pas trouvé votre frère, Miss Gray, répondit Charlotte avec douceur. Ni dans la maison ni dans les bâtiments voisins.

— Vous… le cherchiez ? s'exclama Tessa, stupéfaite.

— Nous ne l'avons pas trouvé, répéta Charlotte. En revanche, nous avons trouvé vos lettres.

— Mes lettres ?

— Celles que vous avez écrites à votre frère et qui n'ont jamais été envoyées. Elles étaient cachées sous votre matelas.

— Vous les avez lues ?

— Il le fallait bien. J'en suis désolée. Ce n'est pas souvent que nous accueillons une Créature Obscure à l'Institut ou, d'une manière générale, une personne qui ne soit pas un Chasseur d'Ombres. Cela représente un grand risque pour nous. Nous devions nous assurer que vous n'étiez pas un danger.

Tessa détourna la tête. Il y avait quelque chose de terriblement intrusif dans le fait que cette étrangère ait lu ses pensées intimes, tous les rêves, les espoirs et les craintes qu'elle avait couchés sur le papier sans se douter que quelqu'un y aurait un jour accès. Ses yeux la picotèrent ; les larmes menaçaient. Elle les ravala, furieuse contre elle-même et contre le monde entier.

— Vous vous efforcez de ne pas pleurer, remarqua Charlotte. Je sais que, dans ces cas-là, cela m'aide parfois de fixer une source de lumière. Essayez avec la pierre de rune.

Tessa regarda fixement la pierre que tenait Charlotte. Sa clarté s'épanouit comme un soleil devant ses yeux.

— Donc, fit-elle, la gorge nouée, vous avez décidé que je n'étais pas un danger ?

— Pour vous-même, si, peut-être. Avec un pouvoir tel que le vôtre, le don de se métamorphoser, je ne m'étonne guère que les Sœurs Noires aient voulu mettre la main sur vous. D'autres essaieront aussi.

— Vous, par exemple ? Ou allez-vous prétendre que vous m'avez recueillie dans votre précieux Institut par pure charité ?

Une ombre passa sur le visage de Charlotte. Cela ne dura qu'une seconde, mais c'était assez pour convaincre Tessa, plus que tout ce qu'elle avait entendu jusqu'à présent, qu'elle s'était peut-être trompée sur son compte.

— La charité n'a rien à voir là-dedans, répondit-elle. C'est ma vocation. Notre vocation.

Tessa la regarda sans réagir.

— Peut-être vaudrait-il mieux vous expliquer qui nous sommes, poursuivit Charlotte. Et ce que nous faisons.

— Nephilim, dit Tessa. C'est ainsi que les Sœurs Noires ont appelé Mr Herondale. (Elle désigna les marques noires sur la main de Charlotte.) Vous en faites partie, vous aussi, n'est-ce pas ? Est-ce pour cela que vous avez ces... ces tatouages ?

Charlotte acquiesça.

— J'appartiens à la race des Nephilim... ou des Chasseurs d'Ombres, si vous préférez. Notre peuple possède des dons particuliers. Nous sommes plus forts et plus rapides que la plupart des humains. Nous pouvons dissimuler notre nature grâce à des charmes, des sortilèges. Et, plus spécifiquement, nous sommes capables d'éliminer des démons.

— Des démons ? Vous voulez dire... comme Satan ?

— Les démons sont des créatures malfaisantes. Ils parcourent de grandes distances pour pénétrer dans notre monde et s'en nourrir. Sans nous, ils le réduiraient en cendres et en massacreraient tous les habitants. De même qu'il est du devoir des autorités humaines de protéger les citoyens de cette ville, le nôtre consiste à les protéger des démons et autres dangers surnaturels. Lorsque des crimes sont perpétrés dans le monde occulte, lorsque les lois de notre monde sont violées, c'est à nous de mener l'enquête. En fait, la Loi nous oblige à enquêter même quand il ne s'agit que de rumeurs. Will vous a parlé de la jeune fille dont il a retrouvé le corps dans une ruelle ; nous n'avons pas d'autres cadavres sur les bras, mais il y a eu d'autres disparitions. Le bruit court que des garçons et des filles terrestres disparaissent dans les quartiers les plus pauvres de la ville. La Loi interdit d'avoir recours à la magie pour assassiner des êtres humains ; par conséquent, cette affaire relève de notre juridiction.

— Mr Herondale paraît très jeune pour un policier.

— Les Chasseurs d'Ombres grandissent vite, et Will n'a pas œuvré seul. (Charlotte ne semblait pas disposée à développer.) Notre rôle ne se limite pas à cela. Nous devons avant tout protéger la Loi du Covenant et faire respecter les Accords, c'est-à-dire les règles qui garantissent la paix au sein du Monde Obscur.

Will avait lui aussi employé ces mots.

— Du Monde Obscur ? Où se trouve cet endroit ?

— Ce terme désigne l'ensemble des Créatures Obscures, des êtres d'origine partiellement surnaturelle. Les vampires, les loups-garous, les fées, les sorciers : ce sont tous des Créatures Obscures.

Tessa la considéra d'un air éberlué. Les fées, ces créatures de contes, et les vampires, ces monstres qui peuplaient les romans à deux sous, existaient donc réellement ?

— Vous êtes une Créature Obscure, poursuivit Charlotte. Frère Énoch me l'a confirmé. Nous ignorons seulement dans quelle espèce vous classer. Voyez-vous, le genre de magie dont vous êtes capable – votre don – n'est pas à la portée d'un être humain ordinaire. Et cela n'entre pas non plus dans les capacités des Chasseurs d'Ombres. Pour Will, vous êtes très probablement une sorcière, et je suis d'accord avec lui, à un détail près. Tous les sorciers possèdent une caractéristique qui permet de les identifier : des ailes, des sabots, des pieds palmés ou, comme dans le cas de Mrs Black, des doigts crochus. Mais vous, vous êtes parfaitement humaine en apparence. Et, à l'évidence, d'après vos lettres, vous croyez que vos parents l'étaient aussi.

Tessa sursauta.

— Qu'est-ce qui vous fait penser le contraire ?

Avant que Charlotte puisse répondre, la porte s'ouvrit, et une jeune fille mince et brune avec une coiffe et un tablier blancs entra en portant un service à thé qu'elle déposa sur le guéridon.

— Merci, Sophie, dit Charlotte, apparemment soulagée de voir apparaître la domestique. Voici Miss Gray. Elle sera notre hôte ce soir.

Sophie se redressa et fit la révérence.

— Mademoiselle…

La nouveauté que représentait ce genre de politesse pour Tessa fut éclipsée par le visage de la domestique, qu'elle découvrit alors qu'elle relevait la tête.

La jeune fille avait dû être très jolie : elle avait des yeux noisette lumineux, la peau lisse, des lèvres à la courbure délicate. Mais une épaisse cicatrice s'étendant du coin de sa bouche jusqu'à sa tempe gauche lui déformait les traits. Tessa s'efforça de dissimuler le choc causé par cette vision ; au regard noir que lui jeta Sophie, elle devina qu'elle n'y était pas parvenue.

— Sophie, reprit Charlotte, avez-vous apporté la robe bordeaux comme je vous l'ai demandé ? Pouvez-vous la nettoyer pour Tessa ? (Elle se tourna vers Tessa après que la domestique eut acquiescé et se fut dirigée vers une armoire.) J'ai pris la liberté de faire reprendre une des vieilles robes de Jessamine pour vous. Les vêtements que vous portiez sont en piteux état.

— C'est très aimable à vous, répliqua sèchement Tessa.

Elle détestait l'idée de devoir quelque chose à quelqu'un. Les sœurs avaient maintes fois prétendu qu'elles lui accordaient d'insignes faveurs, pour quel résultat !

— Miss Gray, lui dit Charlotte avec le plus grand sérieux, les Chasseurs d'Ombres et les Créatures Obscures ne sont pas ennemis. Même si notre pacte est fragile, j'ai la conviction qu'il faut faire confiance aux Créatures Obscures, qu'elles détiennent à terme la clé de notre victoire sur les royaumes démoniaques. Que dois-je faire pour vous prouver que nous n'avons pas l'intention de profiter de vous ?

— Je... (Tessa inspira à fond.) Quand les Sœurs Noires m'ont révélé l'existence de mon pouvoir, j'ai d'abord pensé qu'elles étaient folles. Je leur ai répondu que de telles choses n'existaient pas. Ensuite, j'ai cru que j'étais piégée dans un cauchemar. Et c'est alors que Mr Herondale est arrivé ; il connaissait la magie, il possédait une pierre lumineuse, et j'ai pensé : « Voilà quelqu'un qui pourrait m'aider. » (Elle leva les yeux vers Charlotte.) Pourtant, selon toute apparence, vous ignorez pourquoi je suis ainsi, voire ce que je suis précisément. Et si même vous...

— Il est parfois... difficile de voir le monde tel qu'il est vraiment, l'interrompit Charlotte. La plupart des humains en sont incapables. La majorité d'entre eux ne supporteraient pas la réalité. Toutefois, j'ai lu vos lettres, et je sais que vous êtes solide, Miss Gray. Vous avez traversé des épreuves qui seraient venues à bout de bien des jeunes filles de votre âge, humaines ou non.

— Je n'avais guère le choix. Je l'ai fait pour mon frère. Sans quoi elles l'auraient assassiné.

— J'en connais qui, à votre place, les auraient laissées faire. Mais je sais d'après ces lettres que vous ne l'avez jamais envisagé. (Charlotte se pencha vers Tessa.) Avez-vous la moindre idée de l'endroit où se trouve votre frère ? Croyez-vous qu'il soit mort ?

Tessa étouffa une exclamation de frayeur.

— Mrs Branwell !

Sophie, qui brossait le bas de la robe bordeaux, suspendit son geste. Le ton de reproche qui perçait dans sa voix surprit Tessa. Ce n'était pas aux domestiques de réprimander leurs employeurs ; les livres qu'elle avait lus étaient très clairs sur ce point.

Une expression gênée se peignit sur le visage de Charlotte.

— Sophie est mon ange gardien, déclara-t-elle. Je suis un peu brusque, parfois. Je pensais que vous auriez peut-être des détails à m'apporter qui ne figuraient pas dans vos lettres.

Tessa secoua la tête.

— Les Sœurs Noires m'ont dit qu'elles l'avaient enfermé en lieu sûr. Je suppose qu'il y est toujours. Mais j'ignore où chercher.

— Dans ce cas, vous devriez rester à l'Institut jusqu'à ce qu'on le localise.

— Je ne veux pas de votre charité, lâcha Tessa d'un ton buté. Je peux séjourner ailleurs.

— Il ne s'agit pas de charité. Nos lois nous obligent à porter secours aux Créatures Obscures. Vous renvoyer d'ici alors que vous n'avez nulle part où aller reviendrait à violer les Accords.

— Et vous ne me demanderez rien en échange ? s'enquit Tessa avec amertume. Vous ne me demanderez pas d'utiliser mon… pouvoir ? Vous ne me forcerez pas à me transformer ?

— Si vous ne le souhaitez pas, nous ne vous y contraindrons pas. Je crois néanmoins que vous gagneriez peut-être à apprendre à le contrôler…

— Non !

Tessa avait crié si fort que Sophie sursauta et en lâcha sa brosse. Charlotte lui jeta un regard à la dérobée avant de regarder de nouveau Tessa.

— Comme vous voudrez, Miss Gray. Il existe d'autres moyens de nous apporter votre concours. Je suis certaine que vous en savez beaucoup plus que ce qui se trouve dans vos lettres. En contrepartie, nous pourrions vous aider à retrouver votre frère.

Tessa releva la tête.

— Vous feriez cela ?

— Vous avez ma parole.

Charlotte se leva. Ni l'une ni l'autre n'avaient touché au thé sur le plateau.

— Sophie, pouvez-vous aider Miss Gray à s'habiller avant le dîner ?

— Le dîner ?

Après avoir entendu tant d'histoires à propos de Nephilim, de Monde Obscur, de fées, de vampires et de démons, aux yeux de Tessa, la perspective de dîner était presque choquante de trivialité.

— Certainement. Il est presque six heures. Vous avez déjà fait la connaissance de Will ; vous pourrez rencontrer tous les autres à cette occasion. Vous constaterez peut-être que nous sommes dignes de confiance.

Et, avec un brusque signe de tête, Charlotte prit congé. Au moment où la porte se refermait sur elle, Tessa leva les yeux au ciel. Comparée à Charlotte Branwell, l'autoritaire tante Harriet était un agneau.

— Sous des manières un peu strictes, elle est très gentille, en réalité, dit Sophie en déposant sur le lit la robe que Tessa était censée porter. Je ne connais personne qui ait aussi bon cœur.

Tessa effleura la manche de la robe du bout du doigt. Elle était en satin bordeaux, et une bande de tissu noir moiré en soulignait la taille et le bas. Tessa n'en avait jamais porté d'aussi belle.

— Voulez-vous me laisser vous aider à vous habiller pour le dîner, mademoiselle ? s'enquit Sophie.

Tessa se rappela une phrase que tante Harriet lui répétait toujours : « On connaît un homme à la manière dont il traite ses domestiques. » Si Sophie pensait que Charlotte avait bon cœur, c'était peut-être le cas.

Elle sourit.

— Avec plaisir, Sophie. C'est très aimable à vous.

Jusqu'alors, Tessa n'avait jamais reçu d'autre aide pour s'habiller que celle de sa tante. Malgré ses formes minces, la robe avait manifestement été taillée pour une fille plus menue, et Sophie dut lacer au maximum le corset de Tessa pour l'ajuster. Tout en s'y employant, elle ne cessait de rire tout bas.

— Mrs Branwell est contre les corsets trop serrés, expliqua-t-elle. Elle prétend que cela provoque des maux de tête et des vertiges, or un Chasseur d'Ombres ne peut se permettre la moindre faiblesse. Mais Miss Jessamine aime les tailles de guêpe, et insiste pour que je serre jusqu'à l'étouffer.

— Eh bien, fit Tessa, légèrement essoufflée, je ne suis pas une Chasseuse d'Ombres, de toute manière.

— C'est vrai, observa Sophie en fermant le dos de la robe à l'aide d'un tire-bouton. Et voilà. Qu'en dites-vous ?

Tessa se regarda dans le miroir et n'en crut pas ses yeux. La robe était beaucoup trop petite pour elle et, de surcroît, elle avait été taillée pour épouser les formes du corps. Elle lui moulait outrageusement le buste et fronçait au niveau des hanches pour former un faux-cul. Les manches retournées dévoilaient plusieurs volants de dentelle couleur champagne recouvrant les poignets. Tessa se trouva soudain l'air plus âgé, à des lieues de la tête d'épouvantail triste qu'elle avait dans la maison noire, et pourtant aussi peu familier. « Et si lors d'une transformation, je m'y étais mal prise en redevenant moi-même ? Et si ce n'était pas mon vrai visage ? » Cette réflexion l'affola à tel point qu'elle fut prise de vertige.

— Vous avez une petite mine, dit Sophie en examinant d'un œil acéré le reflet de Tessa dans le miroir. Vous devriez vous pincer les joues pour leur donner un peu de couleur. C'est ce que fait Miss Jessamine.

— C'est très gentil à elle de me prêter cette robe.

Sophie gloussa.

— Elle ne l'a jamais portée. C'est Mrs Branwell qui la lui a offerte, mais elle a décrété qu'elle lui jaunissait le teint et l'a reléguée au fond de son armoire. C'est de l'ingratitude, si vous voulez mon avis. Allez, pincez-vous les joues ! Vous êtes pâle comme un linge.

Après s'être exécutée et avoir remercié Sophie, Tessa sortit de la chambre et emprunta un long couloir aux murs de pierre. Là, elle trouva Charlotte qui l'attendait. Elle se mit en route sur-le-champ, et Tessa la suivit en boitillant : les souliers en soie noire qu'on lui avait prêtés étaient trop justes, et meurtrissaient ses pieds déjà mal en point.

L'Institut ressemblait à un château, avec ses plafonds qui disparaissaient dans l'obscurité et ses tapisseries accrochées aux murs. Ou, du moins, il correspondait à l'idée que Tessa se faisait d'un château. Sur les tapisseries figuraient des étoiles, des épées et le même genre de symboles que ceux qu'elle avait vus tatoués sur la peau de Will et de Charlotte. Un motif revenait sans cesse, celui d'un ange s'élevant au-dessus d'un lac avec une épée dans une main et une coupe dans l'autre. Charlotte répondit à la question de Tessa avant qu'elle ait à la formuler.

— Autrefois, cet endroit était une église. La petite église de Tous-les-Saints. Elle a brûlé au cours du Grand Incendie. Nous avons acquis le terrain par la suite et construit l'Institut sur ses ruines. Cela sert nos objectifs de rester sur une terre sanctifiée.

— Les gens ne trouvent pas bizarre que vous ayez choisi le site d'une ancienne église ? demanda Tessa en pressant le pas pour la rattraper.

— Ils ne sont pas au courant. Les Terrestres – c'est ainsi que nous désignons les gens ordinaires – ignorent tout de nos activités, expliqua Charlotte. À leurs yeux, ce lieu n'est qu'un terrain vide parmi tant d'autres. En outre, les Terrestres ne s'intéressent pas beaucoup à ce qui ne les concerne pas directement. (Elle se retourna pour faire signe à Tessa de la suivre et poussa une porte qui donnait sur une grande salle à manger brillamment éclairée.) Nous y sommes.

Tessa se figea en clignant des yeux. La pièce était assez grande pour contenir une table qui aurait pu accueillir vingt convives. Une immense suspension à gaz dispensait une lumière jaunâtre. Sur un buffet chargé de porcelaine coûteuse, un miroir à dorures reflétait toute la salle. Un petit vase rempli de fleurs blanches ornait le centre de la table. Tout était décoré avec goût et simplicité. Les lieux ne présentaient rien d'inhabituel, aucun détail susceptible de révéler la nature des occupants de la demeure.

Bien que la longue table fût entièrement recouverte de lin blanc, le couvert n'avait été mis que pour cinq personnes. Seuls deux dîneurs étaient assis : Will et une jeune fille blonde en robe décolletée, qui devait avoir l'âge de Tessa. Tous deux semblaient mettre un point d'honneur à s'ignorer. Will leva les yeux à l'entrée de Charlotte et de Tessa, l'air visiblement soulagé.

— Will, dit Charlotte, tu te souviens de Miss Gray ?

— En effet, j'en garde un souvenir très vif, répondit Will.

Il avait troqué son étrange tenue noire de la veille pour un pantalon très ordinaire et une redingote grise avec un col en velours noir. Le gris de son habit faisait ressortir ses yeux bleus. Il sourit à Tessa, qui se sentit rougir et détourna précipitamment les yeux.

— Et voici Jessamine. Jessie, regarde-nous. Je te présente Miss Theresa Gray ; Miss Gray, voici Miss Jessamine Lovelace.

— Ravie de faire votre connaissance, murmura Jessamine.

Tessa ne put s'empêcher de la dévisager. Elle était d'une beauté presque ridicule, de celles que les romans de Tessa auraient qualifiée de « rose anglaise », avec des cheveux blond cendré, des yeux de biche marron et un teint de lait. Elle portait une robe bleu vif et des bagues à presque tous les doigts. Si elle possédait les mêmes marques noires sur la peau que Will et Charlotte, elles n'étaient pas visibles.

Will jeta à Jessamine un regard haineux et se tourna vers Charlotte.

— Où est passé ton mari ? demanda-t-il.

Prenant un siège, Charlotte fit signe à Tessa de s'asseoir en face d'elle, sur la chaise à côté de Will.

— Henry est dans son laboratoire. J'ai envoyé Thomas le chercher. Il ne devrait pas tarder.

— Et Jem ?

Charlotte lui jeta un regard lourd de sous-entendus, mais se contenta de répondre :

— Jem ne se sent pas bien. Il traverse une mauvaise passe.

— Il est toujours dans une mauvaise passe, observa Jessamine avec dédain.

Tessa allait s'enquérir sur l'identité de ce Jem quand Sophie entra, suivie d'une femme replète d'un certain âge. Des mèches grises s'échappaient de son chignon. Les deux femmes commencèrent à servir la nourriture posée sur le buffet. Au menu, du rôti de porc, des pommes de terre, une soupe appétissante et des petits pains moelleux accompagnés de beurre. Soudain, Tessa fut prise de vertige ; elle avait oublié qu'elle mourait de faim. Elle mordit dans un petit pain, et se figea en sentant sur elle le regard perplexe de Jessamine.

— Vous savez, dit celle-ci d'un ton dégagé, je ne crois pas avoir vu un sorcier manger jusqu'à ce jour. Je suppose que vous n'avez pas besoin de vous mettre au régime, n'est-ce pas ? Il vous suffit d'avoir recours à la magie pour rester mince.

— Nous ne sommes pas sûrs qu'elle soit une sorcière, Jessie, intervint Will.

Jessamine l'ignora.

— C'est effrayant, non, d'incarner le mal ? Avez-vous peur d'aller en enfer ? (Elle se pencha vers Tessa.) À votre avis, à quoi ressemble le diable ?

Tessa reposa sa fourchette.

— Vous souhaiteriez le rencontrer ? Je peux l'invoquer en un clin d'œil si tel est votre désir. C'est tout l'intérêt d'être une sorcière.

Will laissa échapper un gloussement. Jessamine se rembrunit.

— Inutile d'être impolie…

Elle s'interrompit car Charlotte venait de se redresser brusquement sur sa chaise avec un cri de surprise.

— Henry !

Un homme grand et roux, au visage familier et aux yeux noisette, se tenait sur le seuil de la salle à manger. Il portait une veste élimée en tweed sur un gilet rayé aux couleurs criardes ; son pantalon était couvert d'une substance qui ressemblait à de la suie. Mais le détail qui avait provoqué la stupeur de Charlotte, c'était la manche de son bras gauche, qui semblait avoir pris feu. De petites flammes léchaient son coude en libérant des volutes de fumée noire.

— Charlotte, ma chérie, dit-il à son épouse qui le regardait, bouche ouverte, d'un air horrifié, toutes mes excuses, je suis en retard. Tu sais, je crois que j'ai presque réussi à faire fonctionner le Détecteur…

Will l'interrompit.

— Henry, tu brûles. Tu t'en es aperçu, n'est-ce pas ?

— Oh oui, répondit Henry avec empressement, alors que les flammes s'étendaient maintenant à son épaule. J'ai travaillé comme un possédé toute la journée. Charlotte, tu as entendu ce que j'ai dit au sujet du Détecteur ?

Charlotte baissa la main qu'elle avait plaquée sur sa bouche.

— Henry ! cria-t-elle. Ton bras !

Henry baissa les yeux et resta bouche bée.

— Nom de Dieu ! eut-il le temps de s'exclamer avant que Will, faisant preuve d'une étonnante présence d'esprit, prenne le vase sur la table et en jette le contenu sur lui.

Les flammes s'éteignirent avec un faible sifflement de protestation, et Henry se retrouva trempé tandis qu'une douzaine de fleurs flétries gisaient à ses pieds.

Son visage s'épanouit en un large sourire et il tapota la manche brûlée de sa veste d'un air satisfait.

— Vous savez ce que cela signifie ?

Will reposa le vase.

— Que tu as pris feu sans même t'en apercevoir ?

— Que le mélange retardateur de feu que j'ai mis au point la semaine dernière fonctionne à merveille ! s'exclama fièrement Henry. Ce tissu devrait être carbonisé depuis dix bonnes minutes, et pourtant il n'a qu'à moitié brûlé ! (Il examina son bras.) Peut-être devrais-je mettre le feu à l'autre manche pour mesurer combien…

— Henry, déclara Charlotte qui semblait s'être remise du choc, si tu mets délibérément le feu à cette veste, j'entame une procédure de divorce. Maintenant, assieds-toi et salue notre invitée.

Henry s'assit, jeta un coup d'œil à Tessa de l'autre côté de la table et se pétrifia de surprise.

— Je vous connais ! Vous m'avez mordu !

Il semblait presque réjoui, comme s'il se remémorait un agréable souvenir.

Charlotte lança un regard désemparé à son époux.

— As-tu interrogé Miss Gray au sujet du Club Pandémonium ? s'enquit Will.

— Pandémonium ? Je connais ce mot, répondit Tessa. Il était inscrit sur la voiture de Mrs Dark.

— C'est une organisation assez ancienne de Terrestres qui s'intéressent à la magie, expliqua Charlotte. Pendant leurs réunions, ils s'exercent à jeter des sorts et à invoquer des démons ou des esprits.

Jessamine ricana.

— Je ne comprends pas pourquoi ils se donnent autant de peine avec leurs sortilèges à deux sous, leurs robes de cérémonie et leurs petits feux de joie. C'est d'un ridicule !

— Oh, ils sont plus influents dans le Monde Obscur que tu ne l'imagines, objecta Will. De nombreux représentants de la haute société terrestre sont membres…

— C'est d'autant plus grotesque, lâcha Jessamine en rejetant ses cheveux en arrière. Ils ont l'argent et le pouvoir. Pourquoi jouer au magicien, dans ce cas ?

— Bonne question, répondit Charlotte. Les Terrestres qui s'aventurent dans des domaines dont ils ignorent tout s'y cassent souvent les dents.

Will haussa les épaules.

— Quand j'essayais de déterminer l'origine du symbole gravé sur le couteau que Jem et moi avons trouvé dans la ruelle, on m'a orienté vers le Pandémonium. Ses membres m'ont à leur tour conduit jusqu'aux Sœurs Noires. Ces deux serpents… c'est leur symbole. Elles dirigeaient une série de tripots clandestins fréquentés par les Créatures Obscures. Ils existaient dans le but d'attirer les Terrestres et de les inciter à perdre des sommes faramineuses au jeu. Puis, lorsqu'ils se trouvaient endettés, les Sœurs Noires leur faisaient crédit à des taux ruineux. (Will jeta un coup d'œil à Charlotte.) Elles trempent aussi dans d'autres affaires pour le moins douteuses. J'ai entendu dire que la maison dans laquelle elles retenaient Tessa prisonnière était un bordel de Créatures Obscures pour les Terrestres avec des goûts particuliers.

— Will, je ne suis pas sûre… dit Charlotte d'un ton dubitatif.

— Pff, fit Jessamine. Je comprends mieux pourquoi tu insistais autant pour y aller, William.

Si elle avait espéré piquer Will au vif, il n'en fut rien. Il ne lui prêtait aucune attention. Il se tourna vers Tessa, les sourcils levés.

— Je vous ai choquée, Miss Gray ? Pourtant je gage qu'après tout ce que vous avez vu vous ne devez pas être facilement impressionnable.

— Pas le moins du monde, Mr Herondale, rétorqua Tessa, le visage en feu.

Les jeunes filles bien élevées ignoraient ce qu'était un bordel, et n'auraient certainement jamais prononcé ce mot en société. Un meurtre, c'était une chose, mais ça…

— Je… euh… ne vois pas comment il aurait pu s'agir d'un… tel endroit, reprit-elle en s'efforçant de maîtriser sa voix. Il n'y avait jamais de visites et, hormis le cocher et la femme de chambre, je n'ai jamais vu personne.

— Il est vrai que quand je suis arrivé, l'endroit était désert, admit Will. À l'évidence, elles avaient décidé de suspendre leurs activités, dans le but, peut-être, de vous tenir isolée. (Il lança un regard à Charlotte.) Crois-tu que le frère de Miss Gray possède le même don qu'elle ? Serait-ce pour cette raison que les Sœurs Noires l'ont capturé en premier lieu ?

Trop heureuse de changer de sujet, Tessa intervint :

— Mon frère n'a jamais montré le moindre signe d'un don particulier… mais moi non plus jusqu'à ce que les Sœurs Noires mettent la main sur moi.

— Et en quoi consiste ce don ? demanda Jessamine. Charlotte a refusé de nous le dire.

— Jessamine ! s'exclama Charlotte d'un ton réprobateur.

— Je ne crois pas à cette histoire de don, poursuivit Jessamine. À mon avis, cette fille n'est qu'une petite fouineuse qui sait que si elle parvient à nous convaincre qu'elle est une Créature Obscure, nous serons obligés de la traiter comme une invitée de marque à cause des Accords.

Tessa serra les dents, et pensa à ce que tante Harriet lui disait souvent : « Ne te mets pas en colère, Tessa », ou encore : « Ne te dispute pas avec ton frère sous prétexte qu'il te taquine. » Sauf que dans l'immédiat, elle se moquait de ses conseils. Toutes les personnes réunies autour de la table la dévisageaient : Henry d'un air curieux, Charlotte d'un regard perçant, Jessamine avec un mépris à peine voilé, Will avec un amusement détaché. Et s'ils pensaient tous comme Jessamine ? S'ils s'imaginaient qu'elle demandait la charité ? Tante Harriet en aurait plus voulu à Tessa d'accepter l'aumône que de perdre son sang-froid.

Ce fut Will qui prit la parole en se penchant pour la fixer avec insistance.

— Vous pouvez garder le secret, dit-il d'une voix suave. Mais les secrets pèsent souvent, et celui-ci est peut-être très lourd à porter.

Tessa releva la tête.

— Ce n'est pas un secret. Cependant, il me serait plus facile de vous montrer que de vous expliquer.

— Excellent ! s'exclama Henry, ravi. J'aime que l'on me montre des choses. Si vous avez besoin de quoi que ce soit, comme d'une lampe en cristal de sel…

— Ce n'est pas une séance de spiritisme, Henry, dit Charlotte d'un ton las. Vous n'êtes pas obligée de le faire si vous n'en avez pas envie, Miss Gray.

Tessa ignora sa remarque.

— En fait, j'aurais besoin de quelque chose. (Elle se tourna vers Jessamine.) Un objet personnel, s'il vous plaît. Une bague ou un mouchoir…

Jessamine fronça le nez.

— À croire que votre don consiste à faire les poches !

— Donne-lui une bague, Jessie, intervint Will, l'air exaspéré. Tu en as suffisamment.

— Tu n'as qu'à lui donner quelque chose, toi ! répliqua-t-elle.

— Non, fit Tessa. Ce doit être vous.

« Parce que, parmi toutes les personnes présentes, elle est la plus proche de moi en taille et en carrure. Si je deviens Charlotte, ma robe tombera à mes pieds », songea Tessa. Elle avait d'ailleurs envisagé de s'en servir, mais comme Jessamine ne l'avait jamais portée, elle n'était pas certaine que la transformation réussirait et elle ne voulait pas courir le risque.

— Dans ce cas…

D'un geste rageur, Jessamine ôta de son petit doigt une bague sertie d'un rubis et la tendit à Tessa.

— J'espère que cela en vaut la peine.

« Oh, ne t'inquiète pas », pensa Tessa. Elle déposa la bague au creux de sa main gauche, resserra les doigts dessus et ferma les yeux.

C'était toujours le même rituel. D'abord, il ne se passait rien, puis une étincelle jaillissait du fond de son esprit, comme si quelqu'un venait d'allumer une bougie dans une pièce obscure. Elle trouva son chemin jusqu'à elle, ainsi que les Sœurs Noires le lui avaient appris. Elle avait du mal à refouler son appréhension et sa timidité, et pourtant elle avait assez répété cet effort mental pour savoir à quoi s'attendre : après être entrée en contact avec la lumière au sein des ténèbres, elle éprouvait une sensation de chaleur enveloppante comme si elle rabattait une couverture sur elle, ensuite une impression de lourdeur recouvrait chaque parcelle de sa peau, enfin, la lumière s'intensifiait, la cernait de toutes parts comme si elle était piégée à l'intérieur. Piégée dans la peau de quelqu'un d'autre. Dans sa tête.

Et dans celle de Jessamine, en l'occurrence.

Elle se trouvait encore au bord de sa conscience, ses pensées effleuraient l'esprit de Jessamine tels des doigts frôlant la surface d'un lac. Malgré tout, elle avait le souffle coupé. Une image l'assaillit tout à coup, celle d'une friandise colorée avec un noyau sombre, pareil à un ver niché dans le cœur d'une pomme. Soudain, un flot d'émotions la submergea : du ressentiment, de l'amertume, de la haine, de la colère… et un désir terrible, féroce pour quelque chose…

Elle ouvrit brusquement les yeux. Assise à la table, elle serrait toujours la bague de Jessamine dans sa paume. Elle ressentait les fourmillements intenses qui accompagnaient toujours ses transformations. Elle éprouvait l'étrangeté d'un corps au poids différent du sien ; elle sentait le frôlement des cheveux clairs de Jessamine sur sa peau. Trop épais pour être contenus par les épingles qui retenaient la chevelure de Tessa, ils tombaient en cascade sur ses épaules.

— Par l'Ange, souffla Charlotte.

Tessa parcourut la table du regard. Ils avaient tous les yeux rivés sur elle : Charlotte et Henry l'observaient bouche bée ; Will était sans voix, pour une fois, un verre d'eau figé à mi-chemin entre la nappe et ses lèvres. Quant à Jessamine… Jessamine la dévisageait avec une expression d'horreur abjecte, comme quelqu'un qui viendrait d'apercevoir son propre fantôme. Tessa éprouva un pincement de culpabilité.

Cela ne dura qu'un instant, cependant. Lentement, Jessamine baissa la main qu'elle avait portée à sa bouche.

— Seigneur, j'ai un nez énorme ! s'exclama-t-elle. Pourquoi personne ne me l'a jamais dit ?

4

NOUS SOMMES
DES OMBRES

Pulvis et umbra sumus.

Horace, *Odes*

Dès l'instant où Tessa eut réintégré son corps, elle fut noyée sous un déluge de questions. Pour des gens qui vivaient dans un monde peuplé de magie, les Nephilim semblaient très impressionnés par son don, ce qui la conforta dans l'idée qu'il était extrêmement inhabituel. Même Charlotte, qui était au courant avant la transformation de Tessa, paraissait fascinée.

— Donc vous devez tenir un objet ayant appartenu à la personne dont vous prenez l'apparence ? lui demanda-t-elle pour la seconde fois.

Sophie et la femme plus âgée – qui devait être la cuisinière – avaient déjà débarrassé pour servir du thé et des gâteaux à la crème, mais personne n'y avait touché.

— On ne peut pas simplement regarder quelqu'un et...

— Je vous l'ai déjà expliqué. (Tessa commençait à avoir mal à la tête.) Je dois tenir un objet dans ma main : une mèche de cheveux, un cil... n'importe quoi tant que c'est personnel. Sinon il ne se passe rien.

— Pensez-vous qu'une fiole de sang pourrait faire l'affaire ? s'enquit Will avec un intérêt presque scientifique.

— Probablement... Je ne sais pas. Je n'ai jamais essayé.

Tessa prit une gorgée de son thé, qui avait refroidi dans sa tasse.

— Et vous affirmez que les Sœurs Noires avaient eu vent de ce don ? Elles savaient de quoi vous étiez capable avant vous ? demanda Charlotte.

— Oui. C'est pour cette raison qu'elles m'ont enlevée.

Henry secoua la tête.

— Mais comment étaient-elles au courant ? Je ne comprends pas.

— Je l'ignore, répéta Tessa pour la énième fois. Elles ne me l'ont jamais expliqué. Je ne sais que ce que je vous ai déjà révélé : elles semblaient savoir précisément de quoi j'étais capable, et comment m'apprendre à développer mon pouvoir. Chaque jour, elles passaient des heures avec moi...

Tessa avait un goût amer dans la bouche. Des souvenirs affluaient dans son esprit : les heures passées dans la cave de la maison noire, les menaces, les souffrances occasionnées par ses premières transformations.

— Cela faisait mal, au début, murmura-t-elle.
J'avais l'impression que mes os craquaient et se dissolvaient à l'intérieur de mon corps. Elles me forçaient
à me transformer deux, trois puis douze fois par jour
jusqu'à ce que je perde conscience. Puis, le lendemain,
elles recommençaient. J'étais enfermée dans cette pièce
sans moyen de fuir… (Elle réprima un soupir.) Le dernier jour, elles m'ont mise à l'épreuve en me demandant de prendre l'apparence d'une jeune fille morte.
Dans ses souvenirs, j'ai vu qu'on l'avait poignardée
avec une dague. Que quelque chose la poursuivait dans
une ruelle…

— C'est peut-être la fille que j'ai retrouvée avec
Jem.

Will se redressa sur son siège, les yeux étincelant.

— D'après moi, elle s'est enfuie dans les rues après
avoir échappé à une agression. Ils ont probablement
envoyé le démon Shax à sa poursuite pour qu'il la leur
ramène, mais je l'ai tué. Ils ont dû se demander ce qui
s'était passé.

— La fille dont j'ai pris l'apparence s'appelait Emma
Bayliss, dit Tessa dans un souffle. Elle avait des cheveux
très blonds noués avec de petits rubans roses… C'était
une pauvre créature sans défense.

Will hocha la tête comme si cette description lui était
familière.

— Elles se demandaient vraiment ce qui lui était
arrivé. C'est pour cela qu'elles m'ont forcée à me transformer. Quand je leur ai confirmé qu'elle était morte,
elles paraissaient soulagées.

— Pauvre petite, murmura Charlotte. Alors vous pouvez prendre la forme d'une personne défunte ? Vous ne vous cantonnez pas aux vivants ?

Tessa secoua la tête.

— Leur voix résonne aussi dans ma tête quand je me transforme. À la seule différence que, pour la plupart d'entre eux, ils se rappellent le moment de leur mort.

— Beurk, fit Jessamine en frissonnant. Que c'est morbide !

Tessa jeta un coup d'œil à Will. « Mr Herondale », se reprit-elle intérieurement. Mais elle avait du mal à l'invoquer par la pensée sans l'appeler par son prénom. Elle avait l'impression bizarre de le connaître.

— Vous m'avez trouvée parce que vous cherchiez le meurtrier d'Emma Bayliss, dit-elle. Pourtant, ce n'était qu'une humaine, qu'une… Comment appelez-vous cela ?… Une Terrestre ? Pourquoi consacrez-vous autant de temps et d'efforts à découvrir ce qui lui est arrivé ?

Les yeux bleu sombre de Will se posèrent sur elle, et son expression changea… imperceptiblement, peut-être, mais elle s'en aperçut, sans pour autant parvenir à déchiffrer ses émotions.

— Oh, moi je ne me serais pas donné cette peine, répondit-il, c'est Charlotte qui a insisté. Elle sentait qu'il y avait des enjeux plus importants derrière tout ça. Et une fois que, Jem et moi, nous avons réussi à infiltrer le Pandémonium et eu vent des autres meurtres, nous avons compris qu'il ne s'agissait pas que de la mort isolée d'une jeune fille. Même si nous n'aimons pas particulièrement les Terrestres, nous ne pouvons pas les laisser se faire assassiner de manière aussi systématique. C'est notre raison d'être, après tout.

Charlotte se pencha par-dessus la table.

— Les Sœurs Noires n'ont jamais précisé à quel usage elles destinaient votre don, n'est-ce pas ?

— Vous avez entendu parler du Magistère, répondit Tessa. Elles m'ont dit qu'elles me préparaient pour sa venue.

— Mais pour quoi faire ? insista Will. Pour vous servir au dîner ?

Tessa secoua la tête.

— Il devait m'épouser, d'après elles.

— Vous épouser ? répéta Jessamine avec un dédain manifeste. C'est ridicule. Elles avaient probablement l'intention de vous sacrifier et elles ne voulaient pas que vous cédiez à la panique.

— Pas sûr, objecta Will. J'ai fouillé plusieurs pièces avant de trouver Tessa. Je me souviens que l'une d'elles avait l'air d'une chambre nuptiale. On avait suspendu des voiles blancs au-dessus d'un immense lit. Une robe blanche était rangée dans l'armoire. Elle était à votre taille, il me semble, ajouta-t-il en examinant Tessa d'un air pensif.

— Les cérémonies de mariage jouent parfois un rôle déterminant dans un rituel, expliqua Charlotte. Cette célébration, si elle est pratiquée dans les règles, permettrait à votre futur époux d'avoir accès à votre don, Tessa, voire de vous contrôler. (Elle se mit à pianoter sur la table, perdue dans ses pensées.) Quant à ce « Magistère », j'ai cherché le terme dans mes archives. Il est souvent employé pour désigner le chef d'un *coven* ou d'une assemblée de magiciens. Le genre de groupe que le Club

94

Pandémonium s'imagine être. Je ne peux pas m'empêcher de penser que le Magistère et le Pandémonium sont liés.

— Nous avons déjà enquêté sur eux et nous n'avons jamais réussi à prouver qu'ils se livraient à des activités douteuses, déclara Henry. Ce n'est pas illégal d'être idiot.

— Heureusement pour toi, marmonna Jessamine.

Henry parut vexé, mais ne répliqua pas. Charlotte jeta un regard glacial à Jessamine.

— Henry a raison, dit Will. Jem et moi n'avons pas réussi à détecter la plus petite activité illégale, comme l'usage de l'absinthe mélangée à des poudres démoniaques, et ainsi de suite. Tant qu'ils ne portaient atteinte qu'à eux-mêmes, cela ne valait pas la peine de s'en mêler. Mais s'ils en viennent à menacer les autres…

— Avez-vous appris qui ils sont ? demanda Henry, intrigué.

— Pas les Terrestres, non, répondit Will avec un geste dédaigneux. Nous n'avons pas jugé utile d'en savoir plus, et la plupart viennent masqués aux réunions du club. Toutefois, j'ai reconnu quelques personnes parmi les Créatures Obscures : Magnus Bane, Lady Belcourt, Ragnor Fell, De Quincey…

— De Quincey ? J'espère qu'il n'enfreint pas la Loi. Vous savez à quel point il est difficile de trouver un chef vampire avec qui on peut se mettre d'accord, se tourmenta Charlotte.

Will sourit, les yeux baissés sur sa tasse.

— Chaque fois que je l'ai vu, il s'est montré extrêmement aimable. Un ange…

Après l'avoir foudroyé du regard, Charlotte se tourna vers Tessa.

— La domestique que vous avez mentionnée… cette Miranda… possédait-elle le même pouvoir que vous ? Et la pauvre Emma ?

— Je ne crois pas. Si c'était le cas pour Miranda, elles lui auraient fait subir le même sort que moi, non ? Quant à Emma, ses souvenirs ne suggéraient rien de tel.

— Et elles n'ont jamais mentionné le Pandémonium ni un objectif plus vaste ?

Tessa fouilla sa mémoire. Qu'avaient dit les Sœurs Noires alors qu'elles ne se savaient pas écoutées ?

— Je ne crois pas les avoir entendues citer le nom du club mais parfois, il était question de réunions auxquelles elles devaient assister et d'untel qui se réjouirait de mes progrès. Un jour, elles ont mentionné un nom en particulier… (Tessa s'efforça de se rappeler.) J'ai oublié, je sais seulement qu'il avait une consonance étrangère…

Charlotte se pencha vers elle par-dessus la table.

— Essayez de vous souvenir, Tessa.

Charlotte ne pensait pas à mal, Tessa en avait conscience, mais sa voix lui en rappelait d'autres qui la pressaient d'essayer, elles aussi, de puiser en elle le pouvoir qu'elle détenait, et qui pouvaient devenir glaciales à la moindre provocation. Des voix tour à tour cajoleuses et menaçantes.

Tessa se redressa sur sa chaise.

— Et mon frère ?

Charlotte fronça les sourcils.

— Votre frère ?

— Vous m'avez promis que si je vous donnais des renseignements sur les Sœurs Noires, vous m'aideriez à retrouver mon frère. Eh bien, je vous ai dit ce que je savais. Et je n'ai toujours pas la moindre idée de l'endroit où elles gardent Nate prisonnier.

— Oh. (Charlotte s'adossa à son siège, l'air presque alarmé.) Bien sûr. Nous débuterons les recherches dès demain. Nous commencerons par son lieu de travail : nous interrogerons son employeur, il a peut-être une piste. Nous avons des contacts partout, Miss Gray. Le Monde Obscur est aussi friand de ragots que la société terrestre. Nous finirons par mettre la main sur quelqu'un qui sait quelque chose.

Le repas s'acheva peu après, et Tessa se leva de table avec soulagement. Elle préféra décliner l'offre de Charlotte de la raccompagner jusqu'à sa chambre. Elle n'avait qu'une envie, rester seule avec ses pensées.

Elle s'engagea dans un couloir éclairé par des torches, et se remémora le jour où elle avait débarqué du bateau à Southampton. Elle était venue en Angleterre sans connaître d'autre personne que son frère et elle avait laissé les Sœurs Noires la réduire en esclavage. À présent qu'elle fréquentait les Chasseurs d'Ombres, elle n'avait aucune certitude qu'ils la traiteraient mieux. À l'instar des Sœurs Noires, ils cherchaient peut-être à se servir d'elle, à lui soutirer ce qu'elle savait, et maintenant qu'ils connaissaient tous l'étendue de son pouvoir, avant peu ils décideraient de l'exploiter.

Toujours abîmée dans ses pensées, Tessa faillit percuter un mur de plein fouet. Elle l'évita de justesse et regarda autour d'elle, les sourcils froncés. Elle marchait depuis bien plus de temps qu'il ne lui en avait fallu pour atteindre la salle à manger, et pourtant elle n'avait toujours pas trouvé la porte de sa chambre. À vrai dire, elle n'était même pas sûre d'être dans le bon couloir. Celui-ci était éclairé par des torches et orné de tapisseries, mais s'agissait-il du même ? Certains étaient beaucoup plus sombres car les torches brûlaient avec plus ou moins d'intensité. Parfois, la flamme de l'une d'elles se ravivait momentanément sur son passage comme si elle répondait à un stimulus invisible. Ce couloir-là était plongé dans la pénombre. Elle progressa prudemment jusqu'à un endroit où il se scindait en deux couloirs parfaitement identiques.

— On s'est perdue ? s'enquit une voix derrière elle, nonchalante, arrogante, immédiatement familière.

Will.

Tessa se retourna et le vit négligemment adossé à un mur. Il tenait sa pierre lumineuse à la main, qu'il empocha lorsqu'elle posa les yeux sur lui, et les ténèbres revinrent.

— Vous devriez me laisser vous montrer un peu l'Institut, Miss Gray, suggéra-t-il. Vous savez, pour éviter de vous perdre à l'avenir.

Tessa lui jeta un regard noir.

— Bien sûr, vous pouvez continuer à errer seule dans les couloirs si c'est ce que vous voulez, ajouta-t-il. Je tiens à vous avertir, cependant, qu'il y a au moins trois ou quatre portes dans l'Institut qu'il ne faut ouvrir sous aucun prétexte. Celle qui mène à la salle où nous enfermons les démons, par exemple. Ils peuvent se montrer un peu abrupts. Ensuite, il y a la salle d'armes. Certaines d'entre elles ont une conscience propre, et elles sont effilées comme des rasoirs. Et enfin, il y a les portes qui ouvrent sur du vide. Elles sont destinées aux intrus, et quand on se retrouve tout en haut d'une église, il vaut mieux ne pas glisser…

— Je ne vous crois pas ! s'exclama Tessa. Vous êtes un piètre menteur, Mr Herondale. Cependant… (Elle se mordit la lèvre.) Je n'aime pas errer dans les couloirs. Vous pouvez me faire visiter les lieux si vous promettez de ne pas me jouer des tours.

Will promit. Et, à la surprise de Tessa, il tint sa parole. Il la conduisit à travers une succession de couloirs identiques tout en faisant la conversation. Il lui révéla le nombre de pièces que comprenait l'Institut, soit plus qu'on n'en pouvait compter, le nombre de Chasseurs d'Ombres qu'il pouvait héberger (des centaines) et lui montra la vaste salle de bal où se déroulait chaque année la fête de Noël de l'Enclave, terme qui, d'après ses explications, désignait l'ensemble des Chasseurs d'Ombres de Londres. (À New York, précisa-t-il, on employait le mot « Force ». Apparemment, les Chasseurs d'Ombres américains avaient leur propre lexique.)

Après la salle de bal vint la cuisine, où Tessa fit la connaissance de la femme qu'elle avait vue au cours du dîner. Elle répondait au nom d'Agatha. Assise devant un gigantesque fourneau, elle cousait en fumant une énorme pipe, ce qui laissa la jeune fille sans voix. La cuisinière eut un sourire indulgent en voyant Will prendre plusieurs tartelettes au chocolat qui refroidissaient dans un plat. Il en offrit une à Tessa.

Elle frissonna.

— Oh non. Je déteste le chocolat.

Will parut horrifié.

— Quel genre de monstre peut détester le chocolat ?

— En fait, il mange de tout, dit Agatha avec un sourire placide. Et depuis l'âge de douze ans. Je suppose que c'est à cause de tout cet entraînement qu'il ne grossit pas.

Tessa, amusée par la vision d'un Will obèse, complimenta la fumeuse de pipe sur la bonne marche de son vaste domaine. À l'évidence, l'endroit permettait de nourrir des centaines de convives, avec ses innombrables étagères remplies de conserves, de boîtes d'épices, et un énorme jarret de bœuf qui rôtissait au-dessus de l'âtre.

— Vous avez bien fait de complimenter Agatha, dit Will une fois qu'ils eurent pris congé d'elle. Dorénavant, vous avez son estime. C'est dangereux de ne pas être dans ses petits papiers. Elle est capable de mettre des cailloux dans votre porridge.

— Seigneur ! fit Tessa, mais elle ne pouvait pas nier qu'elle s'amusait beaucoup.

Ils allèrent ensuite à la salle de musique, où des harpes et un antique et majestueux piano prenaient la poussière. Au bas d'une volée de marches se trouvait le salon, une pièce agréable où la pierre nue des murs avait été tapissée de papier peint à fleurs. Un feu brûlait dans une cheminée autour de laquelle étaient disposés des fauteuils confortables. La pièce comprenait aussi un grand bureau en bois ; c'était là, expliqua Will, que Charlotte s'acquittait des tâches inhérentes à la direction de l'Institut. Tessa ne put s'empêcher de se demander quelle était la fonction de Henry Branwell, et où il l'exerçait.

Puis vint la salle d'armes, plus impressionnante que n'importe quelle galerie de musée, d'après l'idée que s'en faisait Tessa. Des centaines de masses, de haches, d'épées, de dagues, de poignards, et même quelques pistolets ornaient les murs, ainsi qu'une collection de pièces d'armure, des cnémides destinées à protéger le mollet aux cottes de mailles intégrales. Assis à une table, un jeune homme robuste aux cheveux bruns était occupé à astiquer une série de petites dagues. Il sourit à leur entrée.

— Bonsoir, monsieur Will.

— Bonsoir, Thomas. Tu connais Miss Gray, dit Will en désignant Tessa.

— Vous étiez dans la maison noire ! s'exclama-t-elle en observant plus attentivement Thomas. Vous êtes arrivé avec Mr Branwell. Je croyais…

— Que j'étais un Chasseur d'Ombres ? l'interrompit Thomas en souriant.

Il avait un visage doux et franc couronné d'une masse de cheveux bouclés. Sa chemise entrouverte sur sa gorge dévoilait un cou de taureau. Malgré son jeune âge, il était particulièrement grand et musclé ; ses larges biceps semblaient comprimés par le tissu de son vêtement.

— Je n'en suis pas un, mademoiselle, poursuivit-il. Mais je m'entraîne.

Will s'adossa au mur.

— Est-ce que les miséricordes que nous avons commandées sont arrivées, Thomas ? J'ai croisé un certain nombre de Shax récemment, et j'ai besoin de dagues très fines capables de percer une carapace.

Thomas s'était lancé dans une histoire de navire retardé en raison du mauvais temps à Idris, mais l'attention de Tessa fut attirée par un nouvel objet : une boîte en bois blond gravée sur le dessus d'un serpent se mordant la queue.

— Ce n'est pas le symbole des Sœurs Noires ? demanda-t-elle. Qu'est-ce qu'il fait là ?

— Pas tout à fait, répondit Will. Cette boîte est un Pyxis. Les démons n'ont pas d'âme ; leur conscience dérive d'une autre sorte d'énergie qu'on peut parfois enfermer et entreposer. Le Pyxis permet de la stocker en toute sécurité. Le dessin gravé sur le dessus est un *ouroboros*, un mot grec signifiant littéralement « qui se mord la queue ». C'est un ancien symbole alchimique censé représenter les différentes dimensions : notre monde à l'intérieur du serpent et le reste de l'existence à l'extérieur. (Il haussa les épaules.) Quant au symbole des sœurs, c'est la première fois que je vois un *ouroboros* avec deux serpents. Oh non, ne faites pas ça, ajouta-t-il comme Tessa se penchait vers la boîte. (Il s'interposa adroitement entre elles.) Le Pyxis ne peut être touché que par un Chasseur d'Ombres, sans quoi cela devient dangereux. Partons. Nous avons assez abusé du temps de Thomas.

— Vous ne me dérangez pas, protesta Thomas.

Will se dirigeait déjà vers la sortie.

Arrivée sur le seuil, Tessa jeta un regard à Thomas. Il s'était remis à astiquer les armes, mais quelque chose dans son attitude suggérait qu'il se sentait un peu seul.

— J'ignorais que vous laissiez les Terrestres se battre à vos côtés, dit-elle à Will après qu'ils eurent quitté la salle d'armes. Est-ce que Thomas est un domestique ou…

— Thomas a passé presque toute sa vie entre les murs de l'Institut, répondit Will en précédant Tessa dans le couloir. Il existe des familles qui se transmettent le don de Seconde Vue de génération en génération, et qui ont toujours servi les Chasseurs d'Ombres. Les parents de Thomas servaient ceux de Charlotte et de Henry. Et ses enfants serviront les leurs. Thomas sait tout faire : il conduit notre voiture, prend soin de Balios et de Xanthos – ce sont nos chevaux – et s'occupe de nos armes. Sophie et Agatha se chargent du reste, bien qu'il les assiste à l'occasion. Je le soupçonne d'avoir un faible pour Sophie et de ne pas aimer la voir travailler trop dur.

Tessa se réjouit de l'entendre. Elle s'en voulait encore de sa réaction en voyant la cicatrice de Sophie, et l'idée qu'elle ait un admirateur – bel homme, de surcroît – apaisait un peu sa conscience.

— Peut-être qu'il est amoureux d'Agatha, suggéra-t-elle en souriant.

— J'espère que non car j'ai l'intention de l'épouser. Elle peut bien avoir cent ans, sa tarte à la confiture est incomparable. La beauté se fane, mais la cuisine est éternelle. (Il s'arrêta devant une porte en chêne dotée de gros gonds en cuivre.) Nous y sommes, dit-il, et la porte s'ouvrit d'une simple poussée.

La pièce dans laquelle ils pénétrèrent était encore plus vaste que la salle de bal. Elle était plus longue que large, avec des tables en chêne rectangulaires disposées en son milieu, qui s'étendaient jusqu'au mur opposé, sur lequel était peint l'image d'un ange. Chaque table était éclairée par une lampe en verre répandant une lumière blanche. Le long des parois courait une galerie intérieure protégée par un garde-corps en bois, à laquelle on accédait par deux escaliers en spirale de chaque côté de la salle. Des étagères remplies de livres se dressaient telles des sentinelles à intervalles réguliers, formant des alcôves dans chaque coin de la bibliothèque. Il y avait encore plus de rayonnages au niveau de la galerie ; les livres à l'intérieur étaient dissimulés derrière des panneaux en métal chantourné représentant quatre C. D'immenses fenêtres en vitrail flanquées de bancs en pierre s'encadraient entre les étagères.

Un gros volume ouvert avait été abandonné sur une table, comme une invitation ; Tessa crut qu'il s'agissait d'un dictionnaire, et découvrit que ses pages étaient noircies d'une écriture illisible accompagnée d'enluminures et de cartes représentant des lieux inconnus.

— Voici la Grande Bibliothèque, annonça Will. Chaque Institut en possède une, mais celle-ci est la plus vaste de toutes. En Occident, du moins. (Il s'adossa à la porte, les bras croisés.) Je vous avais dit que je vous trouverais d'autres livres, n'est-ce pas ?

Tessa fut si étonnée qu'il se souvienne de sa promesse qu'il lui fallut quelques instants pour répondre.

— Mais ces livres sont tous derrière des barreaux ! Une vraie prison littéraire !

Will sourit.

— Certains d'entre eux sont dangereux. Prudence est mère de sûreté.

— Il faut toujours être prudent avec les livres et leur contenu, renchérit Tessa, car les mots ont le pouvoir de nous changer.

— Je ne crois pas qu'un livre m'ait jamais changé. Enfin… j'en connais un qui est censé apprendre au lecteur à se transformer en mouton…

— Seuls les faibles d'esprit refusent d'être influencés par la littérature et la poésie, déclara Tessa, déterminée à ne pas le laisser changer de sujet.

— Évidemment, qui voudrait devenir un mouton ? C'est un autre problème. Y a-t-il un livre qui vous plairait ici, Miss Gray ? Nommez-le, et j'essaierai de le libérer de sa prison pour vous.

— Avez-vous *Les Quatre Filles du docteur March* ?

— Je n'en ai jamais entendu parler. Nous n'avons pas beaucoup de romans.

— Eh bien, moi je veux des romans. Ou de la poésie. Les livres sont faits pour être lus et non pour transformer les gens en bétail.

Les yeux de Will étincelèrent.

— Je crois que nous avons un exemplaire d'*Alice au pays des merveilles* quelque part.

Tessa fronça le nez.

— Oh, c'est pour les enfants, non ? Je ne l'ai jamais beaucoup aimé… Il contient beaucoup d'inepties. C'est ce que les Anglais appellent le *nonsense*.

— Il y a parfois beaucoup de sens dans le *nonsense*, pour peu qu'on se donne la peine d'y regarder à deux fois.

Mais Tessa avait déjà repéré un ouvrage familier sur un rayonnage, et elle se précipita pour l'accueillir comme un vieil ami.

— *Oliver Twist* ! s'écria-t-elle. Avez-vous d'autres romans de Mr Dickens ? Oh ! Avez-vous lu *Un conte de deux villes* ?

— Ce roman idiot sur des hommes qui vont se faire couper la tête par amour ? Ridicule !

Will se détacha de la porte pour rejoindre Tessa près des étagères. Il désigna d'un geste ample les livres autour de lui.

— Non, ici vous trouverez toutes sortes d'ouvrages expliquant comment couper la tête de quelqu'un d'autre. C'est beaucoup plus utile.

— Je n'ai pas besoin de décapiter qui que ce soit ! protesta Tessa. Et à quoi bon amasser autant de livres que personne ne veut lire ? N'avez-vous donc pas d'autres romans ?

— Non, à moins que *Le Secret de Lady Audley*[1] ne réside dans le fait qu'elle tue des démons à ses heures perdues.

Will se percha sur une des échelles et prit un livre sur une étagère.

— Je vais vous trouver une autre lecture. Tenez.

Il le laissa tomber sans regarder en bas, et Tessa dut se précipiter pour le rattraper avant qu'il s'écrase par terre.

C'était un gros volume relié de velours bleu sombre sur lequel était gravé un symbole rappelant les marques que Tessa avait observées sur la peau de Will. Le titre se découpait en lettres d'argent sur la couverture : *Codex du Chasseur d'Ombres*. Tessa leva les yeux vers Will.

— De quoi s'agit-il ?

— Je suppose que vous avez des questions au sujet des Chasseurs d'Ombres, étant donné que vous logez actuellement dans notre *sanctum sanctorum,* pour ainsi dire. Cet ouvrage devrait vous apprendre tout ce que vous voulez savoir sur nous, notre histoire, et sur les

---

1. Roman à sensation écrit à l'ère victorienne. (*N.d.T.*)

Créatures Obscures, dont vous faites partie. (Will prit une expression sérieuse.) Néanmoins, soyez prudente en le manipulant. Il a six cents ans et c'est le seul exemplaire encore existant. Conformément à la Loi, le perdre ou l'endommager est passible de la peine de mort.

Tessa éloigna le livre d'elle comme s'il venait de prendre feu.

— Vous plaisantez ?

— Oui, je plaisante.

Will sauta à bas de l'échelle et atterrit gracieusement devant elle.

— Vous croyez tout ce que je vous raconte, n'est-ce pas ? Est-ce que je vous semble particulièrement digne de confiance ou êtes-vous simplement naïve ?

Pour toute réponse, Tessa lui jeta un regard noir et se dirigea d'un pas raide vers un banc de pierre niché dans une alcôve. Après s'être assise, elle ouvrit le *Codex* et se mit à lire en prenant soin d'ignorer Will, qui s'était installé à côté d'elle. Elle sentit le poids de son regard sur elle tandis qu'elle lisait.

Elle aperçut sur la première page l'illustration qu'elle avait vue maintes fois sur les tapisseries des couloirs : l'ange s'élevant d'un lac avec une épée dans une main et une coupe dans l'autre. Elle s'accompagnait d'une légende : « L'ange Raziel et les Instruments Mortels. »

— C'est ainsi que tout a commencé, expliqua Will d'un ton enjoué, comme s'il n'avait pas remarqué qu'elle lui battait froid. Un sortilège d'invocation par-ci, un peu de sang d'ange par-là, et vous obtenez la recette pour créer des guerriers humains indestructibles. Il vous faudra plus qu'un livre pour nous comprendre, cela dit, mais c'est un bon début.

— Humains ? Ils ressemblent plutôt à des anges vengeurs, commenta Tessa à voix basse en tournant les pages.

Il y avait des dizaines d'illustrations représentant des anges qui tombaient du ciel en semant des plumes derrière eux, telle la traînée d'étincelles d'une étoile filante. On trouvait aussi d'autres images de l'ange Raziel tenant dans ses mains un livre ouvert sur les pages duquel des runes flamboyaient comme des flammes, et autour de l'ange étaient agenouillés des combattants couverts de marques. Elle vit aussi des images d'hommes semblables à celui de son cauchemar, avec des orbites creuses et des lèvres couturées, et d'autres de Chasseurs d'Ombres brandissant des épées scintillantes, tels des anges guerriers du paradis.

— Vous aussi, vous descendez de cet ange, n'est-ce pas ?

Will ne répondit pas. Il regardait par la fenêtre qui donnait sur une cour entourée de murs. À travers les barreaux d'une haute grille en fer surmontée d'une arche, on apercevait la rue éclairée par la lumière jaunâtre d'un réverbère à gaz. Des lettres en fer forgé se détachaient sur l'arche au-dessus de la grille : de là où elle était, Tessa les voyait à l'envers, et elle dut se concentrer pour les déchiffrer.

— *Pulvis et umbra sumus.* C'est un vers d'Horace. « Nous sommes des ombres et de la poussière. » Bien vu, non ? dit Will. On ne fait pas de vieux os quand on tue des démons. Quand nous mourons, on brûle notre corps : de la poussière à la poussière, au sens littéral.

Puis nous disparaissons dans les ombres de l'histoire, pas même une mention dans un livre terrestre pour rappeler au monde que nous avons existé.

Tessa l'observa. Il avait cette expression à la fois étrange et irrésistible, cet air amusé qui semblait gravé sur ses traits, comme s'il trouvait le monde à la fois infiniment drôle et infiniment tragique. Elle se demanda pourquoi il était ainsi, comment il en était venu à tout tourner en dérision car, en apparence du moins, c'était un trait de caractère qu'il ne partageait pas avec les autres Chasseurs d'Ombres qu'elle avait brièvement côtoyés. Peut-être tenait-il cela de ses parents… mais quels parents ?

— Est-ce qu'il vous arrive de vous inquiéter ? demanda-t-elle d'une voix douce. De penser que ce qui rôde dehors… pourrait s'introduire ici ?

— Vous parlez des démons ? s'enquit Will, bien que Tessa ne fût pas certaine que c'était ce qu'elle avait voulu dire ; ou faisait-elle référence aux maux de ce monde en général ?

Il posa la main sur le mur.

— Au mortier qui a servi à assembler ces pierres on a mélangé du sang de Chasseur d'Ombres. Toutes les poutres sont en bois de sorbier. Le moindre clou servant à fixer les poutres est en argent ou en électrum. Cet édifice est construit sur une terre sainte et protégé par des sortilèges. Seule une personne ayant du sang de Chasseur d'Ombres dans les veines peut en ouvrir la porte ; elle demeure à jamais fermée à tous les autres. Cet endroit est une véritable forteresse. Donc, non, je ne suis pas inquiet.

— Mais pourquoi vivre dans une forteresse ?

Devant l'air surpris de Will, elle précisa sa pensée :

— À l'évidence, vous n'avez aucun lien de parenté avec Charlotte et Henry, ils sont trop jeunes pour vous avoir adopté, et les enfants de Chasseurs d'Ombres ne sont pas tous obligés de vivre ici, sans quoi il n'y aurait pas que vous et Jessamine…

— Vous oubliez Jem, lui rappela Will.

— Soit, mais… vous voyez où je veux en venir. Pourquoi ne vivez-vous pas avec votre famille ?

— Nous avons tous perdu nos parents. Ceux de Jessamine sont morts dans un incendie. Quant à Jem… eh bien, il est venu de loin pour s'installer avec nous, à la suite du meurtre de ses parents par des démons. Conformément aux Lois du Covenant, l'Enclave est responsable des orphelins de moins de dix-huit ans.

— Donc, vous constituez une famille à vous tous.

— Si vous tenez à en donner une vision romantique, je suppose que oui : nous sommes tous… frères et sœurs sous le toit de l'Institut. Vous aussi, Miss Gray, même si c'est temporaire.

— Dans ce cas, dit Tessa, qui sentait le sang lui monter aux joues, je préfère que vous m'appeliez par mon prénom, comme vous le faites avec Miss Lovelace.

Will lui jeta un regard perçant et sourit. Ses yeux bleus s'éclairèrent.

— Alors vous devrez en faire autant avec moi, Tessa.

Elle n'avait jamais beaucoup réfléchi à son prénom jusqu'alors, mais dans la bouche de Will, c'était comme si elle l'entendait pour la première fois : la dureté du T, la caresse du double S, la dernière syllabe qui semblait se terminer dans un souffle.

— Will, dit-elle à mi-voix.

— Oui ?

Une lueur amusée étincela dans le regard de l'intéressé. Tessa s'aperçut avec horreur qu'elle avait prononcé son nom pour le seul plaisir de l'entendre ; elle n'avait pas de question à poser.

— Comment… avez-vous appris à vous battre ainsi ? se hâta-t-elle de demander. Et à dessiner ces symboles magiques ?

— Un précepteur était chargé de notre instruction et de notre entraînement physique, mais il est rentré à Idris, et Charlotte lui cherche un remplaçant. En outre, elle nous enseigne elle-même l'histoire et les langues anciennes.

— Alors elle est votre gouvernante ?

Une joie cruelle se peignit sur les traits de Will.

— En quelque sorte. Cependant, si vous voulez garder vos deux jambes, je vous conseille de ne pas prononcer ce mot devant elle. On ne le devinerait pas en la regardant, mais notre Charlotte est experte en maniement des armes.

Tessa ne put masquer sa surprise.

— Vous n'insinuez pas… Charlotte ne se bat pas, n'est-ce pas ? Pas comme vous et Henry.

— Bien sûr que si. Pourquoi ne se battrait-elle pas ?

— Parce que c'est une femme.

— Oui, comme Boudicca.

— Qui ?

— « Gloire à toi, grande Boudicca, /Femme celte, de ton trépas, /Demeure ton histoire, ton drame. /Point

111

soumise à l'homme mais égale, /Tu ne t'es point inclinée devant la partiale /Justice de ces hommes d'armes… »

Will s'interrompit devant le regard interloqué de Tessa et sourit.

— Ça ne vous évoque rien ? Si vous étiez anglaise, vous sauriez. Rappelez-moi de vous trouver un livre qui parle d'elle. Cette femme était une reine guerrière très puissante. Après sa défaite, elle a préféré absorber du poison plutôt que de se laisser capturer par les Romains. Elle était plus courageuse que n'importe quel homme. J'aime à penser que Charlotte est issue du même moule… en version plus petite.

— Mais elle n'est pas très douée pour se battre, n'est-ce pas ? Les femmes n'ont pas ce genre de penchants.

— De quels penchants parlez-vous ?

— Du goût pour le sang, je suppose, répondit Tessa après un silence. De la férocité. De l'esprit guerrier.

— Je vous ai vue agiter cette scie en direction des Sœurs Noires, objecta Will. Et si je me souviens bien, dans *Le Secret de Lady Audley*, il est question d'une meurtrière.

— Alors vous l'avez lu ! s'exclama Tessa, incapable de dissimuler sa satisfaction.

— Je préfère *Sur les traces du serpent*, lâcha Will d'un ton amusé. Plus d'aventure, moins de drames domestiques. Rien n'égale *La Pierre de lune*, cependant. Avez-vous lu Wilkie Collins ?

— Je l'adore ! s'écria Tessa. Oh… *Armadale* ! Et *La Dame en blanc*… C'est de moi que vous riez ?

— De vous, non ! s'exclama Will en souriant. Mais à cause de vous, certainement. Je n'ai jamais vu quelqu'un d'aussi enthousiasmé par les livres. À vous entendre, on croirait qu'il s'agit de diamants.

— Mais ce sont des diamants ! Y a-t-il quelque chose au monde que vous aimiez autant ? Et ne me répondez pas les guêtres ou le tennis sur gazon !

— Seigneur ! fit-il d'un ton faussement horrifié. On dirait qu'elle me connaît déjà.

— Nous avons tous une passion sans laquelle nous ne pouvons pas vivre. Je découvrirai quelle est la vôtre, soyez-en sûr.

Elle avait parlé sur le ton de la plaisanterie, mais en voyant l'expression de son visage, elle se tut. Il l'observait d'un regard étrangement fixe ; ses yeux étaient du même bleu que la reliure en velours du livre qu'elle tenait à la main. Il examina ses traits, sa gorge, puis sa taille avant de revenir à son visage ; là, il s'attarda sur sa bouche. Le cœur de Tessa se mit à tambouriner dans sa poitrine comme si elle venait de gravir un escalier quatre à quatre. Son ventre se noua comme si elle mourait de faim. Elle désirait quelque chose sans savoir quoi…

— Il se fait tard, dit Will avec brusquerie en détournant le regard. Je devrais vous reconduire à votre chambre.

— Je…

Tessa voulut protester mais ne trouva pas de raison de le faire. Il avait raison. Il était tard, les étoiles brillaient à travers les vitraux de la fenêtre. Elle se leva en serrant le livre contre elle, et suivit Will dans le couloir.

— Il existe quelques astuces pour se repérer dans l'Institut. Je devrais vous les enseigner, reprit-il, toujours sans la regarder.

Son attitude trahissait une certaine défiance désormais, comme si Tessa l'avait offensé. Mais qu'avait-elle bien pu faire ?

— Des moyens de reconnaître les portes et…

Il s'interrompit, et Tessa vit quelqu'un s'avancer à leur rencontre dans le couloir. C'était Sophie, un panier de linge sous le bras. Elle s'arrêta à leur hauteur, et une expression méfiante se peignit sur son visage.

— Sophie ! lança Will en cachant son embarras derrière un ton malicieux. Avez-vous fini de mettre de l'ordre dans ma chambre ?

— Oui, répondit Sophie en lui rendant son sourire. Elle était sale à faire peur. Je vous prierais à l'avenir d'éviter de semer des traces de sang de démon dans toute la maison.

Tessa en resta bouche bée. Comment Sophie osait-elle s'adresser ainsi à Will ? C'était une domestique, et lui, même s'il était plus jeune qu'elle, était un gentleman.

Pourtant, il accepta sa remarque sans sourciller.

— Cela fait partie de mon travail, chère Sophie.

— Il me semble que Mr Branwell et Mr Carstairs n'ont aucun mal à nettoyer leurs bottes, protesta Sophie en lançant à Will et à Tessa un coup d'œil énigmatique. Vous devriez songer à prendre exemple sur eux.

— Y songer ? Passe encore, lâcha Will.

Sophie lui jeta un regard noir, puis s'éloigna, indignée.

Tessa considéra Will d'un air ébahi.

— Qu'est-ce qu'il lui prend ?

Il haussa les épaules avec nonchalance.

— Sophie voudrait faire croire qu'elle ne m'apprécie pas.

— Elle vous déteste, vous voulez dire !

En d'autres circonstances, Tessa aurait peut-être demandé si Will et Sophie avaient déjà eu maille à partir, mais on ne se disputait pas avec le personnel. Si un employé ne donnait pas satisfaction, on le renvoyait.

— Il... il s'est passé quelque chose entre vous ? finit-elle par demander timidement.

— Tessa, répondit Will avec une patience exagérée, ça suffit. Il est des choses que vous ne pouvez espérer comprendre.

Tessa détestait qu'on mette en doute ses capacités de compréhension sous prétexte qu'elle était jeune et de sexe féminin. Elle releva fièrement la tête.

— Bien, si vous refusez de me le dire... Mais il me semble qu'elle vous déteste parce que vous avez été odieux avec elle.

Will se rembrunit.

— Pensez ce que vous voulez. Vous ne savez rien de moi.

— Je sais que vous n'aimez guère les questions. Je sais que vous avez à peu près mon âge. Je sais que vous aimez Tennyson, vous l'avez cité dans la maison noire et à l'instant même. Je sais que vous êtes orphelin, comme moi...

— Je n'ai jamais rien dit de tel ! s'exclama Will avec une férocité surprenante. Et j'exècre la poésie. Vous ne savez donc vraiment rien de moi !

Et sur ces mots, il tourna les talons.

5

LE CODEX
DU CHASSEUR D'OMBRES

Les rêves sont vrais tant qu'ils durent,
et ne vivons-nous pas dans les rêves ?

Lord Alfred Tennyson,
« Le plus grand panthéisme »

Tessa dut errer tristement d'un couloir à l'autre pendant une éternité avant de reconnaître par le plus grand des hasards une déchirure dans une tapisserie, et en déduire que la porte de sa chambre devait être l'une de celles qui s'alignaient dans ce corridor-là. Après quelques minutes de tâtonnements, elle referma avec gratitude la bonne porte derrière elle et poussa le verrou.

À peine avait-elle enfilé sa chemise de nuit qu'elle se glissa sous les draps et ouvrit le *Codex du Chasseur d'Ombres*. « Il vous faudra plus qu'un livre pour nous comprendre », avait dit Will, mais ce n'était pas le but recherché. Il ignorait ce que les livres représentaient pour elle. Ils étaient le symbole de la vérité et du sens. Celui-ci prouvait qu'elle existait bel et bien, et qu'il y avait d'autres créatures semblables à elle dans le monde. Le seul fait de le tenir entre ses mains était la preuve que ce qu'elle avait traversé au cours des six dernières semaines avait plus de réalité que tout ce qu'elle avait vécu jusque-là.

Tessa apprit grâce au *Codex* que tous les Chasseurs d'Ombres descendaient d'un archange nommé Raziel, qui avait remis au premier d'entre eux le *Grimoire*, un ouvrage écrit dans le « langage des cieux », ces symboles runiques qui recouvraient la peau des Chasseurs d'Ombres confirmés, tels que Charlotte et Will. Les Marques étaient tatouées sur leur peau au moyen d'un stylet, appelé stèle. C'était l'objet bizarre dont s'était servi Will pour dessiner sur la porte dans la maison noire. Les Marques garantissaient aux Nephilim toutes sortes de protections : guérison rapide, force et vitesse surnaturelles, vision nocturne, et leur permettaient même de se dissimuler aux yeux des Terrestres grâce à des runes appelées « charmes ». Cependant, tout le monde ne pouvait pas en bénéficier. Appliquer des Marques sur la peau d'une Créature Obscure ou d'un être humain, voire d'un Chasseur d'Ombres trop jeune ou inexpérimenté, se révélait terriblement douloureux et provoquait la folie ou la mort.

Les Marques n'étaient pas le seul moyen dont ils disposaient pour se défendre contre l'ennemi : avant une bataille, ils enfilaient des vêtements en cuir épais protégés par des enchantements. Le livre montrait des croquis d'hommes en tenue de combat différant selon les pays. À la stupéfaction de Tessa, il incluait aussi des illustrations représentant des femmes en longue jupe ou en pantalon, lesquels n'avaient rien à voir avec ces culottes bouffantes qu'on ridiculisait dans les journaux. Non, de vrais pantalons d'homme. En tournant les pages, elle secoua la tête, se demandant si Charlotte et Jessamine portaient vraiment ces accoutrements exotiques.

Les pages suivantes étaient consacrées aux autres présents qu'avait remis Raziel aux premiers Chasseurs d'Ombres : les Instruments Mortels, des objets magiques dotés d'un grand pouvoir, et une patrie : une minuscule étendue de terre arrachée au Saint Empire romain germanique et cernée de boucliers afin d'en interdire l'accès aux Terrestres. On l'appelait Idris.

À la lumière tremblante de la lampe, Tessa poursuivit sa lecture, les paupières lourdes. Les Créatures Obscures étaient des êtres surnaturels ; ce terme désignait les fées, les loups-garous, les vampires et les sorciers. Les vampires et des loups-garous étaient des humains infectés par un mal démoniaque. Les fées, elles, étaient des créatures mi-angéliques mi-démoniaques qui alliaient par conséquent une grande beauté à une nature malfaisante. Quant aux sorciers, ils étaient la descendance directe d'humains et de démons. Pas étonnant, dans ce cas, que Charlotte l'ait questionnée au sujet de ses deux parents. « Mais c'étaient tous deux des humains, songea-t-elle. Je ne peux donc pas être une sorcière, Dieu merci. » Elle examina une illustration figurant un homme de haute taille aux cheveux hirsutes, qui se tenait au centre d'un pentagramme tracé à la craie sur un sol en pierre. Il semblait parfaitement normal, à l'exception de ses pupilles, fendues comme celles d'un chat. Des chandelles brûlaient à l'extrémité de chacune des cinq branches de l'étoile. Leurs flammes semblèrent se fondre en une seule du fait de la fatigue de Tessa qui lui brouillait la vue. Elle ferma les yeux… et s'endormit sur-le-champ.

Elle rêva qu'elle dansait parmi des volutes de fumée dans un couloir tapissé de miroirs, et chaque fois qu'elle passait devant l'un d'eux, il lui montrait un reflet différent. Elle percevait une belle musique entêtante qui, tout en paraissant lointaine, était là, autour d'elle. Un jeune homme marchait devant elle, mince et sans barbe ; tout en ayant l'impression de le connaître, elle ne parvenait pas à distinguer les traits de son visage. Il aurait pu s'agir de son frère, de Will, ou même de quelqu'un d'autre. Alors qu'elle le hélait et s'élançait pour le suivre, il s'éloigna peu à peu dans le couloir, comme emporté par la fumée. La musique atteignit un crescendo…

Et Tessa s'éveilla, le cœur battant. Le livre lui glissa des mains au moment où elle se redressait. Le rêve s'était dissipé, mais les notes aiguës, entêtantes et douces de la musique perduraient. Elle alla jusqu'à la porte et risqua un coup d'œil dans le couloir.

La musique provenait de la pièce qui faisait face à sa chambre. La porte était entrouverte, et les notes semblaient s'échapper par l'interstice comme de l'eau s'écoulant du bec étroit d'un vase.

Une robe de chambre était suspendue à un crochet près de la porte ; Tessa l'enfila par-dessus sa chemise de nuit et sortit dans le couloir. Comme dans un rêve, elle posa doucement la main sur le panneau de la porte, qui s'ouvrit en grand sur une pièce plongée dans la pénombre, avec pour seul éclairage le clair de lune. Elle constata qu'elle n'était pas très différente de sa propre chambre avec son lit à baldaquin et ses meubles massifs en bois sombre. Les rideaux tirés dévoilaient une haute fenêtre par laquelle s'engouffrait le pâle clair de lune argenté. Une silhouette se tenait devant la fenêtre, dans la flaque de lumière : un jeune homme frêle, avec un violon calé sur l'épaule. Les yeux fermés, la joue appuyée contre l'instrument, il promenait son archet sur les cordes pour en arracher les notes les plus mélodieuses que Tessa ait jamais entendues.

— Will ? lança-t-il sans ouvrir les yeux ni cesser de jouer. C'est toi, Will ?

Tessa ne répondit pas. Elle n'osait pas interrompre la musique. Au bout d'un moment, le garçon s'arrêta de lui-même et, baissant son archet, il ouvrit les yeux.

— Will… répéta-t-il, et, apercevant Tessa, il resta un instant bouche bée. Vous n'êtes pas Will.

Il semblait intrigué, mais pas le moins du monde agacé par l'intrusion de Tessa dans sa chambre au beau milieu de la nuit alors qu'il était en train de jouer du violon en pyjama. Ou du moins supposait-elle qu'il s'agissait d'un pyjama : il portait un pantalon ample et léger et une chemise sans col sous une robe de chambre en soie noire nouée à la va-vite. Il était probablement du même âge que Will, et sa minceur accentuait son air juvénile. Sous le col entrouvert de sa chemise, elle distinguait les mêmes symboles noirs que ceux qu'elle avait observés chez Will et Charlotte.

Elle savait désormais comment on les appelait : des Marques. Et elle savait aussi à qui elles se rapportaient. Aux Nephilim, ces descendants des hommes et des anges. Pas étonnant qu'au clair de lune la peau claire du jeune homme semblât luire comme la pierre de Will : ses cheveux et ses yeux en amande étaient du même argent pâle.

— Je suis vraiment confuse, dit-elle en s'éclaircissant la voix. (Ce bruit lui parut terriblement rauque et tonitruant dans le silence de la pièce, et elle eut envie de disparaître sous terre.) Je… je n'avais pas l'intention de m'introduire ainsi chez vous. Ma chambre est de l'autre côté du couloir, et je…

— Ce n'est rien. Vous êtes Miss Gray, n'est-ce pas ? La fille métamorphe. Will m'a un peu parlé de vous.

— Oh, fit Tessa.

Le garçon leva les sourcils.

— Vous n'avez pas l'air ravi que je connaisse votre nom.

— C'est qu'il me semble que Will est en colère contre moi, expliqua-t-elle. Alors, quoi qu'il vous ait dit…

Il rit.

— Will en veut au monde entier. Je ne laisse pas son avis influencer mon jugement.

Le clair de lune se réfléchit sur la surface lisse de son violon au moment où il se détournait pour le ranger en haut d'une armoire. Quand il se tourna de nouveau vers Tessa, il souriait.

— J'aurais déjà dû me présenter. Je m'appelle James Carstairs. Mais, je vous en prie, appelez-moi Jem. Tout le monde m'appelle ainsi.

— Oh, vous êtes Jem. Vous n'étiez pas au dîner. Charlotte a dit que vous étiez souffrant. Vous sentez-vous mieux ?

Il haussa les épaules.

— J'étais fatigué, c'est tout.

121

— Eh bien, j'imagine que ce doit être épuisant de faire ce que vous faites.

Tessa, qui venait de lire le *Codex*, mourait d'envie de le questionner au sujet des Chasseurs d'Ombres.

— Will m'a dit que vous aviez parcouru un long chemin pour venir vivre ici… Étiez-vous originaire d'Idris ?

Il leva les sourcils.

— Vous avez entendu parler d'Idris ?

— Ou veniez-vous d'un autre Institut ? Il y en a dans toutes les grandes villes, n'est-ce pas ? Et pourquoi Londres…

Il l'interrompit, médusé.

— Vous posez beaucoup de questions, non ?

— Mon frère dit toujours que la curiosité est mon principal défaut.

— Ce n'est pas le pire.

Il s'assit sur la malle au pied du lit et la considéra d'un air à la fois grave et intrigué.

— Allez-y, demandez-moi ce que vous voulez. Je n'arrive pas à dormir, de toute manière. Toute distraction est la bienvenue.

Les paroles de Will resurgirent immédiatement dans l'esprit de Tessa. Les parents de Jem avaient été tués par des démons. « Mais je ne peux pas l'interroger là-dessus », pensa-t-elle.

— Où viviez-vous auparavant ?

— À Shanghai. Vous savez où cela se trouve ?

— En Chine, répondit Tessa d'un ton légèrement indigné. Tout le monde sait cela, non ?

Jem sourit.

— Vous seriez étonnée de voir le nombre de personnes qui l'ignorent.

— Que faisiez-vous en Chine ? s'enquit Tessa avec un intérêt non déguisé. Je croyais que personne n'allait là-bas, excepté les missionnaires et les marins.

Elle n'arrivait pas à se représenter l'endroit dont Jem était originaire. Quand elle pensait à la Chine, tout ce qui lui venait à l'esprit, c'était Marco Polo et la culture du thé. Elle avait l'impression qu'il s'agissait d'une contrée très lointaine, comme si Jem venait des confins de la terre, « à l'est du soleil et à l'ouest de la lune », aurait dit tante Harriet.

— Les Chasseurs d'Ombres vivent partout dans le monde. Ma mère était chinoise et mon père britannique. Ils se sont connus à Londres et ont emménagé à Shanghai quand on lui a offert le poste de directeur de l'Institut là-bas.

Tessa resta sans voix. Si la mère de Jem était chinoise, alors lui aussi, non ? Elle savait qu'il y avait des immigrants chinois à New York, qui pour la plupart travaillaient dans les blanchisseries ou vendaient des cigarettes roulées à la main dans la rue. Elle n'en avait jamais vu qui ressemblaient à Jem. Peut-être était-ce le fait qu'il soit un Chasseur d'Ombres ? En tout cas, elle n'arrivait pas à formuler sa question dans des termes qui ne paraissent pas terriblement discourtois.

Par bonheur, Jem n'attendit pas qu'elle poursuive la conversation.

— Pardonnez-moi de vous demander cela, mais… vos parents sont morts, n'est-ce pas ?

— C'est Will qui vous l'a dit ?

— Il n'en a pas eu besoin. Nous autres orphelins, nous apprenons à nous reconnaître. Si je peux me permettre… étiez-vous jeune quand c'est arrivé ?

— J'avais trois ans. Ils sont morts dans un accident de voiture. Je me souviens à peine d'eux.

Seuls quelques détails infimes lui revenaient en mémoire : l'odeur du tabac, ou le mauve clair de la robe de sa mère.

— C'est ma tante qui nous a élevés, mon frère Nathaniel et moi, poursuivit-elle. Mais elle est…

À son étonnement, sa gorge se serra. Une image très nette refit surface : tante Harriet, étendue sur son petit lit, les yeux brillant de fièvre. À la fin, elle ne reconnaissait plus Tessa et l'appelait par le nom de sa mère, Elizabeth. Tante Harriet avait été la seule mère qu'elle ait vraiment connue. Elle avait tenu sa main frêle tandis qu'elle agonisait. Elle se souvenait avoir pensé à ce moment-là qu'elle était vraiment seule désormais.

— Elle est morte récemment des suites d'une fièvre foudroyante. Elle était d'une constitution fragile.

— Je suis désolé de l'apprendre, dit Jem d'un ton sincère.

— C'est terrible parce que mon frère était déjà parti pour l'Angleterre depuis un mois quand cela s'est produit. Il nous avait même fait parvenir des cadeaux : du thé de Fortnum & Mason et des chocolats. Quand notre tante est tombée malade et par la suite, après sa mort, je n'ai pas cessé de lui écrire, mais mes lettres me revenaient systématiquement. J'étais au désespoir. Puis le billet est arrivé. Un billet sur un paquebot à destination de Southampton, accompagné d'un message de Nate disant qu'il m'attendrait sur le quai, et que je devais venir vivre à Londres avec lui maintenant que notre tante n'était plus. Sauf qu'à présent je ne suis même plus sûre que ce soit lui qui ait écrit ces mots…

Tessa s'interrompit, les yeux remplis de larmes.

— Excusez-moi, je m'égare. Vous n'avez pas besoin de savoir tout cela.

— Quel genre d'homme est votre frère ?

Tessa dévisagea Jem, un peu surprise. Les autres lui avaient demandé ce qu'il avait pu faire pour se mettre dans cette situation, si elle savait où les Sœurs Noires le gardaient prisonnier et s'il possédait le même pouvoir qu'elle. Mais aucun d'eux ne l'avait priée de le décrire.

— Ma tante avait pour habitude de dire que c'était un rêveur, répondit-elle. Il a toujours vécu dans son imaginaire. Il ne se préoccupait jamais de ce que les choses étaient vraiment, seulement de ce qu'elles seraient un jour, quand ses rêves se réaliseraient enfin. Nos rêves, se reprit-elle. Il jouait beaucoup aux jeux d'argent, sans doute parce qu'il ne pouvait pas s'imaginer perdre. Cela n'existait pas dans ses rêves.

— Les rêves peuvent être dangereux.

— Non… non. (Elle secoua la tête.) Je m'exprime mal. C'était un frère formidable. Il…

Charlotte avait raison ; il était plus facile de refouler ses larmes en fixant son attention sur un objet. Elle se concentra sur les mains de Jem. Elles étaient fines et longues, et sur le dos de l'une d'elles il y avait ce même dessin représentant un œil ouvert. Elle le montra du doigt.

— Qu'est-ce que ça signifie ?

Jem ne parut pas remarquer qu'elle avait changé de sujet.

— C'est une Marque. Elle nous sert à voir le Monde Obscur.

Il retroussa la manche de sa chemise. L'intérieur de son poignet et de son avant-bras étaient couverts d'autres Marques, noires sur sa peau blanche. Elles semblaient suivre le réseau de ses veines, comme si son sang circulait aussi en elles.

— Pour la rapidité, la vision nocturne, le pouvoir angélique, pour guérir rapidement, récita-t-il à voix haute. Bien que leurs noms soient plus complexes et qu'ils ne soient pas en anglais.

— Est-ce que c'est douloureux ?

— J'ai eu mal quand on les a tracées sur ma peau. Maintenant, je ne sens rien du tout. (Il rajusta sa manche et sourit.) Ne me dites pas que vous n'avez pas d'autres questions.

« Oh que si ! » songea-t-elle.

— Pourquoi n'arrivez-vous pas à dormir ?

Elle s'aperçut que sa question l'avait pris au dépourvu. Une lueur d'hésitation passa dans ses yeux. « Pourquoi hésiter ? » pensa-t-elle. Il pouvait toujours mentir, ou se dérober, comme l'aurait fait Will. Mais Jem, se dit-elle d'instinct, n'était pas un menteur.

— Je fais des mauvais rêves.

— Moi aussi, j'ai rêvé, dit-elle. J'ai rêvé de votre musique.

Il sourit.

— Vous avez fait un cauchemar, alors.

— Non, c'était magnifique. C'est la plus belle chose que j'ai entendue depuis que je suis arrivée dans cette horrible ville.

— Londres n'est pas une ville horrible, protesta Jem d'un ton égal. Il faut juste l'apprivoiser. Vous devriez venir avec moi un de ces jours. Je vous montrerai les endroits que j'aime.

— Tu chantes les louanges de notre belle cité ? fit une voix badine.

Tessa se retourna et vit Will adossé à l'encadrement de la porte.

La lumière provenant du couloir soulignait d'or ses cheveux humides. Ses bottes et le bas de son manteau noir étaient maculés de boue, comme s'il revenait d'une longue promenade, et il avait les joues roses. Comme à son habitude, il ne portait pas de chapeau

— On te traite bien ici, n'est-ce pas, James ? Je doute que j'aurais la même chance à Shanghai. Comment vous appelez-nous là-bas, déjà ?

— *Yang guizi*, répondit Jem, pas plus surpris que ça par l'apparition soudaine de Will. « Les diables étrangers. »

— Vous entendez, Tessa ? Je suis un démon. Et vous aussi.

Will s'avança d'un pas désinvolte dans la pièce. Il se laissa choir au bord du lit en déboutonnant son manteau, auquel était fixée une élégante cape bordée de soie bleue.

— Tu as les cheveux mouillés, observa Jem. Où es-tu allé ?

— Un peu partout, répondit Will en souriant.

Malgré sa grâce coutumière, il y avait quelque chose d'étrange dans ses gestes… ses joues empourprées, ses yeux brillants…

— Tu es saoul comme une barrique, n'est-ce pas ? demanda Jem, non sans affection.

« Ah, pensa Tessa. Il est ivre. » Sans pouvoir s'expliquer pourquoi, elle se sentit déçue.

Jem sourit.

— Où es-tu allé ? Au Dragon Bleu ? À la Sirène ?

— À la Taverne du Diable, si tu veux tout savoir. (Will poussa un soupir et s'adossa à un montant du lit.) J'avais de grands projets pour la soirée : trouver l'ivresse et des femmes dévoyées. Hélas, j'ai fait chou blanc. À peine avais-je vidé mon troisième verre que j'ai été accosté par une délicieuse enfant qui vendait des fleurs, laquelle m'a demandé deux pence pour une marguerite. Son prix me semblant excessif, j'ai préféré décliner son offre. Alors que je lui faisais part de mon refus, elle a décidé de me voler.

— Vous avez été détroussé par une petite fille ? s'exclama Tessa.

— En fait, il s'agissait d'un nain travesti avec un net penchant pour la violence, qui répond au nom de Nigel Six-Doigts.

— Il était facile de s'y tromper, déclara Jem.

— Je l'ai pris les doigts dans ma poche, reprit Will en agitant ses mains fines et couvertes de cicatrices. Je ne pouvais pas le laisser s'en tirer à bon compte, évidemment. Une bagarre a éclaté presque immédiatement. J'avais le dessus jusqu'à ce que Nigel grimpe sur le bar et me frappe par-derrière avec un pichet de gin.

— Ah, fit Jem. Voilà qui explique pourquoi tes cheveux sont mouillés.

— C'était un combat loyal, mais le tavernier ne l'entendait pas de cette oreille. Il m'a jeté dehors. Je n'ai pas le droit d'y retourner avant une quinzaine de jours.

— C'est préférable pour toi, lâcha Jem sans la moindre trace de compassion dans la voix. Je suis heureux d'entendre que tu n'as pas dérogé à ta routine. Pendant un moment, j'ai craint que tu ne sois rentré plus tôt pour t'enquérir de mon état.

— Tu m'as l'air de t'en sortir très bien sans moi, répliqua Will. Je vois que tu as fait la connaissance de notre mystérieuse hôte métamorphe, ajouta-t-il en lançant un coup d'œil à Tessa – c'était la première fois qu'il tenait compte de sa présence depuis son entrée dans la pièce. Il vous arrive souvent de faire irruption dans la chambre d'un gentleman au beau milieu de la nuit ? Si j'avais su, j'aurais insisté davantage pour que Charlotte vous laisse rester.

— Je ne vois pas en quoi ce que je fais vous regarde, rétorqua Tessa. Surtout depuis que vous m'avez abandonnée dans un couloir en me laissant retrouver seule le chemin de ma chambre.

— Au lieu de quoi, vous avez trouvé le chemin de celle de Jem ?

— C'est à cause du violon, intervint Jem. Elle m'a entendu jouer.

— Quels gémissements épouvantables ! s'exclama Will en se tournant vers Tessa. Je m'étonne que tous les chats du voisinage ne débarquent pas ici chaque fois qu'il joue.

— Moi j'ai trouvé ça joli.

— C'est parce que c'était joli, renchérit Jem.

Will pointa un doigt accusateur dans leur direction.

— Vous vous liguez contre moi. C'est comme ça dorénavant ? Je serai l'homme de trop ? Seigneur, je vais être obligé de faire alliance avec Jessamine.

— Jessamine ne te supporte pas, lui rappela Jem.

— Henry, alors.

— Henry mettra le feu à tes vêtements.

— Thomas ? suggéra Will.

— Thomas… commença Jem mais sans crier gare, il se plia en deux et fut secoué par une quinte de toux si violente qu'il glissa de la malle sur laquelle il était assis et tomba à genoux par terre.

Trop choquée pour réagir, Tessa regarda Will, que l'ivresse semblait avoir quitté en une fraction de seconde, bondir du lit et s'agenouiller auprès de Jem.

— James, dit-il doucement. Où est-ce ?

Jem leva la main pour le tenir à distance. Des spasmes terribles secouaient son corps frêle.

— Je n'en ai pas besoin… Je vais bien…

Il se remit à tousser, et un jet de sang éclaboussa le sol à ses pieds.

— Où l'as-tu rangé ? insista Will.

Jem agita faiblement la main en direction du lit.

— Sur… sur le manteau de la cheminée… dans la boîte… en argent… hoqueta-t-il.

— Je vais la chercher, ne bouge pas.

Jamais encore Tessa n'avait entendu Will user de tant de douceur.

— Comme si j'avais l'intention d'aller quelque part, ironisa Jem en s'essuyant la bouche d'un revers du poignet ; une traînée de sang macula l'œil tatoué sur sa peau.

Après s'être relevé, Will se retourna… et aperçut Tessa. Pendant un bref instant, il parut perplexe, comme s'il avait oublié sa présence.

— Will, murmura-t-elle. Y a-t-il quelque chose…

— Venez avec moi.

La prenant par le bras, Will la conduisit calmement jusqu'à la porte. Là, il la poussa dans le couloir et s'avança sur le seuil pour lui barrer l'accès à la chambre.

— Bonne nuit, Tessa.

— Mais il crache du sang, protesta-t-elle à voix basse. Je devrais peut-être aller chercher Charlotte…

— Non.

Will jeta un coup d'œil dans son dos avant de reporter le regard sur Tessa. Il se pencha vers elle et posa la main sur son épaule. Elle sentit chacun de ses doigts s'enfoncer dans sa chair. Ils étaient assez près l'un de l'autre pour qu'elle décèle l'air de la nuit sur sa peau, les effluves du métal, de la fumée et du brouillard. Il émanait de lui une odeur étrange qu'elle ne parvenait pas à identifier précisément.

— Il a des médicaments, chuchota-t-il. Je vais aller les lui chercher. Il n'est pas nécessaire d'en informer Charlotte.

— Mais s'il est malade…

— S'il vous plaît, Tessa. (Les yeux bleus de Will prirent une expression suppliante.) Il serait préférable que vous ne disiez rien.

Tessa comprit confusément qu'elle ne pouvait pas refuser.

— Je… c'est d'accord.

— Merci, fit-il en lui lâchant l'épaule, puis il effleura sa joue d'un geste si léger qu'elle en vint presque à se demander si elle ne l'avait pas imaginé.

Trop ébahie pour parler, elle se tint immobile tandis qu'il refermait la porte sur elle. En entendant cliqueter le verrou, elle comprit pourquoi elle avait eu une impression bizarre quand Will s'était penché vers elle.

Bien qu'il prétendît avoir passé toute la nuit à boire, et quoiqu'il affirmât avoir reçu un pichet de gin sur la tête, il ne dégageait pas la moindre odeur d'alcool.

Il fallut longtemps à Tessa pour se rendormir. Les yeux grands ouverts, le *Codex* ouvert à côté d'elle, l'ange mécanique tictaquant doucement contre sa poitrine, elle regarda la lumière de la lampe tracer des arabesques au plafond.

Tessa observait son reflet dans le miroir au-dessus de la table de toilette tandis que Sophie boutonnait le dos de sa robe. Dans la lumière matinale qui entrait par les hautes fenêtres, elle semblait très pâle et des cernes gris soulignaient ses yeux.

Elle n'avait jamais été de celles qui s'admiraient dans les miroirs. Il lui suffisait d'un bref regard pour s'assurer que sa coiffure était en place et qu'il n'y avait pas de taches sur ses vêtements. À présent pourtant, elle n'arrivait pas à quitter des yeux le visage blême et émacié de son reflet qui semblait se rider telle la surface d'un lac, comme sous l'effet des tremblements qui s'emparaient de son corps avant une transformation. Maintenant qu'elle avait pris d'autres visages et vu à travers d'autres yeux, comment être sûre que celui-ci était le sien, même si c'était celui qu'on lui avait donné à la naissance ? Quand elle redevenait elle-même, comment savoir s'il n'y avait pas eu une légère altération de son moi profond, un détail qui faisait d'elle quelqu'un d'autre ? Mais avait-elle de l'importance, cette apparence ? Ou son visage n'était-il qu'un masque de chair sans rapport avec son véritable moi ?

Elle voyait aussi le reflet de Sophie ; son visage était tourné de sorte que sa joue balafrée était visible dans le miroir. Elle était encore plus horrible à la lumière du jour. Tessa avait l'impression de contempler un charmant tableau lacéré au couteau. Elle mourait d'envie de questionner Sophie sur ce qui s'était passé, mais elle se rendait bien compte qu'elle n'en avait pas le droit. Au lieu de quoi, elle lança :

— C'est très aimable à vous de m'aider à m'habiller.

— Je suis contente de vous rendre service, mademoiselle, répondit Sophie d'un ton monocorde.

— Je voulais vous demander…

Sophie se raidit. « Elle croit que je vais l'interroger sur sa cicatrice », songea Tessa.

— Votre façon de vous adresser à Will dans le couloir hier soir…

Sophie rit de bon cœur.

— J'ai le droit de dire à Mr Herondale ce qui me chante. C'est l'une des conditions de mon embauche.

— Charlotte vous a laissée dicter vos conditions ?

— Ce n'est pas donné à tout le monde de travailler à l'Institut, expliqua Sophie. Il faut avoir été touché par le don de Seconde Vue. Agatha l'a et Thomas aussi. Mrs Branwell a voulu m'engager dès qu'elle a su que je l'avais, elle cherchait une femme de chambre pour Miss Jessamine depuis une éternité. Mais dès le début, elle m'a prévenue que Mr Herondale se montrerait peut-être grossier ou tout au moins familier avec moi, et que j'aurais le droit de lui rendre la pareille sans que personne s'en formalise.

— Il faut bien que quelqu'un lui rende la monnaie de sa pièce. Il est impoli avec tout le monde.

— Je parie que c'est ce que Mrs Branwell a pensé.

Sophie échangea un sourire avec Tessa dans le miroir. « Avec ou sans cicatrice, elle est absolument charmante quand elle sourit », songea Tessa.

— Vous aimez bien Charlotte, n'est-ce pas ? demanda-t-elle. Elle semble extrêmement gentille.

Sophie haussa les épaules.

— Dans la maison où je servais avant, Mrs Atkins, la gouvernante, tenait le compte de la moindre bougie, du moindre bout de savon. Nous devions attendre qu'il se réduise à une lamelle avant qu'elle consente à nous en donner un autre. Mrs Branwell me donne tout le savon que je veux.

Elle fit part de cette anecdote comme si elle attestait à elle seule de la nature généreuse de Charlotte.

— Je suppose qu'ils ont beaucoup d'argent.

Tessa songea au mobilier somptueux et à la magnificence des lieux.

— Peut-être. Cependant, j'ai raccommodé assez de robes de Mrs Branwell pour savoir qu'elle ne les achète pas neuves.

Tessa repensa à la robe bleue que Jessamine portait la veille au dîner.

— Et Miss Lovelace ?

— Elle a son propre argent, répondit Sophie d'un ton morne. (Elle recula d'un pas.) Et voilà. Vous êtes prête à vous montrer.

Tessa sourit.

— Merci, Sophie.

Quand Tessa pénétra dans la salle à manger, les autres avaient déjà commencé leur petit déjeuner. Charlotte, vêtue d'une simple robe grise, étalait de la confiture sur un toast, Henry était absorbé dans la lecture de son journal et Jessamine picorait le contenu d'un bol de porridge. Will était attablé devant une montagne d'œufs au bacon qu'il engloutissait consciencieusement, et Tessa ne put s'empêcher de penser que ce n'était guère habituel pour quelqu'un qui avait prétendument passé la nuit à boire.

— Nous parlions justement de vous, dit Jessamine tandis que Tessa prenait un siège. (Elle poussa une corbeille à pain dans sa direction.) Toast ?

Tessa prit sa fourchette et balaya la table d'un regard anxieux.

— De quoi parliez-vous, au juste ?

— De ce que nous allions faire de vous, évidemment. Les Créatures Obscures ne peuvent pas vivre indéfiniment à l'Institut, répondit Will. Je propose qu'on la vende aux bohémiens de Hampstead Heath, ajouta-t-il en se tournant vers Charlotte. J'ai entendu dire qu'ils achètent aussi bien les femmes que les chevaux.

— Will, ça suffit ! se récria Charlotte. C'est ridicule.

Will s'adossa à sa chaise.

— Tu as raison. Ils n'accepteront jamais de nous l'acheter. Elle est trop maigre.

— Tais-toi, répliqua Charlotte. Miss Gray restera ici pour la simple raison que nous sommes au beau milieu d'une enquête qui nécessite sa présence. J'ai déjà envoyé un message à l'Enclave pour les informer que nous la garderons ici jusqu'à ce que cette histoire de Club

Pandémonium soit réglée et qu'on ait retrouvé son frère. N'est-ce pas, Henry ?

— Tout à fait, répondit celui-ci en reposant son journal. Cette affaire est une priorité. Absolument.

— Tu ferais mieux d'en parler aussi à Benedict Lightwood, suggéra Will. Tu sais comment il est.

Charlotte pâlit un peu, et Tessa se demanda qui pouvait être ce Benedict Lightwood.

— Will, aujourd'hui j'aimerais que tu retournes chez les Sœurs Noires ; la maison est abandonnée désormais, mais il vaut mieux procéder à une dernière fouille. Et je veux que tu emmènes Jem…

À ces mots, le visage de Will s'assombrit.

— Il est remis ?

— Il se porte parfaitement bien.

C'était Jem qui venait de répondre. Il était entré dans la pièce à pas de loup et se tenait près du buffet, les bras croisés. Il était beaucoup moins pâle que la veille, et le gilet rouge qu'il portait donnait un peu de couleur à ses joues.

— En fait, il sera prêt à partir en même temps que toi, ajouta-t-il.

— Tu devrais petit-déjeuner avant, dit Charlotte en poussant l'assiette de bacon vers lui. (Jem s'assit et sourit à Tessa.) Oh, Jem… voici Miss Gray. Elle…

— Nous avons déjà fait connaissance, rétorqua tranquillement Jem, et Tessa se sentit rougir.

Elle ne put s'empêcher de le dévisager tandis qu'il beurrait une tartine. Elle avait du mal à concevoir qu'un être aussi éthéré puisse manger.

— Vraiment ? fit Charlotte, étonnée.

— Je suis tombé sur Tessa dans le couloir hier soir et je me suis présenté. Je crois que je lui ai fait une belle peur.

Ses yeux gris pétillant de malice croisèrent ceux de Tessa. Charlotte haussa les épaules.

— Très bien. J'aimerais que tu accompagnes Will. Entre-temps, Miss Gray…

— Appelez-moi Tessa. Je préférerais que tout le monde en fasse autant.

— Très bien, Tessa, acquiesça Charlotte en souriant. Henry et moi, nous irons rendre visite à Mr Axel Mortmain, l'employeur de votre frère, au cas où il détiendrait des informations à son sujet.

— Merci, fit Tessa, surprise.

Même s'ils lui avaient promis de se mettre à la recherche de son frère, elle ne s'attendait pas qu'ils tiennent parole.

— J'ai déjà entendu parler de ce Mortmain, déclara Jem. C'était un *taipan*, l'un des hommes d'affaires les plus puissants de Shanghai. Sa compagnie avait des bureaux dans le Bund.

— Oui, renchérit Charlotte, d'après les journaux, il aurait fait fortune en important du thé et de la soie.

— Bah, fit Jem avec désinvolture, tu veux dire qu'il a fait fortune avec l'opium, comme tous les autres ! Ils l'achètent en Inde, l'acheminent jusqu'à Canton et l'échangent contre d'autres marchandises.

— Il n'a pas enfreint la Loi, James, objecta Charlotte en poussant le journal vers Jessamine. Entre-temps, Jessie, peut-être que Tessa et toi devriez éplucher le journal et consigner tout ce qui peut avoir trait à l'enquête ou mériter des recherches plus poussées…

Jessamine eut un mouvement de recul comme si Charlotte venait de brandir un serpent dans sa direction.

— Les dames ne lisent pas le journal. Le carnet mondain, à la rigueur, ou les pages culturelles. Mais pas ce torchon.

— Tu n'es pas une dame, Jessamine… commença Charlotte.

— Diable, fit Will. La vérité crue de bon matin ne doit pas être bonne pour la digestion.

— Ce que je voulais dire, reprit Charlotte, c'est que tu es d'abord une Chasseuse d'Ombres, et ensuite une dame.

— Parle pour toi, cracha Jessamine en repoussant sa chaise, les joues cramoisies. Je ne m'attendais pas que tu le remarques, mais à l'évidence, la seule chose que Tessa ait à se mettre sur le dos, c'est cette vieille robe immonde qui ne lui va pas du tout. Elle ne me va pas non plus, et Tessa est plus grande que moi.

— Sophie pourrait peut-être…

— S'il est possible de rétrécir une robe, c'est une autre paire de manches de lui rajouter deux tailles. Franchement, Charlotte ! (Jessamine poussa un soupir d'exaspération.) Je crois que tu devrais me laisser emmener cette pauvre Tessa en ville pour lui acheter des vêtements neufs. Qu'elle respire un peu trop fort, et cette robe va se déchirer de haut en bas.

Un vif intérêt se peignit sur les traits de Will.

— Je pense qu'elle devrait essayer sur-le-champ, nous verrons bien ce qui se passera.

— Oh non ! protesta Tessa, terriblement embarrassée.

Pourquoi Jessamine se montrait-elle soudain si gentille envers elle alors qu'elle avait été odieuse la veille ?

— Vraiment, ce n'est pas nécessaire…

— Oh si, conclut Jessamine d'un ton sans appel.

Charlotte secoua la tête.

— Jessamine, tant que tu vis sous ce toit, tu fais partie de cette communauté, et tu dois contribuer…

— C'est toi qui insistes pour que l'on accueille les Créatures Obscures en détresse, pour qu'on leur offre le gîte et le couvert. Je suis certaine que cela comprend aussi l'habillement. Je veux contribuer au… bien-être de Tessa.

Henry se pencha vers sa femme par-dessus la table.

— Tu ferais mieux de la laisser faire. Souviens-toi de la fois où tu lui as demandé de trier les couteaux dans la salle d'armes. Elle s'en est servi pour tailler en pièces tout le linge de maison.

— Il était usé jusqu'à la trame ! déclara Jessamine sans se laisser décontenancer.

— Oh, c'est d'accord ! s'emporta Charlotte. Honnêtement, parfois vous me désespérez, tous autant que vous êtes.

— Qu'est-ce que j'ai fait de mal ? demanda Jem. Je viens seulement d'arriver.

Charlotte enfouit son visage dans ses mains. Tandis que Henry s'efforçait de la réconforter, Will se pencha par-dessus Tessa pour parler à Jem en ignorant totalement cette dernière.

— On peut partir maintenant ?

— Je dois d'abord finir mon thé, décréta Jem. Et puis, je ne vois pas pourquoi tu t'agites. Tu disais que cet endroit ne servait plus de bordel depuis des années.

— Je veux être rentré avant la nuit, marmonna Will.

Il était tout près de Tessa, et elle sentait cette odeur masculine de cuir et de métal qui s'attardait sur sa peau et dans ses cheveux.

— J'ai rendez-vous ce soir à Soho avec une personne très séduisante.

— Seigneur ! s'exclama Tessa. Si vous continuez à fréquenter ce Nigel Six-Doigts, il finira par exiger que vous déclariez vos intentions.

Jem faillit s'étrangler avec son thé.

Cette journée avec Jessamine commença aussi mal que Tessa le craignait. La circulation était atroce. Malgré l'effervescence de New York, Tessa n'avait jamais vu une agitation semblable à celle qui régnait dans le Strand à midi. Les attelages roulaient côte à côte avec les voitures à bras remplies de fruits et de légumes des marchands des quatre-saisons ; des femmes avec des paniers de fleurs surgissaient étourdiment entre les véhicules pour proposer leur marchandise à leurs passagers ; des fiacres s'arrêtaient au milieu de la chaussée pour que leurs conducteurs s'interpellent à leur guise. À ce tapage s'ajoutaient les cris des vendeurs de glace et de journaux, ainsi que la complainte d'un orgue de Barbarie. Tessa se demanda par quel miracle les habitants de Londres n'étaient pas tous devenus sourds.

Tandis qu'elle regardait par la vitre, une vieille femme portant une grande cage en fer remplie d'oiseaux multicolores surgit à côté de leur voiture. Elle tourna la tête, et Tessa vit qu'elle avait la peau verte comme les plumes d'un perroquet, des yeux noirs perçants semblables à ceux d'un oiseau et, en guise de cheveux, une masse de plumes aux couleurs vives. Tessa sursauta et Jessamine suivit son regard, les sourcils froncés.

— Fermez les rideaux, dit-elle. Ils protègent de la poussière.

Et, se penchant par-dessus Tessa, elle joignit le geste à la parole. Tessa l'observa ; un pli sévère barrait sa bouche.

— Vous avez vu… ?

— Non, répondit Jessamine en lui jetant un regard noir.

Tessa détourna vivement la tête.

La situation ne s'améliora guère quand elles atteignirent enfin les abords du West End, le quartier à la mode. Laissant Thomas attendre patiemment avec les chevaux, Jessamine traîna Tessa chez plusieurs tailleurs afin d'examiner un croquis après l'autre tandis que la plus jolie vendeuse était réquisitionnée pour présenter les modèles (aucune dame digne de ce nom n'aurait accepté de revêtir une robe susceptible d'avoir été portée par une étrangère). Dans chaque établissement, Jessamine donnait un faux nom et une histoire différents ; dans chaque établissement, les propriétaires des lieux, visiblement enchantés par son apparence et sa fortune manifeste, s'empressaient de la servir. Tessa, qu'on ignorait la plupart du temps, se tenait à l'écart en bâillant d'ennui.

Dans un salon d'essayage, Jessamine, qui se faisait passer pour une jeune veuve, alla même jusqu'à examiner le croquis d'une robe de deuil en crêpe et dentelle noire. Tessa envisagea de prendre ses jambes à son cou, puis de se jeter sous les roues d'une voiture pour mettre un terme à cette mascarade. Comme si elle prenait soudain conscience de son agacement, Jessamine se tourna vers elle avec un sourire condescendant.

— Je cherche aussi quelques robes pour ma cousine d'Amérique. Là-bas, les habits sont tout bonnement horribles. Pour couronner le tout, elle est très quelconque, mais je suis sûre que vous pouvez faire quelque chose pour elle.

La vendeuse sursauta comme si elle s'apercevait enfin de la présence de Tessa.

— Voulez-vous choisir un modèle, mademoiselle ?

Le tourbillon d'agitation qui s'ensuivit fut une révélation pour Tessa. À New York, c'était sa tante qui lui achetait ses tenues : des vêtements de confection qu'il fallait reprendre, et des tissus bon marché dans des tons ternes de gris ou de bleu marine. Jusqu'alors, elle ignorait que le bleu faisait ressortir la couleur de ses yeux ou que le rose donnait bonne mine. Tandis qu'on prenait ses mesures en parlant de fourreaux de princesse, de corsets-cuirasses et d'un dénommé Charles Worth, Tessa contemplait son reflet dans le miroir en s'attendant presque que ses traits se dissolvent pour se reformer. Mais elle resta elle-même et à la fin de la journée, elle avait commandé quatre toilettes qui seraient livrées un peu plus tard dans la semaine : une rose, une jaune, une à rayures blanches et bleues avec des boutons en os, une en soie noire et or, ainsi que deux vestes dont une avait des manches bordées de tulle et de perles.

— J'ai dans l'idée que vous serez jolie dans cette dernière tenue, dit Jessamine en remontant dans la voiture. La mode opère des miracles.

Tessa compta mentalement jusqu'à dix avant de répondre :

— Je vous suis extrêmement reconnaissante pour tout, Jessamine. Et si nous rentrions à l'Institut maintenant ?

À ces mots, la gaieté de Jessamine disparut. « Elle déteste vraiment cet endroit », songea Tessa, perplexe. Qu'avait-il de si repoussant ? Bien sûr, sa raison d'être était assez particulière, mais Jessamine devait y être habituée depuis longtemps. Elle était une Chasseuse d'Ombres au même titre que les autres.

— C'est une journée splendide, protesta-t-elle, et vous n'avez quasiment rien vu de Londres. Une promenade dans Hyde Park s'impose. Après quoi, nous irons chez Gunther et Thomas nous achètera des glaces !

Tessa regarda par la fenêtre. Le ciel gris et brumeux était traversé çà et là de lignes azur quand les nuages s'écartaient brièvement. En aucun cas cette journée n'aurait été qualifiée de splendide à New York, mais Londres semblait avoir d'autres critères en matière de météo. En outre, elle était désormais redevable vis-à-vis de Jessamine, et, visiblement, la dernière chose dont elle avait envie, c'était de rentrer.

— J'adore les parcs, dit Tessa.

Jessamine parvint presque à sourire.

— Tu n'as pas parlé à Miss Gray de ces fameux rouages, déclara Henry.

Charlotte leva les yeux de ses notes et soupira. Elle avait toujours regretté que, malgré ses sollicitations répétées, l'Enclave n'ait accordé qu'une seule voiture à l'Institut. C'était une belle voiture, et Thomas était un excellent cocher. Mais cela signifiait que quand les Chasseurs d'Ombres de l'Institut devaient vaquer à leurs affaires séparément, comme aujourd'hui, Charlotte était contrainte d'emprunter une voiture à Benedict Lightwood, qui était loin d'être la personne qu'elle préférait. Or, la seule qu'il daignait lui prêter était petite et inconfortable. Henry, qui était très grand, passait son temps à se cogner la tête contre le toit.

— Non, répondit-elle. La pauvre enfant semblait déjà suffisamment sonnée. Je ne pouvais pas me résoudre à lui dire que les pièces mécaniques retrouvées dans la cave avaient été fabriquées par la compagnie qui employait son frère. Elle s'inquiète tellement pour lui ! C'était plus qu'elle n'en pouvait supporter.

— Ce n'est peut-être pas un détail sans importance, lui rappela Henry. Mortmain et Cie fabrique la plupart des pièces de machines produites en Angleterre. Mortmain est un authentique génie. Son système breveté de roulement mécanique…

— Oui, oui, fit Charlotte en s'efforçant de dissimuler son impatience. Nous aurions peut-être dû lui en parler. Mais j'ai jugé préférable de rencontrer Mr Mortmain dans un premier temps. Tu as raison. Il se peut qu'il ne sache rien, mais aussi qu'il y ait un lien. Tout de même, ce serait une sacrée coïncidence, Henry. Et en temps normal, je m'en méfie beaucoup.

Elle baissa de nouveau les yeux vers les notes qu'elle avait prises sur Axel Mortmain. Il était le seul fils (probablement illégitime, bien que cela ne fût pas précisé dans ses notes) du Dr Hollingworth Mortmain, qui, en quelques années, était passé du simple statut de chirurgien sur un bateau de commerce à destination de la Chine à celui de riche négociant en épices, en sucre, en soie, en thé et – même si ce n'était consigné nulle part, mais Charlotte abondait dans le sens de Jem – en opium, probablement. À la mort du Dr Mortmain, son fils Axel, alors âgé d'à peine vingt ans, avait hérité de sa fortune qu'il avait promptement investie dans l'édification d'une flotte de bateaux plus rapides que ceux de ses concurrents. En une dizaine d'années, Mortmain fils avait doublé puis quadruplé les richesses de son père.

Au cours des dernières années, il avait quitté Shanghai pour Londres, vendu ses bateaux de commerce et investi son argent dans une grosse compagnie qui fabriquait des mécanismes d'horlogerie destinés aussi bien aux montres de gousset qu'aux horloges de parquet. C'était un homme prospère.

La voiture s'arrêta devant une suite de maisons mitoyennes blanches percées de hautes fenêtres donnant sur la place. Henry lut le numéro gravé sur une plaque en cuivre fixée au montant d'une porte.

— Ce doit être ici, dit-il en se penchant pour ouvrir la portière.

— Henry, murmura Charlotte en posant la main sur son bras. Henry, garde en mémoire ce que nous avons évoqué ce matin, tu veux bien ?

Il esquissa un sourire penaud.

— Je ferai de mon mieux pour ne pas t'embarrasser ou compromettre l'enquête. Honnêtement, parfois je me demande pourquoi tu m'emmènes dans ce genre de mission. Tu sais que je me comporte toujours comme un imbécile en société.

— Tu n'es pas un imbécile, Henry, rétorqua Charlotte avec douceur.

Elle résista à l'envie de caresser son visage et de le rassurer. On lui avait assez conseillé de ne pas donner à Henry des marques d'affection auxquelles il ne tenait probablement pas.

Laissant la voiture au cocher des Lightwood, ils gravirent les marches du perron et sonnèrent à la porte, qui s'ouvrit sur un valet à la mine austère en livrée bleu sombre.

— Bonjour, dit-il avec brusquerie. Puis-je savoir l'objet de votre visite ?

Charlotte jeta un regard en coin à Henry, qui fixait un point vague derrière le valet avec une expression rêveuse. Dieu seul savait à quoi il pensait : sans doute à des rouages, des mécanismes et autres gadgets, mais certainement pas à la situation présente. Elle soupira intérieurement et répondit :

— Je suis Mrs Gray, et voici mon époux, Mr Henry Gray. Nous recherchons un de nos jeunes cousins, Nathaniel. Nous n'avons plus de nouvelles de lui depuis presque six semaines. Il est, ou était, l'un des employés de Mr Mortmain.

Pendant un bref instant, à moins que son imagination ne lui jouât des tours, elle crut déceler une lueur d'embarras dans le regard du valet.

— Mr Mortmain est à la tête d'une grande compagnie. On ne peut s'attendre qu'il connaisse toutes les allées et venues de ses employés. Vous devriez peut-être aller voir la police.

Charlotte plissa les yeux. Avant de quitter l'Institut, elle avait tracé sur l'intérieur de ses bras des runes de persuasion. Ce Terrestre faisait visiblement partie des rares personnes totalement insensibles à leur effet.

— C'est déjà fait, mais il semble que les policiers n'aient guère progressé dans cette affaire. C'est affreux, nous nous inquiétons beaucoup pour Nate, voyez-vous. Si nous pouvions voir Mr Mortmain ne serait-ce qu'un instant…

Elle se détendit en voyant le valet hocher lentement la tête.

— Je vais informer Mr Mortmain de votre visite, dit-il en s'effaçant pour les laisser entrer. Veuillez attendre dans le vestibule, je vous prie.

Il paraissait perplexe, comme surpris par sa réponse.

Charlotte entra, suivie de Henry. Si le valet n'offrit pas de siège à Charlotte, un manquement à la politesse qu'elle attribua à la confusion suscitée par les runes de persuasion, il prit son châle ainsi que le manteau et le chapeau de Henry, avant d'abandonner les visiteurs dans le vestibule.

La pièce, haute de plafond, ne possédait pas d'ornements. Elle était également exempte de portraits de famille et de ces paysages champêtres si convenus. En revanche, de longues bannières porte-bonheur en soie peintes de caractères chinois pendaient du plafond, un plat en argent d'inspiration indienne était posé dans un coin, et des dessins à la plume de paysages célèbres recouvraient les murs. Charlotte reconnut le Kilimandjaro, les pyramides égyptiennes, le Taj Mahal, et un pan de la Grande Muraille de Chine. Visiblement, Mortmain avait beaucoup voyagé et il en était fier.

Charlotte se tourna vers Henry pour voir s'il se faisait la même observation qu'elle. Il contemplait l'escalier d'un air absent, de nouveau perdu dans ses pensées ; avant qu'elle ait pu dire quoi que ce soit, le valet réapparut, un sourire affable sur les lèvres.

— Suivez-moi, je vous prie.

Henry et Charlotte lui emboîtèrent le pas dans un couloir au bout duquel se trouvait une porte en chêne. Le valet l'ouvrit et s'effaça pour les laisser passer.

Ils s'avancèrent dans un vaste cabinet de travail avec de grandes fenêtres donnant sur la place. Les rideaux vert sombre étaient tirés pour laisser entrer la lumière, et à travers les vitres Charlotte distingua leur voiture d'emprunt qui les attendait le long du trottoir ; le cheval avait le museau enfoui dans une mangeoire tandis qu'assis sur son siège surélevé, le cocher lisait le journal. De l'autre côté de la place, la brise agitait les feuilles des arbres. Les fenêtres bloquant tous les bruits du dehors, on n'entendait dans la pièce que le tic-tac discret d'une pendule murale sur laquelle était gravé en lettres d'or : MORTMAIN ET CIE.

Les meubles étaient en bois sombre veiné ; sur les murs s'alignaient des têtes empaillées – tigre, antilope, léopard – et d'autres paysages exotiques. Un énorme bureau en acajou trônait au centre de la pièce, sur lequel étaient disposées des piles bien nettes de papiers lestées d'un rouage en cuivre. Un globe cerclé de cuivre portant la légende « Le globe terrestre de Wyld avec les dernières découvertes ! » était posé sur un coin du bureau, les terres sous la domination de l'Empire britannique peintes en rouge. Charlotte avait toujours trouvé étranges les globes ou les cartes des Terrestres. Leur monde n'avait pas la même forme que celui qu'elle connaissait.

Un homme d'un certain âge se leva à leur entrée. Il était petit, avec des gestes énergiques et des favoris grisonnants. Sa peau semblait tannée par les intempéries, comme s'il avait essuyé d'innombrables tempêtes. Ses yeux d'un gris très clair brillaient d'une lueur aimable. Malgré ses vêtements élégants, il était facile de l'imaginer debout à la proue d'un navire, le regard fixé sur l'horizon.

— Bonjour, dit-il. Walker m'a fait savoir que vous cherchiez Mr Nathaniel Gray ?

— Oui, répondit Henry, à l'étonnement de Charlotte.

Henry prenait rarement, sinon jamais, l'initiative lors d'une conversation avec des inconnus. Charlotte se demanda si cela avait un lien avec un plan détaillé de machine posé sur le bureau. Henry le regardait avec la même convoitise que s'il s'était agi d'une friandise.

— Nous sommes ses cousins.

— Merci de prendre le temps de nous recevoir, Mr Mortmain, ajouta précipitamment Charlotte. Nous savons que, pour vous, il n'était qu'un employé parmi des dizaines…

— Des centaines, rectifia Mr Mortmain d'une voix agréable de baryton, qui en cet instant trahissait un certain amusement. Il est vrai que je ne peux pas les connaître tous, mais je me souviens de Mr Gray. Je ne me souviens pas, en revanche, qu'il m'ait dit avoir des Chasseurs d'Ombres pour cousins.

6

EN TERRE ÉTRANGÈRE

Nous ne devons pas regarder les gobelins ;
Nous ne devons pas acheter leurs fruits.
Qui sait quel sol a nourri
Leurs racines affamées et assoiffées ?

Christina Rossetti,
« Marché Gobelin »

— Tu sais, dit Jem, cela ne correspond pas du tout à l'idée que je me faisais d'un bordel.

Les deux garçons se tenaient devant l'entrée de la demeure que Tessa avait baptisée « la maison noire », à l'écart de Whitechapel High Street. Elle semblait plus miteuse et plus lugubre que dans le souvenir de Will, comme si entre-temps on l'avait recouverte d'une couche de saleté supplémentaire.

— Qu'est-ce que tu t'imaginais, James ? Des filles de joie te saluant de leur balcon ? Des statues de nus à l'entrée ?

— Je suppose, oui. Je m'attendais à quelque chose d'un peu moins sinistre, en tout cas.

Will avait pensé comme lui lors de sa première visite. Cet endroit était tout sauf hospitalier. Les fenêtres semblaient recouvertes d'une pellicule de graisse, les rideaux sales et miteux.

Will retroussa ses manches.

— Il faudrait peut-être frapper…

— Ou pas, répliqua Jem en tournant la poignée.

La porte s'ouvrit sur des ténèbres.

— C'est de la pure fainéantise, déclara Will.

Prenant un couteau de chasse pendu à sa ceinture, il entra à pas de loup, et Jem le suivit en tenant fermement sa canne à pommeau de jade. Ils avaient tendance, dans les situations dangereuses, à marcher devant chacun leur tour, quoique Jem préférât rester derrière car Will oubliait toujours de surveiller ses arrières.

La porte se referma derrière eux, les emprisonnant dans la pénombre. Le vestibule n'avait presque pas changé : une cage d'escalier en bois, un sol en marbre craquelé bien qu'élégant, une atmosphère chargée de poussière.

Jem leva la main, et sa pierre de rune s'illumina en effrayant un groupe de cafards. Comme ils battaient en retraite, Will fit la grimace.

— Quel endroit charmant ! Espérons qu'elles ont laissé autre chose derrière elles que de la crasse. Une adresse, quelques membres sectionnés, une ou deux prostituées…

— C'est ça. Peut-être qu'avec un peu de chance on attrapera la syphilis.

— Ou la vérole démoniaque, suggéra gaiement Will en tournant la poignée d'une porte sous l'escalier, qui s'ouvrit aussi facilement que la porte d'entrée.

— Ça n'existe pas, la vérole démoniaque.

— Homme de peu de foi, lâcha Will en disparaissant dans les ténèbres sous l'escalier.

Ils fouillèrent méticuleusement la cave ainsi que le rez-de-chaussée, et ne trouvèrent rien d'autre que des ordures et de la poussière. La pièce où Tessa et Will avaient affronté les Sœurs Noires avait été entièrement vidée ; au terme d'une longue exploration, Will découvrit sur le mur une trace semblable à une traînée de sang, mais son origine demeurait inexpliquée, et Jem déclara qu'il pouvait aussi bien s'agir de peinture.

Puis ils montèrent à l'étage. Là, un long couloir jalonné de portes réveilla des souvenirs chez Will. C'était par là qu'ils avaient fui avec Tessa. Il poussa la première porte à sa droite, qui s'ouvrit sur la pièce où il avait découvert la jeune fille. Il ne restait aucun effet personnel de la prisonnière affolée qui l'avait frappé avec un broc. La chambre était vide, les meubles avaient été emportés dans la Cité Silencieuse pour y être examinés. Quatre encoches dans le sol indiquaient l'endroit où se trouvait auparavant le lit.

Les autres pièces avaient elles aussi été vidées. Will essayait d'ouvrir une fenêtre quand Jem l'appela. Il le rejoignit aussitôt et le trouva debout au milieu d'une grande pièce carrée, sa pierre de rune à la main. Il n'était pas seul. On avait laissé dans la chambre un fauteuil rembourré sur lequel était assise une jeune femme.

Elle devait avoir à peu près le même âge que Jessamine et portait une robe imprimée bon marché. Ses cheveux d'un brun terne étaient rassemblés en chignon sur sa nuque, et ses yeux grands ouverts contemplaient le vide.

— Oh, fit Will, stupéfait. Est-ce qu'elle est…

— Oui, elle est morte, répondit Jem.

— Tu en es sûr ?

Will n'arrivait pas à détacher les yeux du visage de la jeune femme. Elle était pâle, sans être livide, et ses mains croisées sur ses genoux, aux doigts légèrement repliés, n'avaient pas cette rigidité propre aux cadavres. Il s'approcha d'elle et posa la main sur son bras ; il était glacé.

— Eh bien, elle ne répond pas à mes avances, observa-t-il d'un ton faussement enjoué, donc elle doit être morte.

— Ou c'est une femme pleine de goût et de bon sens.

Jem s'agenouilla pour observer le visage de la morte. Ses yeux bleu clair étaient très protubérants ; aussi inanimés que du verre, ils fixaient un point dans le vague.

— Mademoiselle, chuchota-t-il en se penchant pour prendre son pouls.

À cet instant, elle sursauta et laissa échapper un gémissement inhumain. Jem se redressa vivement.

— Qu'est-ce que…

La jeune femme releva la tête. Son regard était toujours aussi dénué d'expression, mais ses lèvres bougèrent en produisant un grincement.

— Prenez garde ! s'écria-t-elle.

Sa voix résonna dans la pièce, et Will recula d'un bond en hurlant de frayeur. D'une voix mécanique, elle répéta :

— Prenez garde, Nephilim. Ceux qui tuent seront tués à leur tour. Votre ange ne peut pas vous protéger contre ce qui n'est ni l'œuvre de Dieu ni celle du diable, une armée qui ne vient ni du paradis ni de l'enfer. Prenez garde à la main de l'homme. Prenez garde !

Elle poussa un hurlement suraigu et s'agita d'avant en arrière sur son siège comme une marionnette actionnée par des fils invisibles.

— Prenezgardeprenezgardeprenezgarde…

— Seigneur, marmonna Jem.

— Prenez garde ! cria une dernière fois la jeune femme avant de s'effondrer sur le sol.

Frappé de stupeur, Will demanda :

— Est-ce qu'elle est… ?

— Oui, répondit Jem. Cette fois, je crois qu'elle est vraiment morte.

Will secoua la tête.

— Morte ? Non, je ne pense pas.

— Et qu'est-ce que tu penses, alors ?

Pour toute réponse, Will s'agenouilla près du corps. Il posa deux doigts sur la joue de la jeune femme et fit doucement pivoter son visage. Elle avait la bouche grande ouverte, et son œil droit fixait le plafond. Quant au gauche, il pendait sur sa joue, relié à son orbite par un ressort en cuivre.

— Elle n'est pas vivante… mais pas morte non plus… Un peu comme les mécanismes de Henry. Qui a fait ça ?

— Je n'en ai aucune idée. Mais elle nous a appelés « Nephilim ». Elle savait qui nous sommes.

— Elle ou quelqu'un d'autre. Je ne crois pas qu'elle sache quoi que ce soit. C'est une machine, au même titre qu'une pendule. Et elle a cessé de fonctionner. (Will se leva.) Néanmoins, nous ferions mieux de l'amener à l'Institut. Henry voudra sans doute l'examiner.

Jem ne répondit pas ; il observait la jeune femme. Ses pieds étaient nus sous sa robe, et très sales. Au fond de sa bouche, il vit étinceler une plaque de métal. Son œil pendait toujours au bout de son ressort en cuivre. Quelque part au-dehors, l'horloge d'une église sonna les douze coups de midi.

Une fois à l'intérieur du parc, Tessa se détendit. Elle n'avait pas vu de verdure depuis son arrivée à Londres, et elle dut admettre avec une légère réticence que la vue de l'herbe et des arbres la mettait en joie, bien que cet endroit fût loin d'égaler Central Park. La brume n'était pas aussi épaisse ici que dans le reste de la ville, et un coin de ciel bleu venait de faire son apparition.

Thomas attendit dans la voiture pendant que les jeunes filles faisaient leur promenade. Tandis qu'elles marchaient côte à côte, Jessamine noyait Tessa sous un flot de paroles. Elles empruntèrent une vaste allée qui, au dire de Jessamine, s'appelait Rotten Row[1]. Malgré ce nom peu prometteur, apparemment c'était l'endroit où l'on venait pour voir et être vu. Au milieu de l'allée paradaient des hommes et des femmes à cheval, tous magnifiquement vêtus. Les rires des dames, le voile au vent, fusaient dans l'air estival. Les bas-côtés étaient réservés aux piétons. Sur des chaises et des bancs installés à l'ombre des arbres, des femmes faisaient tournoyer leurs ombrelles de couleur vive ou sirotaient de l'eau mentholée ; près d'elles, des messieurs moustachus fumaient, et l'air empestait le tabac mêlé aux effluves des chevaux et de l'herbe coupée.

---

1. Littéralement, « l'allée pourrie ». (*N.d.T.*)

Bien que personne ne s'arrêtât pour leur parler, Jessamine semblait connaître tout le monde : elle savait qui se mariait, qui cherchait un époux, qui avait une liaison avec la femme d'untel au vu et au su de tous. Tout cela avait de quoi donner le vertige, et Tessa se sentit soulagée quand elles quittèrent l'allée pour s'engager sur un chemin étroit qui s'enfonçait dans le parc.

Jessamine glissa son bras sous celui de Tessa et serra brièvement sa main dans la sienne.

— Vous ne pouvez pas imaginer quel soulagement c'est d'avoir enfin de la compagnie féminine, déclara-t-elle d'un ton jovial. Charlotte est gentille, mais elle est mariée et ennuyeuse à mourir.

— Il y a Sophie.

Jessamine ricana.

— C'est une domestique.

— Je connais des jeunes filles qui s'entendent très bien avec leur femme de chambre, protesta Tessa.

Ce n'était pas l'exacte vérité. Elle avait lu ce genre d'anecdote dans des livres sans jamais rencontrer une de ces femmes dans la vraie vie. Mais, d'après les romans, la tâche principale d'une femme de chambre était d'écouter les confidences de sa maîtresse au sujet de ses amours contrariées et, à l'occasion, de l'habiller ou de se déguiser pour prendre sa place afin de lui éviter d'être capturée par quelque scélérat. Cependant, Tessa imaginait mal Sophie accepter de prendre la place de Jessamine.

— Vous avez bien vu sa figure ! Sa laideur l'a aigrie. Une femme de chambre est censée être jolie et doit parler le français, or Sophie ne remplit aucune de ces obligations.

J'ai fait part à Charlotte de mes réserves à son arrivée, et elle a fait la sourde oreille. Elle ne m'écoute jamais.

— Je me demande pourquoi, lâcha Tessa.

Elles venaient de bifurquer dans une allée qui serpentait entre les arbres, au-delà desquels on distinguait le miroitement d'une rivière. Leurs branches formaient une voûte qui bloquait la lumière du soleil.

— Oui, moi aussi ! s'exclama Jessamine en offrant son visage aux rares rayons qui parvenaient à filtrer entre les branches. Elle est toujours en train de houspiller ce pauvre Henry. Je ne comprends pas pourquoi il l'a épousée.

— Parce qu'il l'aime, je présume.

Jessamine ricana.

— Personne n'est de cet avis. Henry voulait entrer à l'Institut afin de pouvoir travailler à ses petites expériences dans la cave. Je ne crois pas qu'il répugnait à épouser Charlotte ; à mon avis, il n'avait personne d'autre en tête. Mais si une autre femme avait dirigé l'Institut, il l'aurait aussi bien épousée. (Elle eut une moue de dédain.) Et puis il y a les garçons... Jem est plutôt gentil, mais vous savez comment sont les étrangers. On ne peut pas leur faire entièrement confiance, et puis au fond, ils sont égoïstes et paresseux. Il passe son temps enfermé dans sa chambre à feindre d'être malade et refuse de lever le petit doigt.

Jessamine poursuivit gaiement, oublieuse du fait, semblait-il, que Jem et Will fouillaient la maison noire pendant qu'elle se promenait dans un parc avec Tessa.

— Quant à Will... Il est plutôt beau garçon, mais se comporte comme un fou la plupart du temps. À croire qu'il a été élevé par des sauvages. Il ne respecte rien ni personne, et ignore tout des manières d'un gentleman. Je suppose que c'est parce qu'il est gallois.

— Gallois ? répéta Tessa, interloquée.

« Est-ce mal ? » était-elle sur le point d'ajouter, mais Jessamine, croyant qu'elle mettait en doute les origines de Will, reprit de plus belle :

— Eh oui. Avec ses cheveux noirs, c'est facile à deviner. Sa mère était galloise. Son père est tombé amoureux d'elle, et voilà. Il a quitté les Nephilim. Qui sait ? Elle lui avait peut-être jeté un sort. (Jessamine s'esclaffa.) Ils connaissent toutes sortes de magies et de ruses, au pays de Galles, vous savez.

Tessa n'en savait rien.

— Qu'est-ce qui est arrivé aux parents de Will ? Ils sont morts ?

— À l'évidence, sans quoi ils seraient venus le chercher. (Jessamine fronça les sourcils.) Je n'ai plus envie de parler de l'Institut. Vous devez vous demander pourquoi j'ai été si gentille avec vous.

— Euh…

« Et comment ! » songea Tessa. Dans les romans, des jeunes filles orphelines comme elle, issues d'une famille prospère qui avait connu des revers de fortune, étaient souvent recueillies par de riches et bienveillants protecteurs qui leur offraient des vêtements neufs et une bonne éducation. (Non qu'elle ait eu à se plaindre de son éducation : tante Harriet était aussi lettrée que n'importe quelle gouvernante.) Bien sûr, Jessamine ne ressemblait en rien aux dames plus âgées de ces récits, dont les élans de générosité étaient totalement désintéressés.

— Jessamine, avez-vous lu le fameux livre de Maria Susanna Cummins ?

— Certainement pas. Les jeunes filles ne devraient pas lire de romans, répliqua Jessamine d'un ton suggérant qu'elle récitait les mots de quelqu'un d'autre. Quoi qu'il en soit, Miss Gray, j'ai une proposition à vous soumettre.

— Tessa.

— Bien sûr, Tessa ! Car nous sommes déjà les meilleures amies du monde, et bientôt nous serons encore davantage l'une pour l'autre.

Tessa considéra Jessamine d'un air perplexe.

— Que voulez-vous dire par là ?

— Comme ce monstre de Will vous l'a certainement raconté, mes chers parents sont morts en me laissant une somme considérable dont je dois hériter le jour de mon dix-huitième anniversaire, soit dans quelques mois. Vous voyez le problème, évidemment.

Tessa, qui ne voyait rien du tout, se contenta de répondre :

— Ah ?

— Je ne suis pas une Chasseuse d'Ombres, Tessa. Je méprise tout ce qui touche aux Nephilim. Je n'ai jamais voulu leur ressembler, et mon vœu le plus cher est de quitter l'Institut et de ne plus jamais devoir adresser la parole à ses occupants.

— Mais je croyais que vos parents étaient des Chasseurs d'Ombres...

— Rien ne vous oblige à devenir l'un d'eux si vous n'en avez pas envie ! s'exclama Jessamine avec colère. Mes parents ne le souhaitaient pas. Ils étaient très jeunes quand ils ont quitté l'Enclave. Ma mère a toujours été parfaitement claire à ce sujet. Elle ne voulait pas de Chasseurs d'Ombres autour de moi. Elle disait que ce n'était pas une vie pour une jeune fille. Elle avait d'autres projets pour moi. Elle voulait que je fasse mon entrée dans le monde, que je sois présentée à la reine, que je trouve un riche mari qui me fasse de beaux enfants. Une vie ordinaire, en somme. (Elle prononça ces derniers mots d'un ton féroce.) En ce moment même, dans cette ville, Tessa, d'autres filles de mon âge bien moins jolies que moi dansent, flirtent, rient et chassent les bons partis. Elles prennent des leçons de français. Moi, on m'apprend d'horribles langues démoniaques. Ce n'est pas juste !

— Vous pouvez encore vous marier, objecta Tessa, déconcertée. N'importe quel homme…

— Je peux épouser un Chasseur d'Ombres ! cracha Jessamine. Et mener la vie de Charlotte en étant obligée de m'habiller et de me battre comme un homme. C'est révoltant ! Les femmes ne sont pas censées se comporter ainsi. Notre rôle est de présider à l'harmonie du foyer, de le décorer pour qu'il plaise à notre époux, d'éclairer son quotidien d'une présence douce et angélique.

Jessamine n'était a priori ni douce ni angélique, mais Tessa se garda de formuler sa pensée.

— Je ne vois pas comment…

Jessamine saisit le bras de Tessa.

— Vraiment, vous ne voyez pas ? Je peux quitter l'Institut, Tessa, mais je ne peux pas vivre seule. Si j'étais veuve, peut-être, mais je suis encore une jeune fille. Cela ne se fait pas. En revanche, si j'avais une compagne… une sœur…

— Vous voulez que je me fasse passer pour votre sœur ?

— Pourquoi pas ? rétorqua Jessamine comme s'il s'agissait de la suggestion la plus raisonnable du monde. Ou vous pourriez être ma cousine d'Amérique. Oui, cela peut marcher. Vous vous rendez compte, ajouta-t-elle, plus pragmatique, que vous n'avez pas d'endroit où aller, n'est-ce pas ? Je suis certaine que nous pourrions attraper un mari dans nos filets en un rien de temps.

Tessa, qui commençait à avoir la tête lourde, aurait bien aimé que Jessamine cesse de parler de maris comme s'il s'agissait de gibier.

— Je pourrais vous présenter à la meilleure société de Londres. Nous irions à des bals, à des dîners… (Jessamine s'interrompit et regarda soudain autour d'elle d'un air perplexe.) Mais… où sommes-nous ?

Tessa balaya les lieux du regard. L'allée avait laissé place à un chemin de terre ombragé sinuant parmi de grands arbres noueux. Tessa ne distinguait plus le ciel et n'entendait plus le bruit des voix. Près d'elle, Jessamine s'était arrêtée, l'air apeuré.

— Nous nous sommes écartées de notre itinéraire, murmura-t-elle.

— Eh bien, nous pouvons rebrousser chemin, non ?

Tessa se retourna, chercha des yeux une brèche dans la verdure, une flaque de soleil.

— Je crois que nous sommes venues par là…

Jessamine agrippa brusquement le bras de Tessa. Quelque chose – non, quelqu'un – venait d'apparaître devant elles sur le sentier.

Sa silhouette était menue, si menue que pendant un bref instant, Tessa crut qu'il s'agissait d'un enfant. Mais au moment où il s'avançait dans la lumière, elle s'aperçut que c'était un homme qui leur faisait face, un homme bossu et ratatiné, en haillons, coiffé d'un vieux chapeau. Son visage blafard était ridé comme une vieille pomme, et ses yeux noirs étincelaient entre deux plis de peau.

Il sourit en découvrant des dents aussi tranchantes que des rasoirs.

— Quelles jolies demoiselles !

Tessa jeta un coup d'œil à Jessamine qui s'était figée en voyant l'homme, les lèvres pincées.

— Il faut partir, chuchota Tessa en l'entraînant par le bras.

Lentement, comme dans un songe, Jessamine se laissa guider et, ensemble, elles se tournèrent dans la direction opposée…

L'homme les rejoignit en un clin d'œil et leur barra la route. Au loin, Tessa crut distinguer une clairière inondée de lumière, qui semblait impossible à atteindre.

— Alors, on s'est écartées du chemin ? psalmodia l'étranger. Les jolies demoiselles se sont écartées du chemin ? Vous savez ce qu'il arrive aux jeunes filles comme vous.

Il fit un pas dans leur direction. Jessamine, toujours raide comme un bout de bois, se cramponnait à son ombrelle comme à une bouée de sauvetage.

— Gobelin, lutin ou qui que tu sois, nous n'avons rien contre le Petit Peuple. Mais si tu nous touches…

— Vous vous êtes écartées du chemin, chantonna le petit homme.

Alors qu'il se rapprochait, Tessa s'aperçut que ce qu'elle avait pris pour des chaussures étaient en réalité des sabots de bête luisants.

— Quelle imprudence, pour des Nephilim, de s'aventurer dans un domaine plus vieux que n'importe quel Accord. Vous êtes en terre étrangère. Si le sang de l'Ange coule à cet endroit, de la vigne d'or chargée de diamants y poussera. Et je le réclame. Je réclame votre sang.

Tessa tira sur la manche de Jessamine.

— Jessamine, nous devrions…

— Tessa, taisez-vous.

Après s'être dégagée d'un geste brusque, Jessamine pointa son ombrelle sur le gobelin.

— Vous n'avez pas intérêt. Vous n'avez…

La créature se jeta sur elles, la bouche grande ouverte. En voyant ses crocs, Tessa poussa un hurlement et recula en titubant. Sa chaussure se prit dans la racine d'un arbre et elle tomba par terre tandis que Jessamine brandissait son ombrelle en direction de leur assaillant. D'un mouvement du poignet, elle l'ouvrit comme une fleur.

Le gobelin laissa échapper un cri, bascula en arrière et roula sur le sol sans cesser de s'égosiller. Du sang coulait de sa joue sur sa veste grise en lambeaux.

— Je t'avais prévenu, dit Jessamine.

Elle respirait avec difficulté, sa poitrine s'abaissait et se soulevait comme si elle venait de traverser le parc en courant.

— Je t'avais dit de nous laisser tranquilles, odieuse créature…

Elle frappa de nouveau le gobelin, et Tessa s'aperçut que les baleines de son ombrelle, étincelantes, étaient aussi effilées que des rasoirs. Du sang maculait le tissu à fleurs.

Le gobelin continuait de hurler en se protégeant la tête de ses bras. Il évoquait à présent un petit vieillard bossu, et si Tessa avait conscience que les apparences étaient trompeuses, elle ne put s'empêcher d'éprouver de la compassion pour lui.

— Pitié, madame, pitié…

— Pitié ? cracha Jessamine. Tu voulais faire pousser des fleurs sur mon cadavre ! Sale gobelin ! Ignoble créature !

Elle abattit de nouveau son ombrelle, encore et encore, sur le petit homme qui ne cessait de crier et de se débattre. Tessa se releva en secouant ses cheveux pleins de terre. Jessamine vociférait toujours, l'ombrelle volait, la créature se tordait de douleur à chaque coup.

— Je te déteste ! criait Jessamine d'une voix chevrotante. Je vous déteste, toi et tes semblables… Toutes les Créatures Obscures… Vous me dégoûtez… Vous me dégoûtez…

— Jessamine !

Tessa courut vers la jeune fille et jeta ses bras autour d'elle pour l'immobiliser. Pendant quelques instants, elle se débattit et Tessa comprit qu'elle ne pourrait pas la retenir bien longtemps. Malgré son allure féminine et gracile, ses muscles étaient tendus comme un arc. Soudain, elle s'affaissa contre Tessa, hors d'haleine.

— Non, gémit-elle. Je ne voulais pas. Non…

Tessa baissa les yeux. Le corps du gobelin gisait immobile à leurs pieds. Des rigoles de sang s'écoulaient sur le sol en sinuant comme des rameaux de vigne. Tout en serrant contre elle Jessamine qui sanglotait, Tessa ne put s'empêcher de se demander ce qui pousserait à cet endroit.

De manière prévisible, ce fut Charlotte qui, la première, se remit de sa surprise.

— Mr Mortmain, je ne comprends pas…

— Oh que si. (Un sourire malicieux éclaira le visage émacié du directeur.) Chasseurs d'Ombres. Nephilim. C'est ainsi que l'on vous appelle, n'est-ce pas ? Bizarre, étant donné que dans la Bible, les Nephilim sont des monstres hideux, si je ne m'abuse.

— Vous savez, ce n'est pas forcément vrai, dit Henry d'un ton pédant. Il y a une polémique sur la traduction de l'araméen originel…

— Henry, intervint Charlotte d'un ton menaçant.

— Est-il vrai que vous enfermez l'âme des démons que vous tuez dans un gigantesque vase en cristal ? demanda Mortmain en ouvrant de grands yeux fascinés. Ce doit être magnifique !

— Vous parlez du Pyxis ? s'exclama Henry, perplexe. Ce n'est pas un vase en cristal, c'est un coffret en bois. Et il ne contient pas d'âmes, les démons n'en ont pas. En revanche, ils possèdent de l'énergie…

— Tais-toi, Henry ! aboya Charlotte.

— Mrs Branwell, dit Mortmain d'un ton exagérément enjoué, je vous en prie, ne vous tracassez pas. Je sais déjà tout ce qu'il faut savoir sur vous et vos semblables. Vous êtes Charlotte Branwell, n'est-ce pas ? Et voici votre mari, Henry Branwell. Vous dirigez l'Institut de Londres bâti sur l'ancienne église de Tous-les-Saints. Croyez-vous sincèrement que j'ignorais qui vous étiez ? Surtout après que vous avez essayé d'envoûter mon valet ? Il ne supporte pas les charmes, vous savez. Cela lui donne de l'urticaire.

Charlotte plissa les yeux.

— Et comment avez-vous découvert tout cela ?

Mortmain se pencha brusquement vers elle.

— J'étudie les sciences occultes. Depuis mon séjour en Inde dans ma jeunesse, où j'en ai entendu parler pour la première fois, je suis fasciné par les royaumes obscurs. Pour un homme dans ma position, avec des moyens suffisants et beaucoup de temps libre, il est facile d'ouvrir des portes. Je peux acheter des livres, monnayer des informations. Votre secret n'est pas si bien gardé.

— Peut-être, observa Henry, qui semblait très mécontent, mais… c'est dangereux, vous savez. Tuer des démons, ce n'est pas comme abattre des tigres !

Mortmain gloussa.

— Mon garçon, je n'ai aucune intention de me battre à mains nues contre des démons. Certes, ces informations deviennent dangereuses quand elles tombent entre les mains d'un être impulsif et fougueux, mais je suis d'une nature prudente et réfléchie. Je ne cherche qu'à développer ma connaissance du monde, rien de plus. (Il balaya la pièce du regard.) Je dois dire que je n'avais encore jamais eu l'honneur de parler à des Nephilim. Bien sûr, il est souvent question de vous dans mes livres, mais il y a un grand fossé entre la lecture et l'expérience, je suis certain que vous en conviendrez. Vous avez tant à m'apprendre…

— Vous en savez déjà suffisamment, déclara Charlotte d'un ton glacial.

Mortmain la dévisagea, la mine perplexe.

— Je vous demande pardon ?

— Puisque vous semblez tout savoir sur les Nephilim, Mr Mortmain, puis-je vous demander quelle est notre tâche ?

— Détruire les démons, répondit Mortmain d'un ton présomptueux. Protéger les humains… les Terrestres. Car c'est ainsi que vous nous appelez, si je comprends bien.

— Oui, dit Charlotte, et le plus souvent, nous devons les protéger de leur propre folie. Je vois que vous ne faites pas exception.

Mortmain parut vraiment étonné. Ses yeux se posèrent sur Henry. Charlotte ne connaissait que trop bien ce regard d'homme à homme qui signifiait : « Ne pouvez-vous donc contrôler votre femme, monsieur ? » Elle savait aussi que c'était peine perdue avec Henry, qui tentait de déchiffrer les plans étalés sur le bureau de Mortmain et ne prêtait qu'une vague attention à la conversation.

— Vous vous imaginez peut-être que vos connaissances en matière de sciences occultes vous rendent très intelligent, poursuivit Charlotte. Mais j'ai vu ma part de morts atroces, Mr Mortmain. Je ne compte plus le nombre de fois où nous avons retrouvé la dépouille d'un humain qui se targuait d'être expert en pratiques occultes. Je me souviens, quand j'étais plus jeune, d'avoir été convoquée chez un avocat qui appartenait à un de ces cercles ridicules de gens qui se prennent pour des magiciens. Ils passaient leur temps à réciter des incantations et à dessiner des pentagrammes. Une nuit, il s'est mis en tête d'invoquer un démon.

— Et il a réussi ?

— Oui. Le démon Marax est apparu. Il les a massacrés, lui et toute sa famille. Nous avons découvert leurs cadavres décapités dans l'étable. Le plus jeune de ses fils rôtissait sur une broche dans la cheminée. Nous n'avons jamais retrouvé Marax.

Mortmain avait pâli mais il garda contenance.

— Il y a toujours des gens qui surestiment leurs capacités, déclara-t-il. Quant à moi, je…

— … vous ne feriez jamais preuve d'une telle imprudence. C'est pourtant ce que vous faites en ce moment même. Vous nous regardez, Henry et moi, sans la moindre crainte. Vous êtes amusé ! Un conte de fées se réalise ! (Elle abattit son poing sur le bord du bureau, et Mortmain sursauta.) L'Enclave est derrière nous, continua-t-elle en s'efforçant de prendre un ton sévère. Notre tâche est de protéger des humains tels que Nathaniel Gray. Il a disparu et, manifestement, des forces occultes sont à l'œuvre dans cette affaire. Or, voilà que nous découvrons que son ancien employeur est versé dans la magie. Il est difficile de ne pas établir de lien entre ces deux faits.

— Il… Mr Gray a disparu ? bégaya Mortmain.

— Oui. Sa sœur est venue nous trouver ; deux sorcières lui ont affirmé qu'il court un grave danger. Pendant que vous, monsieur, vous vous divertissez, il est peut-être déjà mort. Et il se trouve que l'Enclave ne voit pas d'un très bon œil ceux qui se mettent en travers du chemin de ses mandataires.

Mortmain passa la main sur son visage blême.

— Je vous dirai tout ce que vous voulez savoir, cela va de soi.

— Parfait.

Le cœur de Charlotte battait vite, mais sa voix ne trahissait aucune anxiété.

— J'ai bien connu le père de Nathaniel. Il a travaillé pour moi il y a presque vingt ans, à l'époque où ma société n'était encore qu'une compagnie de transport. Je possédais des bureaux à Hong Kong, Shanghai, Tianjin… (Il s'interrompit car Charlotte s'était mise à pianoter sur la table avec impatience.) Richard Gray était mon premier commis, un homme bon et intelligent. Je l'ai beaucoup regretté lorsqu'il est parti s'installer en Amérique avec sa famille. Quand j'ai reçu la lettre de Nathaniel m'expliquant qui il était, je lui ai offert un poste sur-le-champ.

— Mr Mortmain, dit Charlotte d'un ton glacial, cela n'a aucun rapport…

— Oh que si, insista le petit homme. Voyez-vous, ma connaissance de l'occulte m'a toujours aidé dans mes affaires. Voilà quelques années, par exemple, une banque réputée de Lombard Street a fait faillite, entraînant la chute de dizaines de grandes compagnies. C'est un sorcier de ma connaissance qui m'a évité le désastre. J'ai pu retirer mon argent de la banque avant qu'elle ne s'effondre, et j'ai sauvé ma société. Mais cette histoire a éveillé les soupçons de Richard. Il a dû mener l'enquête de son côté, car il a fini par m'apprendre qu'il connaissait l'existence du Pandémonium.

— Vous êtes membre du club, murmura Charlotte. Évidemment.

— J'ai offert à Richard d'en faire partie, il a même assisté à une ou deux réunions, mais cela ne l'intéressait pas. Peu après, il est parti s'installer en Amérique avec sa famille. (Mortmain ouvrit les mains.) Le Pandémonium n'est pas pour tout le monde. Ayant beaucoup voyagé, j'ai entendu parler d'organisations similaires dans de nombreuses villes, créées par des groupes d'hommes qui connaissent le Monde Obscur et souhaitent partager leur savoir, mais il faut payer le lourd prix du secret pour en devenir membre.

— Il y a des prix plus lourds à payer que celui-là.

— Ce n'est pas une organisation néfaste, protesta Mortmain, vexé. Elle a initié beaucoup d'avancées considérables et de grandes inventions. Je connais un sorcier qui a fabriqué un anneau capable de transporter son propriétaire dans un autre lieu rien qu'en le faisant tourner autour de son doigt. J'ai vu des hommes revenir d'entre les morts…

— Je connais la magie et je sais de quoi elle est capable, Mr Mortmain.

Charlotte jeta un coup d'œil à Henry, qui examinait le croquis d'un gadget mécanique affiché au mur.

— Une question me turlupine, reprit-elle. Les sorcières qui auraient enlevé Mr Gray sont associées d'une manière ou d'une autre avec le club. J'ai toujours entendu dire qu'il n'accueillait que des Terrestres. Pourquoi accepter des Créatures Obscures, dans ce cas ?

Mortmain fronça les sourcils.

— Des Créatures Obscures ? Vous parlez du peuple surnaturel, les sorciers, lycanthropes et leurs semblables ? Il y a plusieurs types d'adhésion, Mrs Branwell. Un Terrestre comme moi peut devenir membre du club. Néanmoins, ses responsables, ceux qui le dirigent, sont forcément des Créatures Obscures. Des sorciers, des lycanthropes et des vampires. Le Petit Peuple nous évite. Nous avons trop de capitaines d'industrie dans nos rangs, or ils ne les portent pas dans leur cœur. (Il secoua la tête.) Les fées sont des créatures charmantes, je crains cependant que le progrès ne sonne leur glas.

Charlotte ne s'intéressait guère aux prédictions de Mortmain sur les fées ; les pensées se bousculaient dans sa tête.

— Laissez-moi deviner. Vous avez présenté Nathaniel Gray aux membres du club, comme vous l'aviez fait avec son père.

Mortmain, qui semblait avoir retrouvé un peu de son assurance, pâlit de nouveau.

— Nathaniel travaillait dans mon bureau de Londres depuis quelques jours à peine quand il est venu me trouver. J'en ai déduit que son père lui avait parlé du club, et qu'il en avait conçu un vif désir d'en savoir davantage. Je ne pouvais pas refuser. Je l'ai emmené à une réunion en pensant que ça n'irait pas plus loin. Je me suis trompé. Nathaniel s'y est immédiatement senti comme un poisson dans l'eau. Quelques semaines plus tard, il a quitté son logement. Il m'a envoyé une lettre de démission m'expliquant qu'il allait travailler pour un autre membre du Pandémonium apparemment disposé à le payer suffisamment pour financer sa passion pour le jeu. (Mortmain soupira.) Inutile de préciser qu'il n'a pas cru bon de me donner sa nouvelle adresse.

— Et c'est tout ? s'exclama Charlotte d'un ton incrédule. Vous n'avez pas cherché à le retrouver ? Qui est son nouvel employeur ?

— Chacun est libre de travailler où il veut, s'emporta Mortmain. Je n'avais aucune raison de penser…

— Et vous ne l'avez pas revu depuis ?

— Non. Je vous ai dit…

— Vous m'avez dit qu'il s'est vite senti très à l'aise au sein du club, et pourtant vous ne l'avez pas vu à une seule réunion depuis sa démission ?

Une lueur de panique brilla dans le regard de Mortmain.

— Je… je n'y suis pas retourné depuis. Mon travail m'accapare beaucoup.

Charlotte dévisagea Axel Mortmain avec sévérité. Elle s'était toujours trouvée douée pour juger les gens. Et elle avait souvent croisé des hommes comme Mortmain, chaleureux, directs, sûrs d'eux, qui pensaient que du fait de leur réussite dans les affaires, ils obtiendraient le même succès s'ils décidaient d'exercer la magie. Elle pensa de nouveau à l'avocat, aux murs couverts de sang de sa maison de Knightsbridge. Elle s'imagina la terreur qu'il avait ressentie dans les derniers moments de sa vie. Elle voyait les prémices d'une peur similaire dans les yeux d'Axel Mortmain.

— Mr Mortmain, dit-elle, je ne suis pas idiote. Je sais que vous me cachez quelque chose. (Elle prit dans son réticule l'un des rouages que Will avait trouvés dans la maison des sœurs, et le posa sur le bureau.) Cet objet ressemble à ce qu'on fabrique dans vos usines.

Mortmain jeta un coup d'œil distrait à la petite pièce de métal.

— Oui, oui, c'est un des rouages que je fabrique. Et alors ?

— Deux sorcières se faisant appeler les Sœurs Noires, toutes deux membres du Club Pandémonium, assassinent des jeunes filles à peine sorties de l'enfance. Nous avons découvert ceci dans la cave de leur maison.

— Je n'ai rien à voir avec ces meurtres ! s'exclama Mortmain. Je n'ai jamais… je croyais…

Il s'était mis à transpirer.

— Que croyiez-vous ? demanda Charlotte d'une voix douce.

Mortmain prit le rouage entre ses doigts tremblants.

— Vous ne pouvez pas imaginer… (Il s'interrompit.) Il y a quelques mois, un membre très ancien et très puissant du club est venu me voir pour me demander de lui vendre du matériel à bas prix. Je ne l'ai pas questionné sur ce qu'il comptait en faire… Pourquoi l'aurais-je fait ? Sa requête n'avait rien d'inhabituel.

— Est-ce que par hasard il s'agirait de la personne qui a embauché Nathaniel après son départ de chez vous ?

Mortmain en laissa tomber le rouage, qui roula sur la table jusqu'à ce qu'il se décide à en stopper la progression. S'il ne répondit rien, Charlotte comprit à la peur dans ses yeux qu'elle avait vu juste. Un sentiment de triomphe l'étreignit.

— Son nom, dit-elle. Donnez-moi son nom.

Mortmain baissa les yeux.

— Cela pourrait me coûter la vie.

— Et celle de Nathaniel Gray, vous y pensez ?

Sans la regarder, Mortmain secoua la tête.

— Vous n'imaginez pas à quel point il est puissant. Et dangereux.

Charlotte se redressa.

— Henry, dit-elle. Henry, donne-moi le Sonneur.

Henry s'arracha à la contemplation du mur et se tourna vers elle, l'air désarçonné.

— Mais, ma chère…

— Donne-le-moi ! répéta Charlotte d'un ton brusque.

Elle détestait s'emporter contre Henry ; chaque fois, elle avait l'impression de malmener un chiot sans défense. Mais de temps à autre, c'était inévitable.

Perplexe, Henry sortit de la poche de sa veste un objet en métal sombre de forme oblongue et doté de plusieurs cadrans. Charlotte le brandit sous le nez de Mortmain.

— Cet objet est un Sonneur. Il me permet de contacter l'Enclave en un clin d'œil, lui dit-elle. D'ici à quelques minutes, ils auront cerné votre maison. Ensuite, ils vous traîneront hors de cette pièce et vous soumettront à toutes sortes de tortures raffinées jusqu'à ce que vous décidiez de parler. Savez-vous ce qu'il arrive quand on vous injecte du sang de démon dans les yeux ?

Mortmain lui jeta un regard épouvanté.

— S'il vous plaît, Mr Mortmain, ne me mettez pas au défi de les contacter. (La main de Charlotte qui tenait l'objet était poissée de sueur, mais sa voix ne tremblait pas.) Je n'ai aucune envie de vous voir mourir.

— Grands dieux, s'écria Henry, dites-lui donc ! Vraiment, il n'est pas nécessaire d'en arriver là, Mr Mortmain. Vous n'y gagnerez rien.

Mortmain enfouit le visage dans ses mains. « S'il a toujours voulu rencontrer de vrais Chasseurs d'Ombres, pensa Charlotte en le regardant, eh bien, il est servi. »

— De Quincey, dit-il enfin. Je ne connais pas son prénom.

« Par l'Ange. » Charlotte expira lentement et sa main qui tenait l'objet retomba.

— De Quincey ? C'est impossible…

— Vous savez qui c'est ? dit Mortmain d'un ton las. Eh bien, ça ne m'étonne pas.

— C'est le chef d'un clan de vampires très puissant, déclara Charlotte. Il est très influent, et il a conclu un pacte avec l'Enclave. Je ne vois pas pourquoi il…

— C'est lui qui dirige le club. Tout le monde lui rend des comptes.

— Est-ce qu'il a un titre particulier ?

Cette question parut surprendre Mortmain.

— Oui. On l'appelle le Magistère.

D'une main tremblante, Charlotte glissa l'objet dans sa manche.

— Merci, Mr Mortmain. Vous nous êtes fort utile.

Mortmain la considéra avec un ressentiment teinté de lassitude.

— De Quincey finira par découvrir que je vous ai parlé. Il me fera tuer.

— L'Enclave veillera à ce que cela ne se produise pas, et votre nom ne sera pas cité dans cette affaire. Il n'en saura jamais rien.

— Vous feriez cela pour moi ? dit Mortmain à mi-voix. Pour un… imbécile de Terrestre ?

— J'ai encore de l'espoir avec vous, Mr Mortmain. Il semble que vous ayez pris conscience de votre folie. L'Enclave vous tiendra à l'œil, non seulement dans le but de vous protéger, mais aussi pour s'assurer que vous vous tiendrez désormais à l'écart du Pandémonium et des autres organisations du même type. Pour votre bien, j'espère que vous considérerez notre entretien comme un avertissement.

Mortmain hocha la tête. Charlotte se dirigea vers la porte, Henry sur ses talons ; elle l'avait déjà ouverte quand Mortmain l'interpella.

— Ce n'étaient que des rouages, murmura-t-il. Des mécanismes. Des objets inoffensifs.

À la stupéfaction de Charlotte, ce fut Henry qui, sans se retourner, lui répondit :

— En effet, les objets inanimés sont inoffensifs, Mr Mortmain. Toutefois, on ne peut pas en dire autant de ceux qui les manipulent.

Mortmain regarda sortir en silence les deux Chasseurs d'Ombres. Quelques instants plus tard, ils avaient regagné la place et respiraient l'air frais du dehors, si tant est qu'on puisse qualifier de « frais » l'air de Londres. Il était peut-être chargé d'émanations de charbon et de poussière, songea Charlotte, mais il était toujours plus respirable que l'atmosphère pesante qui régnait dans le bureau de Mortmain.

Après avoir ôté l'objet de sa manche, Charlotte le rendit à son mari.

— Je suppose que je devrais te demander de quoi il s'agit, Henry, dit-elle tandis qu'il le lui prenait des mains d'un geste solennel.

— C'est un projet sur lequel je travaille, répondit-il en le regardant avec affection. Un procédé capable de détecter les énergies démoniaques. C'est d'ailleurs le nom que je vais lui donner : « Détecteur ». Enfin, quand j'aurai réussi à le faire marcher.

— Je suis sûre que ce sera une invention formidable.

Henry porta le même regard affectueux sur sa femme, ce qui n'arrivait que rarement.

— Quelle idée géniale, Charlotte, d'avoir prétendu que tu pouvais convoquer l'Enclave sur-le-champ pour effrayer cet homme ! Mais comment savais-tu que j'avais sur moi un objet qui pourrait servir ton stratagème ?

— Eh bien, je ne me suis pas trompée, mon cher, n'est-ce pas ?

D'un air penaud, Henry répondit :

— Tu es aussi terrifiante que géniale, ma chère.

— Merci, Henry.

Le trajet du retour à l'Institut s'effectua en silence. Jessamine gardait les yeux fixés sur la circulation et refusa d'ouvrir la bouche. Elle avait posé son ombrelle sur ses genoux, apparemment indifférente au fait que le sang tachait le taffetas de sa veste. Dans la cour de l'Institut, elle laissa Thomas l'aider à descendre de voiture, puis elle agrippa la main de Tessa.

Surprise par ce geste, Tessa ne dit rien. Les doigts de Jessamine étaient glacés.

— Venez, dit-elle avec impatience en poussant sa compagne vers la porte de l'Institut tandis que Thomas les regardait s'éloigner avec des yeux ronds.

Tessa se laissa guider dans l'escalier accédant à l'Institut, puis le long d'un couloir presque identique à celui qui menait à sa chambre. Jessamine ouvrit une porte, poussa Tessa à l'intérieur et la suivit en fermant la porte derrière elles.

— Je veux vous montrer quelque chose.

Tessa regarda autour d'elle. Elle se trouvait dans une autre de ces vastes chambres dont l'Institut semblait posséder un nombre infini. Celle de Jessamine semblait plutôt avoir été décorée à son goût. Les murs étaient tapissés de soie rose et le couvre-lit était cousu dans un imprimé à fleurs. Sur une table blanche dans un coin de la pièce s'entassaient des accessoires de toilette luxueux : un présentoir à bagues, un flacon d'eau florale, une brosse à cheveux et un miroir en argent.

— Votre chambre est très jolie, dit Tessa, dans l'espoir de calmer Jessamine qui, manifestement, était au bord de la crise d'hystérie.

— Elle est beaucoup trop petite, répliqua-t-elle. Approchez.

Jetant l'ombrelle ensanglantée sur le lit, elle se dirigea au pas de charge vers la fenêtre. Tessa la suivit, intriguée. Il n'y avait aucun meuble à cet endroit excepté une petite table sur laquelle trônait une maison de poupée. À des lieues de la version en carton avec laquelle Tessa jouait étant petite, celle-ci était une magnifique réplique miniature d'une véritable maison de ville londonienne et, au contact des doigts de Jessamine, la façade montée sur de minuscules charnières s'ouvrit.

Tessa retint son souffle. À l'intérieur, on trouvait quantité de pièces minuscules décorées et meublées à la perfection. Tout était construit à l'échelle, des chaises en bois recouvertes de coussins au poêle en fer forgé de la cuisine. Il y avait aussi des poupées en porcelaine et de véritables peintures à l'huile accrochées au mur.

— C'était ma maison.

Jessamine s'agenouilla et fit signe à Tessa d'en faire autant. Elle obéit maladroitement en s'efforçant de ne pas piétiner les jupons de Jessamine.

— Vous voulez dire que c'était votre maison de poupée lorsque vous étiez petite fille ?

— Non, répondit Jessamine d'une voix irritée. C'était ma maison. Mon père l'a fait construire pour mes six ans. C'est la réplique exacte de notre maison de Curzon Street. Ceci est le papier peint de notre salle à manger, poursuivit-elle en le montrant du doigt, et là, ce sont les chaises du bureau de mon père. Vous voyez ?

Elle dévisagea Tessa avec tant d'insistance que celle-ci sentit qu'il y avait quelque chose à voir au-delà du jouet extrêmement coûteux avec lequel Jessamine avait depuis longtemps passé l'âge de s'amuser. Seulement, Tessa ignorait ce qu'il fallait comprendre.

— C'est très joli, dit-elle enfin.

— Là, dans le petit salon, c'est maman, poursuivit Jessamine en effleurant d'un doigt une des poupées minuscules, qui oscilla dans son somptueux fauteuil. Là, dans le bureau, en train de lire un livre, c'est papa. (Sa main caressa la figurine en porcelaine.) Et à l'étage, dans la nursery, c'est Jessie, le bébé. (En effet, à l'intérieur du berceau, il y avait une autre poupée dont seule la tête dépassait des couvertures.) Plus tard, ils dîneront dans la salle à manger. Puis maman et papa s'assiéront dans le salon près du feu. Certains soirs, ils iront au théâtre, au bal ou à un dîner. (Sa voix s'était réduite à un murmure, comme si elle récitait une litanie bien apprise.) Puis maman souhaitera bonne nuit à papa, ils iront se coucher dans leur chambre et ils dormiront d'une traite jusqu'au lendemain. Il n'y aura pas de messages de l'Enclave au beau milieu de la nuit. Il n'y aura pas de traces de sang dans la maison. Personne ne perdra un bras ou un œil à cause d'un loup-garou, ou n'aura à ingurgiter de l'eau bénite à cause d'une attaque de vampire.

« Seigneur », pensa Tessa.

Comme si Jessamine pouvait lire dans ses pensées, elle fit la grimace.

— Quand notre maison a brûlé, je n'avais nulle part où aller, aucune famille pour m'accueillir ; tous les proches de papa et maman étaient des Chasseurs d'Ombres et ne leur adressaient plus la parole depuis qu'ils avaient coupé les ponts avec l'Enclave. C'est Henry qui m'a fabriqué cette ombrelle, le saviez-vous ? Je la trouvais plutôt jolie jusqu'à ce qu'il m'explique que ses bords sont en électrum. Ils sont tranchants comme des rasoirs.

— Vous nous avez sauvé la vie dans le parc. Je ne sais pas me battre. Si vous n'étiez pas intervenue…

— Je n'aurais pas dû. (Jessamine posa un regard vide sur la maison de poupée.) Je ne veux pas de cette vie, Tessa. Je n'en veux pas. Je me moque que ce soit mon devoir. Je n'en veux pas. Plutôt mourir.

Alarmée, Tessa était sur le point de protester quand la porte s'ouvrit derrière elles. Sophie entra, en coiffe blanche et robe noire impeccable.

— Miss Tessa, Mr Branwell tient à vous voir dans son bureau. Il dit que c'est important.

Tessa se tourna vers Jessamine pour lui demander si tout allait bien, mais son visage s'était fermé. Sa colère et sa vulnérabilité s'étaient envolées ; elle avait remis son masque de froideur.

— Allez-y, si Henry a besoin de vous. J'en ai assez de vous, de toute manière, et j'ai mal à la tête. Sophie, à votre retour, j'aurai besoin que vous me massiez les tempes avec de l'eau de Cologne.

Sophie jeta un coup d'œil amusé à Tessa.

— Comme vous voudrez, Miss Jessamine.

7

LA FILLE MÉCANIQUE

*Nous sommes les pions de la mystérieuse partie d'échecs
jouée par Dieu.
Il nous déplace, nous arrête, nous pousse encore,
puis nous lance, un à un, dans la boîte du néant.*

Omar Khayyām, *Rubaiyat*

La nuit était tombée sur l'Institut, et la lanterne de
Sophie projetait des ombres étranges sur les murs tandis
qu'elle guidait Tessa dans un dédale de couloirs et
d'escaliers. Les marches étaient vieilles, creusées en leur
milieu par les générations de pieds qui les avaient foulées.
Bientôt, les minuscules fenêtres percées à intervalles
réguliers dans les parois en pierre grossière disparurent,
et Tessa en déduisit qu'elles se trouvaient désormais au
sous-sol.

— Sophie, dit-elle, les nerfs un peu éprouvés par
l'obscurité et le silence, serions-nous par hasard en train
de descendre dans la crypte ?

Sophie s'esclaffa, et la lumière de la lanterne tremblota sur les murs.

— Autrefois, c'était la crypte. Mr Branwell s'y est fait installer un laboratoire. Il passe sa vie enfermé là-dedans à manipuler ses jouets et à faire des expériences. Cela met Mrs Branwell hors d'elle.

— Qu'est-ce qu'il fabrique ?

Tessa trébucha sur une marche inégale et dut s'appuyer au mur pour ne pas tomber. Sophie ne parut pas s'en apercevoir.

— Toutes sortes de choses. Il invente des armes nouvelles et du matériel de protection pour les Chasseurs d'Ombres. Il se passionne pour tout ce qui est mécanique. Mrs Branwell répète souvent qu'il l'aimerait davantage si elle tictaquait comme une horloge.

— On sent que vous les aimez beaucoup, tous les deux, observa Tessa.

Sophie ne répondit pas, mais se raidit un peu.

— Plus que Will, en tout cas, reprit Tessa dans l'espoir de la dérider.

— Ah, lui, fit Sophie sans chercher à masquer son dégoût. Il… Eh bien, c'est un mauvais sujet, n'est-ce pas ? Il me rappelle le fils de mon précédent employeur. Il était aussi orgueilleux que lui. Et depuis sa naissance, il avait l'habitude d'obtenir tout ce qu'il voulait. Sinon…

Inconsciemment, elle toucha sa cicatrice.

— Sinon ?

Sophie se rembrunit.

— Sinon il se mettait en colère, voilà tout, répondit-elle avec brusquerie.

Après avoir transféré sa lanterne d'une main à l'autre, elle scruta les ténèbres devant elle.

— Prenez garde ici, mademoiselle. Les marches sont très glissantes au bas de l'escalier.

Tessa se rapprocha du mur. La pierre était froide sous ses doigts.

— Vous pensez que c'est parce que Will est un Chasseur d'Ombres ? s'enquit-elle. Ils… ils ont tendance à se croire au-dessus des autres, non ? Jessamine aussi…

— Mais Mr Carstairs n'est pas comme ça. Il n'a rien à voir avec les autres. Mr et Mrs Branwell non plus.

Avant que Tessa ait pu faire le moindre commentaire, elles s'arrêtèrent brusquement au pied de l'escalier. Une lourde porte en chêne percée d'une fenêtre grillagée se dressait devant elles ; Tessa ne distingua que des ténèbres au-delà. D'un coup sec, Sophie poussa la barre en fer qui barrait la porte.

Elle s'ouvrit sur un immense espace brillamment éclairé. Tessa entra dans la salle et écarquilla les yeux ; visiblement, c'était là que se trouvait à l'origine la crypte de l'église. Des colonnes massives soutenaient un plafond qui disparaissait dans l'obscurité. Le sol était recouvert de grandes dalles en pierre noircies par le temps, dont certaines étaient gravées d'inscriptions, et Tessa comprit qu'elle marchait sur les tombes – et les ossements – des hommes et des femmes qui reposaient dans la crypte. Malgré l'absence de fenêtres, la salle était baignée d'une éblouissante clarté blanche provenant des torches fixées sur les colonnes et alimentées par de la lumière de sort.

Au centre de la salle s'alignaient de longues tables en bois qui croulaient sous toutes sortes d'objets : rouages, mécanismes, pelotes de fil en cuivre, vases à bec remplis de liquides de couleurs différentes d'où s'échappaient des nuages de fumée ou des effluves aigres. Une odeur de fer flottait dans l'air comme avant une tempête. Une table disparaissait sous un tas d'armes blanches dont le métal étincelait dans la lumière. Une armure inachevée composée de fines écailles métalliques pendait sur un cintre près d'une grande table en pierre dissimulée sous un amas de couvertures blanches, derrière laquelle se tenaient Henry et Charlotte.

Henry était en train de montrer à sa femme l'objet qu'il tenait à la main – une sorte de roue en cuivre, un rouage peut-être – en lui parlant à voix basse. Par-dessus son habit, il portait une ample blouse en toile semblable à un vêtement de pêcheur, qui était tachée de liquide noir. Mais ce qui frappa le plus Tessa, c'est l'assurance avec laquelle il s'adressait à Charlotte. Sa maladresse coutumière semblait s'être envolée. Il avait des manières directes et tranquilles, et posa sur Tessa un regard serein.

— Miss Gray ! Alors, Sophie vous a montré le chemin ? C'est parfait.

— Euh… oui, elle…

Tessa jeta un regard derrière elle, mais Sophie n'était plus là. Elle avait dû regagner sans bruit l'escalier. Tessa se sentit bête de ne pas l'avoir remarqué.

— Oui, répéta-t-elle. Elle m'a dit que vous vouliez me voir ?

— C'est exact, répondit Henry. Nous avons besoin de votre aide. Pourriez-vous venir ici un moment ?

Il lui fit signe de les rejoindre près de la table. En se rapprochant, Tessa s'aperçut que le visage de Charlotte était pâle et cerné. Celle-ci jeta un coup d'œil à Tessa, se mordit la lèvre et reporta le regard vers la table, où le tas de couvertures… se mit à remuer.

Tessa cligna des yeux. Avait-elle rêvé ? Non, elle avait bien décelé du mouvement et, maintenant qu'elle était tout près, elle vit que ce qui se trouvait sur la table n'était pas un tas de linge mais un bout de tissu recouvrant une forme de la taille et de la corpulence d'un être humain. Elle s'arrêta net au moment où Henry soulevait un coin de tissu pour révéler ce qui se trouvait dessous.

Soudain prise de vertige, elle s'agrippa au bord de la table.

— Miranda !

Le cadavre de la domestique était allongé sur le dos, les bras pendant de chaque côté de la table, ses cheveux brun terne en désordre sur ses épaules. À la place de ses yeux, qui avaient tant déconcerté Tessa, deux orbites vides contrastaient avec la blancheur de son visage. Sa robe bon marché avait été découpée sur le devant pour dénuder sa poitrine. Tessa tressaillit, détourna les yeux puis se ressaisit et posa de nouveau un regard incrédule sur la morte. Car en dépit du fait que la poitrine de Miranda avait été ouverte, et que sa peau incisée avait été pelée comme celle d'une orange, il n'y avait ni sang ni chair à vif. Sous la mutilation grotesque, Tessa voyait étinceler du… métal ?

Oui, les deux grands lambeaux de peau blanche rabattus sur les côtés dévoilaient une véritable carapace métallique. Des plaques en cuivre assemblées selon un schéma complexe constituaient la poitrine de Miranda, et sa taille était formée d'une cage en cuivre et laiton flexible. Un carré de métal large comme la paume de Tessa manquait au milieu de la poitrine.

— Tessa, dit Charlotte d'une voix douce mais insistante. Will et Jem ont trouvé ce… ce corps dans la maison où on vous gardait prisonnière. Par ailleurs, elle était complètement vide.

Tessa, qui contemplait toujours le cadavre, l'air fasciné, hocha la tête.

— C'est Miranda. La femme de chambre des sœurs.

— Vous savez quelque chose à son sujet ? Qui elle est ? Son histoire ?

— Non. Non. Je croyais… Elle n'ouvrait jamais la bouche sinon pour répéter ce que les sœurs disaient.

Henry ouvrit la bouche du « cadavre ».

— Elle a une langue rudimentaire en métal, mais sa bouche n'est pas vraiment conçue pour parler ni pour absorber de la nourriture. Elle n'a pas d'œsophage et je parierais qu'elle n'a pas d'estomac non plus. Sa bouche est fermée par une plaque de métal fixée derrière les dents.

Il fit tourner la tête de Miranda d'un côté, puis de l'autre.

— Mais qu'est-elle donc ? demanda Tessa. Une Créature Obscure ? Un démon ?

— Ni l'un ni l'autre, répliqua Henry en lâchant la mâchoire de Miranda. Nous n'avons pas affaire à une créature vivante mais à un automate conçu pour ressembler à un être humain et se mouvoir comme lui. Léonard de Vinci s'y est essayé auparavant. On retrouve ce genre de chose dans ses croquis… une créature mécanique capable de s'asseoir, de marcher et de tourner la tête. Il a été le premier à suggérer que les êtres humains ne sont que des machines complexes, et que nos entrailles sont semblables à des rouages, des pistons et des cames faits de muscles et de chair. Alors pourquoi ne pas les remplacer par des éléments en cuivre et en fer ? Pourquoi ne pas fabriquer une personne ? Mais ça… Jaquet-Droz et Maillardet n'auraient jamais pu rêver d'une telle invention. Un véritable automate biomécanique enveloppé de chair humaine, capable de se déplacer et de se diriger. (Ses yeux étincelèrent.) C'est magnifique.

— Henry. (La voix de Charlotte trahissait une certaine tension.) Cette chair que tu admires tant… elle provient bien de quelque part !

Henry se passa la main sur le front, et son regard s'assombrit.

— Oui… ces corps dans la cave.

— Les Frères Silencieux les ont examinés. Des organes ont été prélevés sur la plupart : des cœurs, des foies… Sur d'autres, il manque des os, des cartilages, voire des cheveux. Nous pouvons en déduire que les Sœurs Noires stockaient ces corps dans le but de créer des automates comme Miranda.

— Je crois que le cocher en était un, lui aussi, dit Tessa. Mais pourquoi irait-on faire ça. À quoi ça rime ?

— Il y a autre chose, lança Charlotte. Le matériel trouvé dans la cave des Sœurs Noires provient de la compagnie qui employait votre frère.

— Mortmain ! s'exclama Tessa en s'arrachant à la contemplation du corps étendu sur la table. Vous êtes allés le voir ? Qu'a-t-il dit au sujet de Nate ?

Charlotte hésita un bref instant, les yeux posés sur Henry. Tessa connaissait ce regard. Le genre de regard qu'échangeaient les gens avant de mentir. Elle et son frère avaient ce regard-là quand ils ne voulaient pas dire la vérité à tante Harriet.

— Vous me cachez quelque chose, dit-elle. Où est mon frère ? Que sait Mortmain ?

Charlotte soupira.

— Mortmain s'intéresse de près aux sciences occultes. Il est membre du Pandémonium, un club soi-disant dirigé par des Créatures Obscures.

— Mais quel est le rapport avec mon frère ?

— Il a découvert l'existence du club. Fasciné par son univers, il est entré au service d'un vampire très influent nommé De Quincey ; à vrai dire, c'est lui qui dirige le club. (Le dégoût se peignit sur les traits de Charlotte.) Il semble que cette responsabilité s'accompagne d'un titre.

Soudain prise de vertige, Tessa s'appuya au bord de la table.

— Le Magistère ?

Charlotte regarda Henry, qui avait introduit sa main dans la poitrine de la créature. Il en sortit un cœur humain, rouge et charnu, mais d'aspect dur et luisant comme s'il avait été recouvert de laque. Il était relié au corps de Miranda par des fils d'argent et de cuivre. De temps à autre, il émettait un faible battement. Par quel miracle battait-il encore ?

— Voulez-vous le tenir dans votre main ? demanda-t-il à Tessa. Il faut être prudent. Ces tubes en cuivre acheminent de l'huile et d'autres liquides inflammables dans le corps de la créature. Il me reste encore à les identifier.

Tessa secoua la tête.

— Très bien, fit Henry, l'air déçu. J'avais quelque chose à vous montrer, mais un coup d'œil suffira.

Avec des gestes précautionneux, il retourna le cœur dans ses longs doigts pour montrer à Tessa une plaque en métal fixé de l'autre côté de l'organe, laquelle était gravée d'un Q avec un D à l'intérieur.

— C'est la marque de De Quincey, observa Charlotte, qui avait blêmi. Je l'ai déjà vue sur sa correspondance. Il a toujours été un allié de l'Enclave, ou du moins je le croyais. Il était présent lors de la signature des Accords. C'est un vampire puissant. Il règne sur tous ses semblables à l'ouest de la ville. Mortmain prétend que De Quincey lui a acheté du matériel, et ceci semble corroborer ses dires. On dirait bien que dans la maison des Sœurs Noires, vous n'étiez pas la seule à être destinée au Magistère. Ces créatures mécaniques l'étaient aussi.

— Si ce vampire est bien le Magistère, dit Tessa avec lenteur, alors c'est lui qui a chargé les sœurs de me capturer et qui a forcé Nate à m'écrire cette lettre. Il doit savoir où se trouve mon frère.

Charlotte réprima un sourire.

— Vous êtes déterminée, on dirait.

— Je tiens à savoir ce que me veut le Magistère, répliqua Tessa d'un ton cassant, et les raisons pour lesquelles il m'a emprisonnée. Comment a-t-il su pour mon… mon pouvoir ? De plus, je ne renoncerai pas à ma vengeance si l'occasion se présente. (Elle soupira.) Mais avant toute chose, je dois retrouver mon frère. Il est tout ce qu'il me reste.

— Nous le retrouverons, Tessa, affirma Charlotte. Tous ces éléments – les Sœurs Noires, votre frère, votre don et le rôle de De Quincey – s'assemblent comme les pièces d'un puzzle. Il nous en manque juste quelques-unes pour le reconstituer.

— J'espère que nous éluciderons cette affaire sans tarder, déclara Henry en jetant un regard triste au corps allongé sur la table. Qu'est-ce qu'un vampire peut bien faire de ces automates ? Ça n'a aucun sens.

— Pour l'instant, non, marmonna Charlotte en relevant la tête. Mais nous trouverons.

Bien que Charlotte ait annoncé qu'il était temps de remonter pour le souper, Henry resta dans son laboratoire. Après avoir promis de les rejoindre dans quelques minutes, il les salua d'un geste absent malgré l'air désapprobateur de sa femme.

— Je n'ai jamais rien vu de tel que le laboratoire de Henry, dit Tessa à Charlotte tandis qu'elles remontaient l'escalier.

Elle était déjà hors d'haleine alors que Charlotte progressait d'un pas déterminé sans trahir de signe de fatigue.

— Oui, répondit-elle un peu tristement. Henry y passerait ses jours et ses nuits si je le lui permettais.

Cette déclaration surprit Tessa. D'ordinaire, c'était le mari qui décidait de ce qui était permis ou non, et de la façon de diriger une maisonnée, non ? Le devoir d'une épouse se limitait à exaucer ses désirs, et à lui offrir un refuge calme et stable loin des vicissitudes de ce monde. Mais l'Institut n'était pas un lieu de retraite. C'était à la fois un foyer, un pensionnat et un poste de combat. Et si quelqu'un en était le responsable, ce n'était certainement pas Henry.

Soudain, Charlotte s'arrêta net en haut des marches.

— Jessamine ! Que se passe-t-il, pour l'amour du ciel ?

Tessa leva les yeux. Jessamine les attendait au sommet de l'escalier. Elle portait encore ses vêtements de la journée mais ses cheveux avaient été savamment coiffés en vue du dîner – sans doute par Sophie, qui était toujours un modèle de patience. Son visage affichait un profond mécontentement.

— C'est Will, dit-elle. Il se comporte de façon absolument ridicule dans la salle à manger.

Charlotte parut perplexe.

— En quoi est-ce différent du fait d'être ridicule dans la bibliothèque ou dans la salle d'armes ?…

— Dans la salle à manger, on mange, répliqua Jessamine avec colère.

À ces mots, elle fit volte-face et s'éloigna à grands pas dans le couloir en jetant un regard par-dessus son épaule pour s'assurer que Tessa et Charlotte la suivaient.

Tessa ne put s'empêcher de sourire.

— Ils sont un peu comme vos enfants, n'est-ce pas ?

Charlotte soupira.

— Oui, sauf qu'eux ne sont pas obligés de m'aimer.

Tessa ne trouva pas de réponse à cela.

Comme Charlotte avait à faire avant le souper, Tessa se rendit seule dans la salle à manger. En arrivant, toute fière de ne pas s'être perdue, elle trouva Will debout sur le buffet en train de triturer le chandelier à gaz suspendu au plafond.

Assis à la table, Jem l'observait avec une expression dubitative.

— Tu auras l'air malin si tu le casses, dit-il avant de hocher la tête en voyant Tessa. Bonsoir, Tessa. (Suivant son regard, il sourit.) J'ai suspendu le chandelier à gaz de travers, et Will essaie de le redresser.

Tessa ne voyait rien qui clochait, mais avant qu'elle ait pu en faire la remarque, Jessamine entra au pas de charge dans la pièce et jeta à Will un regard assassin.

— Franchement, tu ne peux pas demander à Thomas de s'en charger ? Un gentleman n'a pas à…

— C'est du sang sur ta manche, Jessie ? s'enquit Will.

Jessamine se figea. Puis, sans un mot, elle tourna les talons et se dirigea vers l'autre bout de la table, où elle s'assit en gardant les yeux fixés droit devant elle.

— Il s'est passé quelque chose au cours de votre sortie avec Jessamine ? demanda Jem, l'air sincèrement inquiet.

Au moment où il se tournait vers Tessa, elle vit un objet vert briller à la base de son cou. Jessamine jeta un regard affolé dans sa direction.

— Non, répondit Tessa. Ce n'est rien…

— J'ai réussi !

Henry fit une entrée triomphale dans la pièce en brandissant un objet dans sa main. On aurait dit un tube en cuivre doté d'un bouton noir sur un côté.

— Je parie que vous ne m'en croyiez pas capable, hein ? reprit-il.

Will renonça à s'occuper du chandelier et lui jeta un regard noir.

— Nous n'avons pas la moindre idée de ce que tu racontes, tu sais.

— J'ai enfin réussi à faire marcher mon Phosphore, annonça Henry en brandissant fièrement l'objet en question. Il fonctionne sur le même principe que la lumière de sort mais en cinq fois plus puissant. Il suffit de presser un bouton, et vous verrez une explosion de lumière telle que vous n'en avez jamais vue.

Un silence s'ensuivit.

— Donc, c'est une lumière de sort très, très puissante, c'est ça ? finit par demander Will.

— Exactement, répondit Henry.

— Est-ce vraiment utile ? s'enquit Jem. Après tout, la lumière de sort ne sert qu'à éclairer. Elle n'est pas censée être dangereuse…

— Attends de voir ! s'exclama Henry.

Will voulut protester, mais Henry avait déjà appuyé sur le bouton. Il y eut un éclair aveuglant puis un léger bruit d'explosion, et la pièce se retrouva plongée dans l'obscurité. Tessa laissa échapper un cri de surprise, et Jem rit tout bas. La voix de Will s'éleva des ténèbres ; elle trahissait une pointe d'agacement.

— Tu m'as rendu aveugle ? Je te préviens, Henry, ça ne va pas me plaire si c'est le cas.

— Non, non, fit Henry, inquiet. Il semble que le Phosphore… Eh bien, il a dû éteindre toutes les lumières de la pièce.

— Ce n'est pas censé faire ça ? demanda Jem de son éternel ton détaché.

— Euh… non, admit Henry.

Will jura dans sa barbe. Tessa ne comprit pas ce qu'il disait, mais elle était à peu près sûre d'avoir entendu les mots « Henry » et « imbécile ». Un instant plus tard, un énorme tintamarre retentit.

— Will ! cria une voix affolée.

La lumière revint, et Tessa cligna des yeux. Charlotte se tenait sur le seuil, une lanterne à la main, et Will gisait à ses pieds parmi les débris de faïence de la vaisselle auparavant posée sur le buffet.

— Qu'est-ce qui s'est…

— J'essayais de remettre en place le lustre, expliqua Will avec humeur.

Il se releva en époussetant sa chemise.

— Thomas aurait pu s'en charger. Tu as cassé la moitié des assiettes.

— C'est la faute de ton idiot de mari. (Will examina ses jambes.) Je crois que je me suis cassé quelque chose. La douleur est presque insupportable.

— Tu m'as pourtant l'air en parfaite santé, rétorqua Charlotte d'un ton dénué de compassion. Lève-toi. Je suppose que nous dînerons à la lumière de sort ce soir.

À l'autre bout de la table, Jessamine eut un reniflement de mépris. C'était la première fois qu'on l'entendait depuis que Will l'avait questionnée au sujet du sang sur sa veste.

— Je déteste la lumière de sort. Cela me verdit le teint.

Malgré le commentaire de Jessamine, Tessa trouva la lumière de sort assez plaisante. Elle nimbait tous les objets de la pièce d'un halo blanc discret qui donnait même aux petits pois et aux oignons un aspect romantique et mystérieux. Tout en beurrant son pain avec un couteau en argent, elle ne put s'empêcher de songer au petit appartement de Manhattan où son frère, sa tante et elle mangeaient leur maigre dîner autour d'une petite table éclairée par quelques bougies. Tante Harriet entretenait tout avec une propreté méticuleuse, des rideaux de dentelle blanche suspendus aux fenêtres à la bouilloire en cuivre étincelante qui trônait sur le fourneau. Elle répétait toujours que quand on avait peu de biens, il fallait être très soigneux. Tessa se demanda si les Chasseurs d'Ombres prenaient autant soin de leurs affaires.

Charlotte et Henry faisaient le récit de ce qu'ils avaient appris de la bouche de Mortmain ; Jem et Will écoutaient avec attention pendant que Jessamine regardait par la fenêtre d'un air morne. Jem sembla particulièrement intéressé par la description de l'intérieur de la maison de Mortmain et ses ornements rapportés des quatre coins du globe.

— Je vous l'avais bien dit, lança-t-il. Un *taipan*. Ils se croient tous au-dessus des lois.

— C'est vrai, acquiesça Charlotte. Il avait cette façon d'être qu'ont les gens habitués à être écoutés. Les hommes de sa trempe sont des cibles faciles pour ceux qui cherchent à attirer le chaland dans le monde occulte. Ils ont l'habitude du pouvoir et s'intéressent aux moyens d'en obtenir davantage à moindre coût. Ils ignorent qu'il y a un lourd prix à payer dans le Monde Obscur. (Elle jeta un regard noir à Will et Jessamine qui se disputaient à voix basse.) Qu'est-ce qui vous arrive, vous deux ?

Tessa profita de l'occasion pour se tourner vers Jem, qui était assis à sa droite.

— Shanghai a l'air fascinante, dit-elle à mi-voix. J'aimerais beaucoup aller là-bas. J'ai toujours eu envie de voyager.

Jem sourit et l'objet pendu à son cou retint de nouveau l'attention de Tessa. C'était un pendentif serti d'une pierre verte.

— Il vous a fallu voyager pour arriver jusqu'ici, non ?

— Auparavant, je n'avais voyagé qu'au travers des livres. Je sais que cela peut sembler stupide, mais…

Jessamine les interrompit en reposant violemment sa fourchette sur la table.

— Charlotte ! s'exclama-t-elle d'une voix stridente. Dis à Will de me laisser tranquille.

Will se balançait sur sa chaise, les yeux étincelant de malice.

— Si elle m'explique pourquoi elle a du sang sur ses vêtements, j'y consentirai. Laisse-moi deviner, Jessie. Dans le parc, tu es tombée sur quelque pauvre femme qui avait le malheur de porter une robe dont la couleur jurait avec la tienne, alors tu lui as tranché la gorge avec ton ombrelle. Je me trompe ?

Jessamine le fusilla du regard.

— Tu es ridicule.

— Elle a raison, tu sais, renchérit Charlotte.

— Je porte du bleu, poursuivit Jessamine. Or, le bleu va avec tout. Tu es suffisamment préoccupé de ton apparence pour le savoir.

— Ce n'est pas vrai, objecta Will. Le bleu ne va pas avec le rouge, par exemple.

— J'ai un gilet à rayures rouges et bleues, intervint Henry en tendant le bras vers le plat de petits pois.

— Si ce n'est pas la preuve que ces deux couleurs ne devraient être associées sous aucun prétexte, alors je veux bien me pendre.

— Will, dit Charlotte d'un ton sévère, je t'interdis de parler à Henry sur ce ton. Henry…

Henry leva la tête.

— Oui ?

Charlotte soupira.

— C'est dans l'assiette de Jessamine que tu te sers des petits pois. Fais un peu attention.

Tandis que Henry posait des yeux surpris sur son assiette, la porte s'ouvrit sur Sophie. Elle se dirigea vers Charlotte, tête baissée et, au moment où elle se penchait pour lui parler à voix basse, la lumière de sort éclaira son visage balafré.

L'air soulagé, Charlotte se leva et quitta précipitamment la pièce en s'arrêtant pour effleurer l'épaule de Henry.

Jessamine ouvrit de grands yeux.

— Quelle mouche l'a piquée ?

— Oui, ma chère Sophie : où est-elle allée ? renchérit Will.

Sophie lui jeta un regard sévère.

— Si Mrs Branwell avait voulu que vous le sachiez, je suis certaine qu'elle vous l'aurait dit, répondit-elle sèchement avant de sortir à son tour.

Henry, qui avait reposé le plat de petits pois, s'efforça de prendre un ton jovial.

— Bien, de quoi parlions-nous ?

— Arrête, dit Will, c'est Charlotte qui nous intéresse. Il est arrivé quelque chose ?

— Non, répondit Henry. Enfin, pas à ma connaissance… (Balayant la pièce du regard, il vit quatre paires d'yeux rivés sur lui et poussa un soupir.) Charlotte ne me tient pas informé de tous ses faits et gestes, vous le savez bien. (Il eut un pauvre sourire.) On ne peut pas lui en vouloir, avec un mari pareil.

Tessa chercha vainement un moyen de consoler Henry. Par certains aspects, il lui rappelait Nate quand il était plus jeune, avec sa maladresse et sa susceptibilité. D'un geste instinctif, elle porta la main à son pendentif et chercha du réconfort dans son tic-tac régulier.

Le regard de Henry se posa sur elle.

— Cet objet que vous portez autour du cou… je peux le voir un instant ?

Tessa hésita avant de hocher la tête. C'était Henry, après tout. Elle défit le fermoir de la chaîne et la lui tendit.

— C'est très ingénieux, observa-t-il en retournant l'ange dans sa main. D'où tenez-vous cela ?

— Il appartenait à ma mère.

— C'est une sorte de talisman ? Me laisseriez-vous l'examiner dans mon laboratoire ?

— Oh. (Tessa ne parvint pas à dissimuler son inquiétude.) Si vous promettez d'y faire très attention. C'est tout ce qu'il me reste de ma mère. S'il se casse…

— Henry ne l'abîmera pas, la rassura Jem. Il s'y connaît avec ces choses-là.

— C'est vrai, dit Henry modestement. Je vous le rendrai en parfait état.

Tessa hésita.

— Eh bien…

— Je ne comprends pas pourquoi vous faites autant de manières, intervint Jessamine, que cet échange semblait ennuyer au plus haut point. Ce n'est pas comme s'il y avait des diamants sur ce pendentif.

— Pour certains, les sentiments ont plus de valeur que les pierreries, Jessamine.

Charlotte se tenait sur le seuil, l'air préoccupé.

— Il y a quelqu'un ici qui veut s'entretenir avec vous, Tessa.

— Avec moi ? s'exclama Tessa, oubliant l'ange mécanique.

— Qui est-ce ? demanda Will. Et pourquoi tant de mystère ?

Charlotte soupira.

— C'est Lady Belcourt. Elle est en bas, dans le Sanctuaire.

— Là, maintenant ? (Will fronça les sourcils.) Il s'est passé quelque chose ?

— C'est moi qui l'ai contactée juste avant le souper, expliqua Charlotte. C'est au sujet de De Quincey. J'espérais qu'elle détiendrait des renseignements, et c'est le cas, mais elle insiste pour voir Tessa en premier lieu. Il semble que, malgré toutes nos précautions, le Monde Obscur ait eu vent de son existence, et Lady Belcourt… m'a tout l'air intéressée.

Tessa reposa brusquement sa fourchette.

— Intéressée par quoi ?

Elle balaya la table du regard et s'aperçut que quatre paires d'yeux étaient fixés sur elle.

— Qui est Lady Belcourt ?

Comme personne ne répondait, elle se tourna vers Jem, qui était vraisemblablement le plus disposé à l'éclairer.

— C'est une Chasseuse d'Ombres ?

— C'est une femme vampire, répondit-il. Et une informatrice, de surcroît. Elle nous tient au courant de ce qui se passe chez les Enfants de la Nuit.

— Vous n'êtes pas obligée de lui parler si vous n'en avez pas envie, Tessa, dit Charlotte. Je peux la renvoyer.

— Non, fit Tessa en repoussant son assiette. Si elle détient des informations sur De Quincey, alors elle a peut-être entendu quelque chose au sujet de Nate. Je ne veux pas risquer de passer à côté. Je descends.

— Vous ne tenez même pas à savoir ce qu'elle veut de vous ? demanda Will.

Tessa lui jeta un regard circonspect. La lumière de sort lui donnait l'air plus pâle et faisait ressortir ses yeux, de la même couleur que l'Atlantique Nord, à l'endroit où des blocs de glace dérivaient sur les flots bleu-noir comme de la neige s'accrochant à la paroi d'une vitre.

— Hormis les Sœurs Noires, je n'ai jamais rencontré de Créature Obscure, dit-elle. Je… je crois que j'aimerais bien.

— Tessa… fit Jem, mais elle s'était déjà levée.

Et sans se retourner, elle sortit en hâte de la pièce derrière Charlotte.

8

CAMILLE

Les fruits manquent, l'amour meurt, et passe le temps,
Tu te nourris d'un souffle éternel,
Vivante après d'infinis avatars,
À peine sortie des baisers de la mort.
Des langueurs rallumées et rassemblées,
Des délices inféconds et impurs,
Des monstruosités stériles,
Tu es la pâle Reine vénéneuse.

Algernon Charles Swinburne,
« Dolores »

Tessa n'était qu'à mi-chemin dans le couloir lorsque Will et Jem la rattrapèrent.

— Vous ne pensiez pas que nous viendrions, n'est-ce pas ? lança Will en levant sa pierre de rune pour éclairer le couloir comme en plein jour.

Charlotte, qui marchait devant eux, se retourna en fronçant les sourcils, mais ne fit aucun commentaire.

— J'avais remarqué que vous n'étiez pas capable de laisser les gens tranquilles, répliqua Tessa en regardant droit devant elle. Mais j'attendais mieux de Jem.

— Je vais là où va Will, protesta Jem avec bonne humeur. Et puis je suis aussi curieux que lui.

— Il n'y a pas de quoi se vanter. Où allons-nous ? demanda Tessa, perplexe, comme ils atteignaient le bout du couloir puis bifurquaient à gauche dans un autre corridor plongé dans des ténèbres peu engageantes. On a pris la mauvaise direction, non ?

— La patience est une vertu, Miss Gray, lâcha Will.

Devant eux, le couloir descendait de manière abrupte ; il n'y avait ni tapisseries ni torches sur les murs, et Tessa comprit pourquoi Will avait emporté sa pierre de rune.

— Ce couloir mène à notre Sanctuaire, expliqua Charlotte, le seul endroit de l'Institut qui ne soit pas sanctifié. C'est là que nous rencontrons ceux qui, pour une raison ou une autre, ne peuvent pas fouler un sol sacré. Les vampires, par exemple, qui sont considérés comme maudits. Cet endroit nous sert aussi à accueillir les Créatures Obscures menacées par des démons ou d'autres habitants du monde occulte. Pour cette raison, de nombreuses protections sont placées sur la porte, et il est difficile d'entrer ou de sortir de la pièce sans une stèle ou une clé.

— C'est une malédiction d'être un vampire ? s'enquit Tessa.

Charlotte secoua la tête.

— Non. Nous pensons plutôt qu'il s'agit d'un mal d'origine démoniaque. La plupart des maux qui affectent les démons ne peuvent pas se transmettre aux êtres humains. Mais dans certains cas, par le biais d'une morsure ou d'une griffure, il y a risque de contamination. Le vampirisme, la lycanthropie…

— La vérole démoniaque, ajouta Will.

— Will, la vérole démoniaque n'existe pas, tu le sais bien, objecta Charlotte. Où en étais-je ?

— Le vampirisme n'est pas une malédiction. C'est une maladie, résuma Tessa. Mais tout de même, ils ne peuvent pas fouler un sol sacré. Est-ce que cela signifie qu'ils sont damnés ?

— Cela dépend de vos croyances, répondit Jem. Encore faut-il croire en la damnation.

— Mais vous chassez les démons ! Vous devez forcément y croire !

— J'ai foi dans le bien et le mal. Et je crois que l'âme ne meurt jamais. Mais je ne crois ni aux fourches ni aux abîmes infernaux ni aux tourments éternels. Je ne crois pas qu'on puisse convertir les gens au bien en les menaçant.

Tessa se tourna vers Will.

— Et vous ? À quoi croyez-vous ?

— *Pulvis et umbra sumus*, répondit Will sans la regarder. Je crois que nous ne sommes que des ombres et de la poussière. Que pourrait-il y avoir d'autre ?

— Quoi que vous pensiez, s'il vous plaît, n'allez pas suggérer à Lady Belcourt que vous la considérez comme une damnée, dit Charlotte, qui venait de s'arrêter devant une grande porte en fer à deux battants, dont chacun était gravé d'un symbole curieux semblable à deux paires de C se tournant le dos. Elle nous propose gentiment de nous aider, et il est inutile de l'insulter. Cela s'applique en particulier à toi, Will. Si tu n'es pas capable d'être poli, je te renverrai du Sanctuaire. Jem, je compte sur toi pour te montrer aussi charmant que d'habitude. Tessa… (Charlotte posa un regard grave et doux sur la jeune fille) essayez de ne pas avoir peur.

Elle sortit une clé en fer d'une poche de sa robe et l'introduisit dans la serrure. L'anneau de la clé avait la forme d'un ange aux ailes déployées qui étincelèrent brièvement tandis que Charlotte la tournait dans la serrure, et la porte s'ouvrit.

La pièce qui s'étendait au-delà évoquait une chambre forte. Elle était dépourvue de fenêtre, et n'avait pas d'autre issue que la porte par laquelle ils étaient entrés. D'énormes colonnes en pierre soutenaient un plafond voûté éclairé par la lumière d'une rangée de candélabres. Ces colonnes étaient recouvertes de runes formant des motifs complexes qui attiraient immédiatement l'œil. D'immenses tapisseries ornées d'une unique rune étaient accrochées aux murs, ainsi qu'un grand miroir à dorures qui donnait l'impression d'une pièce deux fois plus vaste que ce qu'elle était en réalité. Une fontaine en pierre se dressait en son centre ; elle était dotée d'une base circulaire et, en son milieu, s'élevait la statue d'un ange aux ailes repliées. Des rivières de larmes se déversaient de ses yeux avant de tomber dans la vasque.

Près de la fontaine, quelques chaises tapissées de velours noir avaient été disposées entre deux colonnes. La femme assise dans la plus haute des chaises était mince et majestueuse. Elle était coiffée d'un chapeau surmonté d'une gigantesque plume noire et vêtue d'une robe en velours rouge vif. Sa poitrine d'albâtre débordait légèrement de son corsage ajusté, mais aucun souffle ne la soulevait.

Un rang de rubis lui barrait la gorge comme une balafre. Ses cheveux épais d'un blond pâle étaient rassemblés en boucles délicates au creux de sa nuque ; ses yeux d'un vert lumineux étincelaient comme ceux d'un chat.

Tessa retint son souffle. Ainsi, les Créatures Obscures pouvaient être belles ?

— Éteins ta pierre de rune, Will, dit Charlotte à mi-voix avant de se précipiter pour accueillir son hôte.

— C'est si aimable à vous de nous avoir attendus, baronne. J'espère que le Sanctuaire est à votre goût.

— Oui, comme toujours, Charlotte, répondit Lady Belcourt d'un ton morne.

Elle avait un léger accent que Tessa ne parvenait pas à identifier.

— Lady Belcourt, permettez-moi de vous présenter Miss Theresa Gray.

Charlotte désigna Tessa qui, ne sachant que faire d'autre, inclina poliment la tête. Elle s'efforça de se rappeler comment on s'adressait aux baronnes. D'après ses vagues souvenirs, il fallait d'abord vérifier si elles étaient mariées avec des barons.

— À côté de Tessa, c'est James Carstairs, l'un de nos jeunes Chasseurs d'Ombres, et voici…

Les yeux verts de Lady Belcourt étincelèrent.

— William Herondale, bien sûr, dit-elle en souriant.

Tessa se raidit, mais les dents de la femme vampire semblaient tout à fait normales. Pas d'incisives tranchantes à l'horizon.

— Je ne pensais pas que vous viendriez m'accueillir, reprit-elle.

— Vous vous connaissez ? demanda Charlotte, surprise.

— Il y a quelques semaines, William m'a pris vingt livres au pharaon dans une maison de jeu dirigée par le Pandémonium, lâcha Lady Belcourt, et elle jeta à Will un regard insistant qui fit frissonner Tessa.

— Vraiment ?

Charlotte se tourna vers Will, qui haussa les épaules.

— Cela faisait partie de l'enquête. Je me faisais passer pour un Terrestre imprudent venu s'encanailler, expliqua-t-il. Si j'avais refusé de jouer, j'aurais éveillé les soupçons.

— Quoi qu'il en soit, Will, l'argent que tu as gagné était une preuve. Tu aurais dû le remettre à l'Enclave.

— J'ai payé mon gin avec.

— Will !

— Les profits générés par le vice sont une responsabilité trop lourde pour moi.

— Et pourtant tu es toujours disposé à l'endosser, observa Jem avec un regard amusé.

Charlotte leva les bras au ciel.

— Je m'occuperai de toi plus tard, William. Lady Belcourt, dois-je comprendre que, vous aussi, vous êtes un membre du Club Pandémonium ?

Lady Belcourt prit l'air horrifié.

— Certainement pas. Si je me trouvais dans cette maison de jeu cette nuit-là, c'est parce qu'un sorcier de mes amis espérait gagner un peu d'argent grâce aux cartes. Les événements organisés par le club sont ouverts à la plupart des Créatures Obscures. Leurs membres nous encouragent à y faire une apparition ; notre présence impressionne les Terrestres qui, de fait, sortent plus facilement leur portefeuille. Je sais qu'il y a des Créatures Obscures à la tête du club, mais je ne serai jamais des leurs. Leurs affaires sont si triviales !

— De Quincey en fait partie, lui, déclara Charlotte, et Tessa vit ses grands yeux marron pétiller d'intelligence. Il paraît même que c'est lui qui le dirige. Le saviez-vous ?

Lady Belcourt secoua la tête, l'air visiblement peu passionné par cette révélation.

— De Quincey et moi étions proches jadis, mais c'est terminé, et je ne me suis pas gênée pour lui dire que je ne m'intéressais pas à son club. Il pourrait bien en être le président ; c'est une organisation ridicule, si vous voulez mon avis, mais sans doute très lucrative.

Elle se pencha en croisant ses mains gantées sur ses genoux. Il y avait quelque chose de fascinant dans ses mouvements, même les plus insignifiants. Il émanait d'elle une grâce étrange, animale. Tessa avait l'impression de regarder un chat rôder dans l'obscurité.

— La première chose que vous devez savoir au sujet de De Quincey, poursuivit-elle, c'est qu'il est le vampire le plus dangereux de Londres. Il a réussi à prendre la tête du clan le plus puissant de la ville. Tous les vampires des environs lui obéissent au doigt et à l'œil. (Elle pinça ses lèvres écarlates.) La deuxième chose, c'est qu'il est très âgé, même à l'échelle d'un Enfant de la Nuit. Il a vécu la plus grande partie de sa vie avant les Accords, et il les méprise, il déteste vivre sous leur joug. Et surtout, il déteste les Nephilim.

Tessa vit Jem se pencher pour murmurer quelques mots à l'oreille de Will, qui eut un sourire en coin.

— C'est vrai, dit-il. Comment peut-on nous haïr alors que nous sommes si charmants ?

— Vous avez conscience, j'en suis sûre, que la plupart des Créatures Obscures ne vous aiment pas beaucoup.

— Mais nous pensions que De Quincey était un allié. (Charlotte posa ses mains fines et nerveuses sur le dos d'une chaise.) Il a toujours coopéré avec l'Enclave.

— Parce que c'est dans son intérêt. En vérité, il préférerait vous voir tous morts.

Charlotte, qui avait pâli, se ressaisit rapidement.

— Et vous ne savez rien de ses relations avec deux femmes surnommées les Sœurs Noires ? Ou de son intérêt pour les automates ?

— Les Sœurs Noires ? (Lady Belcourt frémit.) Quelles créatures hideuses ! Des sorcières, il me semble. Je les évite comme la peste. Elles sont connues pour être les pourvoyeuses des membres du club ayant des passe-temps… peu recommandables. Elles les fournissent en drogues démoniaques, en prostituées issues du Monde Obscur et ainsi de suite.

— Qu'en est-il des automates ?

Lady Belcourt eut un geste dédaigneux.

— Si De Quincey se passionne pour l'horlogerie, je ne suis pas au courant. En fait, quand vous m'avez contactée à son sujet, Charlotte, j'avais d'abord pensé ne pas venir. Je veux bien partager quelques secrets du Monde Obscur avec l'Enclave, mais de là à trahir le vampire le plus puissant de Londres… Et puis j'ai entendu parler de votre petite métamorphe… (Elle regarda Tessa et sourit.) Il y a un air de famille, effectivement.

Tessa ouvrit de grands yeux.

— De qui parlez-vous ?

— Eh bien, de Nathaniel, évidemment. Votre frère.

— Vous avez vu mon frère ?

Lady Belcourt sourit, consciente qu'elle tenait tout son auditoire en haleine.

— Je l'ai vu lors d'événements organisés par le club. Le pauvre, il avait l'air hagard qu'ont les Terrestres sous l'emprise d'un sort. Il avait probablement perdu au jeu tout ce qu'il possédait. Cela se passe toujours ainsi. Charlotte m'a raconté que ce sont les Sœurs Noires qui l'ont emmené ; cela ne me surprend pas. Elles n'aiment rien tant que pousser un Terrestre à la ruine et en viennent aux pires extrémités pour récupérer leur dû.

— Mais il est toujours en vie, n'est-ce pas ? demanda Tessa. Vous l'avez vu vivant ?

— Cela remonte à quelque temps, mais oui, répondit Lady Belcourt avec un geste vague de sa main gantée de rouge. Pour en revenir à ce qui nous occupe, saviez-vous, Charlotte, que De Quincey organise des soirées dans sa maison de Carleton Square ?

— Oui, j'en ai entendu parler, répondit Charlotte.

— Malheureusement, il semble qu'il ait oublié de nous y convier, lâcha Will. Notre invitation s'est peut-être égarée.

— Lors de ces soirées, on tue et on torture des êtres humains. Il paraît qu'ensuite on jette leurs cadavres dans la Tamise, et que les gamins des rues se chargent de les dépouiller. Et cela, vous le saviez ?

Même Will resta sans voix.

— Mais le meurtre d'un être humain est puni par la Loi… protesta Charlotte.

— De Quincey n'a que faire de la Loi. S'il tue, c'est aussi bien pour se moquer des Nephilim que par goût. Car il aime tuer, soyez-en sûrs.

Les lèvres de Charlotte étaient exsangues.

— Depuis combien de temps cela dure-t-il, Camille ?

« Camille. Un nom aux sonorités françaises », songea Tessa ; voilà qui expliquait peut-être son accent.

— Un an, probablement plus, répondit la femme vampire avec indifférence.

— Et pourquoi n'en parlez-vous qu'aujourd'hui ? s'enquit Charlotte, qui semblait sincèrement blessée.

Les yeux verts de Camille s'assombrirent.

— En vous révélant les secrets du seigneur de Londres, je risque la mort. Et quand bien même vous l'aurais-je dit, cela n'aurait servi à rien. De Quincey est votre allié. Vous n'avez pas assez de preuves pour faire irruption chez lui comme s'il s'agissait d'un quelconque criminel. Si je ne m'abuse, conformément aux nouveaux Accords, un vampire doit être pris sur le fait pour que les Nephilim aient l'autorisation d'intervenir.

— C'est vrai, admit Charlotte à contrecœur. Mais si nous avions pu assister à l'une de ces soirées…

Camille ricana.

— De Quincey ne vous aurait jamais laissés entrer ! À la seule vue d'un Chasseur d'Ombres, il se serait barricadé à double tour.

— Mais vous, vous pourriez faire entrer quelqu'un…

Camille releva brusquement la tête en faisant trembler la plume de son chapeau.

— Au péril de ma vie ?

— Eh bien, vous n'êtes pas vivante à proprement parler, objecta Will.

Lady Belcourt plissa les yeux.

— Je tiens à l'existence autant que vous, jeune homme ! Les Nephilim devraient cesser de croire que ceux qui sont différents d'eux n'ont pas le droit de vivre.

Jem prit la parole pour la première fois depuis leur entrée dans la pièce.

— Lady Belcourt… pardonnez ma question, mais… qu'attendez-vous au juste de Tessa ?

Camille posa sur Tessa des yeux étincelants comme des pierres précieuses.

— Vous pouvez prendre l'apparence de n'importe qui, c'est bien cela ? Il paraît que l'illusion est parfaite. (Elle sourit.) Eh oui, j'ai mes sources.

— Oui, répondit Tessa après une hésitation. Enfin, on m'a dit que la différence était impossible à déceler.

Camille l'observa attentivement.

— Il faudrait que ce soit parfait. Si vous deviez prendre mon apparence…

— Quoi ? s'exclama Charlotte. Lady Belcourt, je ne comprends pas…

— Moi, j'ai compris, l'interrompit Will. Si Tessa prenait l'apparence de Lady Belcourt, elle pourrait s'introduire dans l'une des soirées de De Quincey et le prendre en flagrant délit. Ainsi, l'Enclave pourrait intervenir sans enfreindre les Accords.

— Quel fin stratège ! ironisa Camille en découvrant ses dents blanches.

— Et ce serait l'occasion idéale de fouiller sa demeure, ajouta Jem. Nous pourrions en apprendre plus sur son intérêt pour ces automates. S'il tue réellement des Terrestres, nous n'avons dans l'immédiat aucune raison de supposer que c'est dans un autre but que celui de se divertir.

Il jeta à Charlotte un regard lourd de sous-entendus, et Tessa comprit que, comme elle, il pensait aux corps retrouvés dans la cave de la maison noire.

— Il faudrait trouver un moyen de prévenir l'Enclave une fois à l'intérieur de la maison, dit Will d'un air songeur, les yeux brillant déjà d'anticipation. Henry pourrait peut-être imaginer quelque chose. Ce serait formidable si nous pouvions mettre la main sur un plan de la maison…

— Will, protesta Tessa. Je ne…

— Bien sûr, vous n'iriez pas seule, la coupa Will avec impatience. J'irais avec vous. Il ne vous arriverait rien.

— Will, non, trancha Charlotte. Vous et Tessa, seuls dans une maison infestée de vampires ? C'est hors de question.

— Qui enverrais-tu avec elle sinon moi ? s'exclama Will. Tu sais que je peux la protéger, et que je suis la personne la plus indiquée pour…

— Moi, je pourrais y aller. Ou Henry…

Camille, qui observait la scène d'un air à la fois las et moqueur, intervint :

— J'ai bien peur d'être d'accord avec William. Les seules personnes admises dans ces soirées sont les amis proches de De Quincey, des vampires, et leurs assujettis humains. De Quincey a déjà rencontré Will alors qu'il se faisait passer pour un Terrestre fasciné par les sciences occultes ; il ne s'étonnera pas qu'il soit devenu un serviteur des vampires.

« Assujettis humains. » Tessa avait lu dans le *Codex* le chapitre consacré à ces créatures. Elles étaient, à l'origine, des Terrestres qui avaient prêté allégeance aux vampires. En échange de leur sang et d'un peu de compagnie, elles recevaient régulièrement du sang de vampire en petite quantité. Ce sang les enchaînait à leur maître vampire, et leur permettait, à leur mort, de devenir vampire à leur tour.

— Mais Will n'a que dix-sept ans, protesta Charlotte.

— La plupart des assujettis sont jeunes, objecta Will. Les vampires préfèrent s'entourer de serviteurs dans leur prime jeunesse : ils sont plus agréables à regarder et présentent moins de risques de transmettre du sang contaminé. Et puis, ils vivent un peu plus long-temps, ajouta-t-il, content de lui. La plupart des gens de l'Enclave ne pourraient pas se faire passer pour de jeunes et beaux assujettis…

— Parce que nous autres, commun des mortels, sommes tous hideux, c'est ça ? s'enquit Jem avec un sou-rire amusé. Pourquoi ne pourrais-je pas y aller, moi ?

— Tu sais bien pourquoi, répliqua Will d'un ton égal.

Jem, après l'avoir dévisagé pendant un bref moment, haussa les épaules en détournant les yeux.

— Je ne suis franchement pas convaincue, dit Char-lotte. Quand aura lieu la prochaine soirée, Camille ?

— Samedi.

Charlotte soupira.

— Il faut que je m'entretienne avec l'Enclave avant de donner mon accord. Et Tessa doit aussi donner le sien.

Tous les regards convergèrent vers Tessa.

— Vous pensez qu'il y a une chance que mon frère soit là ? dit-elle à Lady Belcourt.

— Je ne peux rien promettre. C'est possible. Il se peut aussi que quelqu'un là-bas sache ce qui lui est arrivé. Les Sœurs Noires étaient des habituées de ces soirées ; si on peut capturer et interroger des membres de leur entourage, on leur arrachera sans doute des réponses.

Tessa sentit son estomac se nouer.

— J'accepte, à une condition : si Nate est là-bas, il faudra le libérer et, le cas échéant, se remettre à sa recherche. Je veux être certaine qu'il ne s'agit pas seulement de mettre la main sur De Quincey. Il faut aussi sauver Nate.

— Bien sûr, répondit Charlotte. Toutefois, j'hésite, Tessa. Ce sera très dangereux…

— Vous êtes-vous déjà transformée en Créature Obscure ? demanda Will. Savez-vous seulement si c'est possible ?

Tessa secoua la tête.

— Non, mais… je peux essayer. (Elle se tourna vers Lady Belcourt.) Puis-je avoir un de vos objets personnels ? Une bague ou un mouchoir, par exemple.

Camille écarta la masse de cheveux blonds qui bouclaient sur sa nuque, défit le fermoir de son collier et, le laissant pendre entre ses doigts graciles, elle le tendit à Tessa.

— Tenez.

Les sourcils froncés, Jem s'interposa pour prendre le collier et le remit à Tessa. Il était lourd, et le pendentif serti d'un rubis de la taille d'un œuf de caille était froid au toucher. En refermant ses doigts dessus, Tessa eut l'impression de manipuler un morceau de glace. Elle prit une grande inspiration et ferma les yeux.

Cette fois, tandis que la transformation opérait, elle éprouva une sensation nouvelle. Les ténèbres l'enveloppèrent rapidement mais cette fois, la lumière qu'elle distingua au loin était froide et grise. Tessa l'attira jusqu'à elle, se nimba de son éclat à la fois glacé et brûlant, s'insinua jusque dans son cœur. La lumière se mua en parois blanches et scintillantes autour d'elle…

Elle ressentit une vive douleur en pleine poitrine et, l'espace d'un instant, sa vision se brouilla, devint écarlate. Tout, autour d'elle, prit la teinte du sang ; gagnée par la panique, elle tenta de se libérer, rouvrit les yeux…

Et se retrouva dans le Sanctuaire, avec tous les regards braqués sur elle. Camille souriait imperceptiblement ; les autres semblaient frappés de la même stupeur que lorsqu'elle avait pris l'apparence de Jessamine.

Elle était oppressée. Elle sentait un grand vide en elle : l'impression confuse qu'il lui manquait quelque chose. Son souffle s'étrangla dans sa gorge et elle se laissa choir dans un fauteuil, les mains pressées sur sa poitrine. Elle tremblait de tous ses membres.

— Tessa ?

Jem s'assit sur ses talons et lui prit la main. Elle distingua son reflet dans le miroir accroché au mur… ou, plus exactement, le reflet de Camille. Ses cheveux blonds brillants tombaient en cascade sur ses épaules, et sa poitrine laiteuse débordait du corsage de la robe de Tessa. Si elle en avait encore été capable, Tessa aurait rougi. Pour cela, il aurait fallu que son sang coule dans ses veines, et elle se rappela avec une terreur soudaine que les vampires ne respiraient pas, qu'ils ne ressentaient ni le froid ni la chaleur, et que leur cœur avait cessé de battre.

C'était donc cela, ce grand vide, cette sensation étrange qui l'étreignait ! Son cœur ne palpitait plus, il était mort. Elle prit une autre inspiration, tremblante celle-là, et s'aperçut que si elle pouvait respirer son corps, lui, ne réclamait plus d'air.

— Oh, mon Dieu, murmura-t-elle. Je... mon cœur ne bat plus. J'ai l'impression d'être morte, Jem...

D'un geste qui se voulait apaisant, il lui caressa doucement la main en levant vers elle ses yeux gris. Ils avaient la même expression qu'avant sa transformation, comme s'il voyait encore Tessa Gray.

— Vous êtes bien en vie, dit-il, si bas qu'elle seule pouvait l'entendre. Vous avez changé de peau, mais vous êtes restée la même. Savez-vous d'où me vient cette certitude ?

Elle secoua la tête.

— Vous avez dit le mot « Dieu » à l'instant. Or, les vampires en sont incapables. (Il lui étreignit la main.) Votre âme n'a pas changé.

Elle ferma les yeux et s'immobilisa un moment en se concentrant sur la pression de la main de Jem, son contact tiède sur sa peau glacée. Peu à peu, elle cessa de trembler et, ouvrant les yeux, elle ébaucha un faible sourire.

— Tout va bien, Tessa ? dit Charlotte.

Tessa se tourna vers Charlotte, qui l'observait d'un air anxieux. À son côté, Will la regardait, lui aussi, l'expression indéchiffrable.

— Il faudra que vous vous entraîniez à vous tenir correctement si vous voulez convaincre De Quincey que vous êtes bien moi, déclara Lady Belcourt. Je ne me vautrerais jamais ainsi dans un fauteuil. (Elle pencha la tête sur le côté.) Cependant, je dois reconnaître que, dans l'ensemble, je suis impressionnée. On vous a bien préparée.

Tessa songea aux Sœurs Noires. L'avaient-elles bien entraînée, comme l'affirmait Lady Belcourt ? Lui avaient-elles rendu service, malgré la haine qu'elle leur vouait, en libérant le pouvoir qui sommeillait en elle ? Ou aurait-il mieux valu qu'elle ne prenne jamais conscience de sa différence ?

Lentement, elle lâcha prise et se dépouilla de l'enveloppe de Camille avec l'impression de s'extraire d'une eau glacée. Sa main se cramponna à celle de Jem tandis qu'un frisson la parcourait de la tête aux pieds et, tel un oiseau reprenant ses esprits après avoir heurté une vitre puis s'élevant brusquement dans les airs, son cœur se remit à battre. De l'air emplit ses poumons et elle porta la main à sa poitrine ; là, ses doigts pressèrent son cœur pour en sentir les battements ténus.

Elle regarda le miroir de l'autre côté de la pièce. Elle était redevenue Tessa Gray. Un soulagement immense l'envahit.

— Mon collier, dit froidement Lady Belcourt en tendant sa main fine.

Jem prit le pendentif en rubis des mains de Tessa pour le rendre à la femme vampire ; à cet instant, Tessa remarqua qu'il y avait des mots gravés sur sa coque en argent : *AMOR VERUS NUMQUAM MORITUR*.

D'instinct, elle se tourna vers Will et s'aperçut qu'il l'observait à la dérobée. L'un et l'autre détournèrent précipitamment les yeux.

— Lady Belcourt, lança Will, puisque aucun de nous n'a jamais pénétré dans la maison de De Quincey, pourriez-vous nous procurer un plan, voire une description, de l'agencement des pièces ?

— J'ai mieux que ça, dit-elle en remettant son collier. Magnus Bane.

— Le sorcier ? fit Charlotte en haussant les sourcils.

— En effet. Il connaît la maison comme sa poche et il est souvent invité à ces soirées. Bien que, comme moi, il se soit tenu à l'écart de celles au cours desquelles des meurtres étaient commis.

— Comme c'est noble de sa part, marmonna Will.

— Il vous retrouvera là-bas pour vous guider. Personne ne s'étonnera de nous voir ensemble car, voyez-vous, Magnus Bane est mon amant.

Tessa en resta bouche bée. Ce n'était pas le genre de révélation qu'une dame était censée faire en société. Mais il en allait peut-être autrement pour les vampires. Cependant, les autres personnes présentes semblaient aussi stupéfaites qu'elle, excepté Will qui, comme à son habitude, s'efforçait de ne pas rire.

— C'est charmant, observa Charlotte après un silence.

— N'est-ce pas ? lâcha Camille en se levant. Il se fait tard et je ne me suis pas encore nourrie. Si quelqu'un veut avoir l'obligeance de me reconduire…

Charlotte, qui dévisageait Tessa avec inquiétude, demanda :

— Will, Jem, voulez-vous bien raccompagner Lady Belcourt ?

Tessa regarda les deux garçons escorter Camille jusqu'à la sortie comme des soldats – ce qu'ils étaient, en quelque sorte. Arrivée à la porte, la femme vampire se tourna à demi. Ses boucles blondes balayèrent sa joue et elle sourit ; en cet instant, elle était si belle que Tessa éprouva un pincement au cœur, qui éclipsa momentanément l'aversion instinctive qu'elle éprouvait pour elle.

— Si vous réussissez, que vous retrouviez votre frère ou non, je vous promets, petite, que vous ne le regretterez pas, dit la baronne.

Tessa fronça les sourcils – Camille s'était déjà éclipsée – et se tourna vers Charlotte.

— À votre avis, que voulait-elle dire par là ?

Charlotte secoua la tête.

— Je l'ignore. (Elle soupira.) J'aimerais croire qu'elle sous-entendait que le sentiment d'avoir accompli une bonne action vous apporterait du réconfort, mais venant de Camille…

— Est-ce que tous les vampires sont aussi… froids qu'elle ?

— La plupart existent depuis très longtemps, répondit Charlotte avec diplomatie. Ils ne voient pas les choses comme nous.

Tessa se massa les tempes.

— Je ne vous le fais pas dire.

Parmi tous les détails qui dérangeaient Will chez les vampires – leurs gestes silencieux, le timbre grave, inhumain de leur voix –, ce qui le hérissait le plus, c'est qu'ils ne sentaient rien. Les êtres humains sentaient au mieux le savon ou le parfum, au pire la sueur ; les vampires, eux, n'avaient pas plus d'odeur que des mannequins de cire.

Devant lui, Jem tenait pour leur hôte la dernière des portes menant du Sanctuaire à l'entrée de l'Institut. Tous ces lieux n'étaient pas protégés afin que les vampires et d'autres créatures du même acabit puissent y circuler, mais Camille ne pouvait s'aventurer plus avant dans l'Institut. Ce n'était pas seulement par politesse qu'on l'escortait. On s'assurait aussi qu'elle ne s'égarerait pas dans un endroit sanctifié, ce qui serait dangereux pour toutes les personnes concernées.

Camille devança Jem en le frôlant sans le regarder. Will lui emboîta le pas et ralentit à la hauteur de son ami pour marmonner :

— Elle ne sent rien.

Jem ouvrit de grands yeux.

— Quoi, tu es allé la sentir ?

Camille, qui les attendait sur le seuil d'une pièce, tourna la tête dans leur direction et sourit.

— J'entends tout ce que vous dites, vous savez. C'est vrai, les vampires n'ont pas d'odeur. Cela fait de nous de meilleurs prédateurs.

— En plus de votre ouïe aiguisée, observa Jem en laissant la porte se refermer derrière Will.

Ils se tenaient dans le petit vestibule. Camille avait posé la main sur la porte d'entrée comme si elle était pressée de prendre congé, bien que son visage ne trahît aucune impatience.

— Regardez-vous, dit-elle à Jem. Tout de noir vêtu. Vous pourriez être un vampire avec votre teint pâle et votre accoutrement. Quant à vous, ajouta-t-elle à l'intention de Will, je pense que personne ne doutera que vous êtes mon assujetti à la soirée de De Quincey.

Jem jeta un regard perçant à Camille.

— Pourquoi faites-vous cela, Lady Belcourt ?

Camille sourit. Elle était belle, Will devait bien l'admettre, mais la plupart des vampires étaient beaux. Au même titre que celle d'une fleur séchée, leur beauté lui avait toujours surtout semblé sans vie.

— Parce que les agissements de ce monstre pesaient sur ma conscience.

Jem secoua la tête.

— Vous êtes peut-être de ceux qui sont prêts à se sacrifier sur l'autel des grands principes, mais permettez-moi d'en douter. La plupart des gens agissent dans leur propre intérêt. Par amour ou par haine…

— Ou parce qu'ils cherchent à se venger, ajouta Will. Après tout, vous savez ce qui se passe depuis plus d'un an, et vous venez tout juste de nous en parler.

— C'est à cause de Miss Gray.

— Pas seulement, n'est-ce pas ? dit Jem. Tessa représente une belle opportunité, or vos motifs sont tout autres. Pourquoi détestez-vous De Quincey à ce point ?

— Je ne vois pas en quoi cela vous regarde, petit Chasseur d'Ombres, repartit Camille en découvrant ses crocs pareils à des fragments d'ivoire sur le rouge de ses lèvres.

Si Will n'ignorait pas que les vampires pouvaient sortir les crocs quand bon leur semblait, cela le déconcertait toujours.

— Pourquoi vous intéressez-vous à mes raisons ? reprit-elle.

Devinant les pensées de Jem, Will répondit pour lui :

— Parce que nous ne pouvons pas vous faire confiance. Vous nous envoyez peut-être dans la gueule du loup. Même si Charlotte ne voudrait jamais le croire, ce n'est pas impossible.

— Moi, vous tendre un piège ? fit Camille d'un ton moqueur. Et risquer les foudres de l'Enclave ? Allons donc !

— Lady Belcourt, dit Jem, quoi que Charlotte ait pu vous promettre, si vous voulez notre aide, vous devrez répondre à cette question.

— Soit, lâcha-t-elle. Je vois bien que vous ne serez pas satisfaits tant que je ne vous aurai pas donné d'explication. Vous, ajouta-t-elle en désignant Will d'un signe de tête. Vous avez vu juste. Pour un être aussi jeune, vous semblez en savoir long sur l'amour et la vengeance. Il faudrait que nous en discutions un de ces jours. (Elle sourit de nouveau sans se départir de son regard glacial.) J'avais un amant, figurez-vous, un lycanthrope. Or, vous n'êtes pas sans savoir qu'un Enfant de la Nuit n'a pas le droit d'aimer ni de partager le lit d'un Enfant de la Lune. Nous étions prudents, mais De Quincey nous a découverts. Il l'a tué en employant les mêmes moyens qu'avec le pauvre Terrestre qu'il assassinera lors de sa prochaine soirée. (Ses yeux étincelèrent.) Je l'aimais et De Quincey me l'a pris avec l'aide et le soutien d'autres de mon espèce. Je ne leur pardonnerai jamais. Tuez-les tous.

Les Accords, qui remontent maintenant à dix ans, ont marqué un moment historique pour les Nephilim et les Créatures Obscures. Désormais, les deux communautés n'essaieraient plus de se détruire et s'uniraient contre l'ennemi commun, le démon. Cinquante personnes étaient présentes lors de la signature des Accords à Idris : dix Enfants de la Nuit, dix Enfants de Lilith, dix représentants du Petit Peuple, dix Enfants de la Lune, dix descendants de Raziel...

Tessa fut réveillée en sursaut par des coups frappés à sa porte ; elle somnolait, la tête enfouie dans son oreiller, les doigts toujours agrippés au *Codex*. Après avoir reposé le livre, elle eut à peine le temps de se redresser et de rabattre les couvertures sur elle que la porte s'ouvrit.

Charlotte entra avec une lampe à la main. Tessa eut un pincement au cœur... Qui d'autre s'attendait-elle à voir ? Malgré l'heure tardive, Charlotte était habillée comme pour sortir. Son visage avait un air grave, et des plis de fatigue soulignaient ses yeux sombres.

— Vous êtes réveillée ?

Tessa hocha la tête et montra le *Codex*.

— Je lisais.

Charlotte s'assit au bout du lit. Elle ouvrit la main et un objet étincela dans sa paume ouverte : le pendentif de Tessa.

— Vous avez laissé cela entre les mains de Henry.

Tessa prit le pendentif, fit passer la chaîne par-dessus sa tête, et le poids familier du bijou au creux de sa gorge la rassura.

— A-t-il réussi à en tirer quelque chose ?

— Je ne sais pas. Il m'a dit que l'intérieur était encrassé par des années de rouille, et que c'est un miracle s'il fonctionne encore. Il a nettoyé le mécanisme, ce qui, apparemment, n'a pas changé grand-chose. Peut-être qu'il tictaque plus régulièrement maintenant ?

— Peut-être, oui.

Toute à sa joie d'avoir récupéré l'ange, symbole de sa mère et de sa vie à New York, Tessa s'en moquait éperdument.

Charlotte croisa les mains sur ses genoux.

— Tessa, il y a quelque chose que je vous ai caché.

Le cœur de Tessa se mit à battre plus vite.

— Quoi donc ?

— Mortmain… (Charlotte hésita.) Quand je vous ai raconté que Mortmain avait introduit votre frère dans le club, je ne vous ai pas dit toute la vérité. Votre frère avait déjà eu vent du monde occulte avant que Mortmain lui en parle. Apparemment, il tenait tout cela de votre père.

Stupéfaite, Tessa garda le silence.

— Quel âge aviez-vous quand vos parents sont morts ?

— C'était un accident, répondit Tessa, un peu hébétée. J'avais trois ans, Nate six.

Charlotte fronça les sourcils.

— C'est bien jeune pour se voir confier les secrets de son père mais… je suppose que ce n'est pas impossible.

— Non, protesta Tessa, non, vous ne comprenez pas. J'ai reçu l'éducation la plus ordinaire que l'on puisse imaginer. Tante Harriet était la femme la plus pragmatique du monde. Elle aurait su, n'est-ce pas ? Elle était la sœur cadette de ma mère ; ils l'ont emmenée avec eux lorsqu'ils sont partis s'installer en Amérique.

— Tout le monde a ses secrets, Tessa, même les gens que vous aimez. (Charlotte effleura la couverture du *Codex*.) Vous devez admettre que cela se tient.

— Qu'est-ce qui se tient ? Rien !

— Tessa, reprit Charlotte avec un soupir, nous ignorons d'où vous tenez votre pouvoir. Mais si l'un de vos parents était lié, d'une manière ou d'une autre, au monde surnaturel, cela aurait forcément un rapport avec cette affaire, non ? Si votre père était membre du Club Pandémonium, cela expliquerait comment De Quincey a entendu parler de vous.

— Oui, je suppose, admit Tessa à contrecœur. En arrivant à Londres, il m'a semblé que j'évoluais dans un horrible cauchemar. Je pensais qu'il me suffirait de retrouver Nate pour reprendre ma vie d'autrefois. (Elle leva les yeux vers Charlotte.) À présent, je ne peux pas m'empêcher de m'interroger : et si ma vie d'avant était un rêve et que la vérité se trouvait ici, maintenant ? Si mes parents connaissaient l'existence de ce club, s'ils fréquentaient le monde occulte, alors la vie que je désirais retrouver n'a jamais existé.

Les mains toujours croisées sur les genoux, Charlotte observa Tessa fixement.

— Vous êtes-vous déjà demandé pourquoi le visage de Sophie est balafré ?

Prise de court, Tessa ne put que bégayer :

— Je… oui, je me suis posé la question mais… je n'ai jamais osé lui en parler.

— Et je ne vous le conseille pas. La première fois que j'ai vu Sophie, elle était blottie sous un porche, sale, et se tamponnait la joue avec un mouchoir couvert de sang. Bien que je sois protégée par un charme, elle m'a vue passer devant elle. C'est ce qui a attiré mon attention. Elle possède le don de Seconde Vue, à l'instar de Thomas et d'Agatha. D'abord je lui ai offert de l'argent, qu'elle a refusé. À force de cajoleries, j'ai fini par la convaincre de m'accompagner dans un salon de thé et là, elle m'a raconté ce qui lui était arrivé. Elle était femme de chambre dans une belle maison de St. John's Wood. Vous devez savoir qu'on choisit généralement une femme de chambre en fonction de son apparence, et Sophie ne faisait pas exception. Ce fut justement sa beauté qui causa sa perte. Comme vous pouvez l'imaginer, le fils de la maison résolut de la séduire et, après qu'elle l'eut éconduit à plusieurs reprises, fou de rage, il saisit un couteau et lui lacéra le visage sous prétexte que s'il ne pouvait pas l'avoir, personne d'autre ne l'aurait.

— C'est horrible, murmura Tessa.

— Elle alla trouver sa maîtresse, la mère du garçon, mais celui-ci prétendit qu'elle avait tenté de le séduire et qu'il s'était emparé du couteau pour défendre sa vertu. Évidemment, elle fut jetée à la rue. Je l'ai emmenée à l'Institut et fait examiner par les Frères Silencieux. S'ils ont réussi à soigner l'infection due à ses blessures, ils n'ont pas pu faire disparaître sa cicatrice.

Inconsciemment, Tessa porta la main à son visage.

— Pauvre Sophie !

Charlotte regarda fixement Tessa. Elle avait tant de présence qu'il était parfois difficile de se rappeler qu'elle était minuscule.

— Sophie a un don. Elle voit ce qui échappe aux autres. Par le passé, elle s'est souvent demandé si elle était folle. Maintenant, elle sait qu'elle est un être à part. Autrefois, elle n'était qu'une femme de chambre susceptible de perdre sa place dès que sa beauté se serait fanée. Ici, elle est devenue un membre respecté de notre maisonnée, et une aide précieuse. (Charlotte se pencha vers Tessa.) Quand vous regardez en arrière, Tessa, votre ancienne vie vous semble confortable au regard de celle-ci. Mais vous et votre tante étiez très pauvres, si je ne m'abuse. Si vous n'étiez pas venue à Londres, où seriez-vous allée à sa mort ? Qu'auriez-vous fait ? Auriez-vous fini au fond d'une ruelle en train de pleurer, comme notre Sophie ? (Charlotte secoua la tête.) Vous détenez un pouvoir d'une valeur inestimable. Vous ne devez rien à personne. Vous ne dépendez de personne. Vous êtes libre, et cette liberté est un don qui n'a pas de prix.

— J'ai du mal à considérer mon don comme tel alors qu'on m'a torturée et emprisonnée à cause de lui.

— Sophie m'a dit un jour qu'elle était contente d'avoir été défigurée car, désormais, on ne pourrait l'aimer que pour ce qu'elle était réellement et non pour son joli minois. Ce pouvoir, c'est ce que vous êtes, Tessa. Dorénavant, et cela inclut vous-même, il faudra qu'on vous aime avec.

Tessa serra le *Codex* contre sa poitrine.

— Alors vous me confirmez que j'ai raison. Que la réalité est ici et maintenant, et que ce que j'ai vécu avant n'était qu'un rêve.

D'un geste affectueux, Charlotte tapota l'épaule de Tessa. Elle faillit sursauter à ce contact. Cela faisait longtemps, pensa-t-elle, que l'on n'avait pas eu de geste maternel à son égard ; elle songea à tante Harriet et sa gorge se serra.

— Il est temps de se réveiller ! conclut Charlotte.

9

L'ENCLAVE

Je n'ai ni foi ni espérance ; je peux rendre mon cœur dur comme une meule, ma figure impassible comme un silex,
Voler, être volé et puis mourir : qui sait ?
Nous ne sommes que cendre et que poussière.

Alfred Tennyson, « Maud »

— **E**ssayez encore, suggéra Will. Il vous suffit d'arpenter la pièce de long en large. Nous vous dirons si c'est convaincant.

Tessa poussa un soupir. Elle avait les paupières lourdes et la tête en feu. C'était épuisant d'apprendre à se comporter comme un vampire.

Deux jours s'étaient écoulés depuis la visite de Lady Belcourt, et Tessa avait passé le plus clair de son temps à essayer d'incarner de façon convaincante la femme vampire, sans beaucoup de succès. Elle avait encore l'impression de rester à la surface de l'esprit de Camille sans être capable de lire dans ses pensées ou de cerner sa

228

personnalité. De ce fait, il lui était difficile d'apprendre à marcher et à parler comme elle, ou de savoir comment se comporter face aux vampires qu'elle rencontrerait à la soirée de De Quincey. Vampires que Camille connaissait très bien, et que Tessa devrait faire semblant de connaître elle aussi.

Elle était dans la bibliothèque et, depuis le déjeuner, elle s'entraînait à imiter la démarche aérienne de Camille et les inflexions traînantes de sa voix. Elle avait épinglé sur son épaule une broche que l'un des assujettis de Camille, une petite créature ridée nommée Archer, avait apportée dans une malle contenant aussi une robe que Tessa devrait porter à la soirée, trop lourde et trop sophistiquée pour la journée. Tessa devait donc se contenter de sa nouvelle robe bleue et blanche, qui devenait trop étroite au niveau du buste et un peu flottante au niveau de la taille dès qu'elle prenait l'apparence de Camille.

Jem et Will avaient installé leurs quartiers sur l'une des grandes tables disposées au fond de la bibliothèque, soi-disant pour l'aider et la conseiller – plus vraisemblablement pour se moquer d'elle.

— Vous écartez trop les pieds quand vous marchez, poursuivit Will.

Comme il était occupé à essuyer une pomme avec le devant de sa chemise, il ne remarqua pas le regard meurtrier de Tessa.

— Camille se déplace avec l'élégance d'un faon en forêt et non comme un canard.

— Je ne marche pas comme un canard.

— Moi, j'aime bien les canards, observa Jem avec diplomatie. Surtout ceux de Hyde Park.

Il jeta un regard en coin à Will ; les deux garçons étaient assis au bord de la table, les jambes pendantes.

— Tu te souviens quand tu as voulu me convaincre de les nourrir avec de la tourte au poulet pour créer une race cannibale ? reprit-il.

— Ils l'ont mangée, lui rappela Will. Ces petites bestioles sont assoiffées de sang. Ne jamais se fier à un canard.

— Vous permettez ? s'écria Tessa d'un ton irrité. Si vous n'avez pas l'intention de m'aider, vous feriez mieux de sortir, tous les deux. Je ne vous laisse pas rester ici pour vous entendre parler de canards.

— Votre impatience est indigne d'une dame, dit Will avec un grand sourire. Peut-être que c'est la nature de vampire de Camille qui s'affirme.

Tessa s'étonna de son ton badin. Quelques jours plus tôt, il s'en était violemment pris à elle. Plus tard, il l'avait suppliée de ne pas informer les autres de l'état de Jem. Et maintenant, il la taquinait comme si elle était la petite sœur d'un ami, quelqu'un qu'il pouvait traiter avec familiarité, à qui il songeait peut-être avec affection, mais pour qui ses sentiments n'avaient rien de complexe.

Tessa se mordit la lèvre et grimaça de douleur. Les crocs de Camille – les siens, donc – semblaient gouvernés par un instinct qu'elle ne comprenait pas. Ils sortaient sans raison et ne l'alertaient de leur présence que lorsqu'ils transperçaient la peau fragile de sa lèvre inférieure. Sentant le goût du sang sur sa langue, elle porta les doigts à sa bouche ; quand elle les retira, ils étaient tachés de rouge.

— Ne vous en faites pas, dit Will en se levant. Vous cicatriserez très vite.

Tessa tâta son incisive gauche du bout de sa langue. Elle avait retrouvé sa forme initiale.

— Je ne comprends pas ce qui les fait sortir comme ça !

— La faim, répondit Jem. Vous pensiez au sang ?

— Non.

— Vous pensiez à me mordre ? demanda Will.

— Non !

— Personne ne vous en blâmerait, lâcha Jem. Il est très agaçant.

Tessa soupira.

— Je n'arrive pas à cerner Camille. Alors, comment l'incarner ?

Jem observa Tessa avec insistance.

— Parvenez-vous à pénétrer ses pensées, comme pour les autres personnes dont vous avez pris l'apparence ?

— Pas encore. J'essaie. J'ai quelques flashes de temps à autre, mais j'ai l'impression que ses pensées sont verrouillées.

— Eh bien, espérons que vous réussirez à régler ce problème d'ici à demain soir, déclara Will. Ou je ne parierais pas beaucoup sur nos chances.

— Will, marmonna Jem, ne dis pas cela.

— Tu as raison. Je ne devrais pas sous-estimer mes capacités. Si Tessa déclenche une catastrophe, je suis certain que je saurai nous arracher aux griffes d'une horde de vampires sanguinaires.

Jem se contenta d'ignorer cette remarque, conformément à une habitude acquise de longue date, s'aperçut Tessa.

— Peut-être que vous pouvez pénétrer uniquement les pensées des morts, suggéra-t-il. Peut-être que la plupart des objets remis par les sœurs provenaient de personnes qu'elles avaient assassinées.

— Non. Quand j'ai pris l'apparence de Jessamine, j'ai pu lire dans ses pensées. Donc, Dieu merci, ce n'est pas le cas. C'eût été un talent pour le moins morbide.

Jem considéra Tessa d'un air songeur. L'intensité de son regard la mit presque mal à l'aise.

— Jusqu'à quel point pouvez-vous lire les pensées des morts ? Par exemple, si je vous donnais un objet ayant appartenu à mon père, sauriez-vous à quoi il pensait quand il est mort ?

Ce fut au tour de Will de montrer des signes d'inquiétude.

— James, je ne crois pas…

Il s'interrompit, car la porte venait de s'ouvrir. Charlotte entra, suivie d'une douzaine d'hommes que Tessa voyait pour la première fois.

— L'Enclave, murmura Will en faisant signe à Jem et à Tessa de se dissimuler derrière une étagère.

De leur cachette, ils virent la salle se remplir de Chasseurs d'Ombres. Tessa compta deux femmes parmi eux, et se rappela les paroles de Will au sujet de Boudicca. Selon lui, les femmes pouvaient elles aussi être des guerrières. La plus grande des deux Chasseuses d'Ombres, qui devait mesurer près d'un mètre quatre-vingts, avait des cheveux d'un blanc neigeux rassemblés en chignon sur la nuque. Âgée d'une bonne soixantaine d'années, elle avait une allure majestueuse. L'autre femme, plus jeune, avait des cheveux bruns, des yeux de chat et des manières réservées.

Les hommes formaient un groupe très hétérogène. Le plus âgé de tous, de haute taille, était entièrement vêtu de gris, et sa peau comme ses cheveux étaient aussi gris que ses vêtements. Il avait un visage osseux au long nez aquilin et au menton pointu, des yeux injectés de sang et des pommettes saillantes. À ses côtés se tenait le benjamin du groupe, un garçon à peine plus âgé que Jem et Will. Il était beau, avec ses traits à la fois anguleux et réguliers, ses cheveux bruns ébouriffés et son air sérieux.

Jem poussa une exclamation de surprise et de dégoût.

— Gabriel Lightwood, marmonna-t-il à l'intention de Will. Qu'est-ce qu'il fait ici ? Je croyais qu'il était scolarisé à Idris.

Will n'avait pas bougé. Il regardait le garçon brun les sourcils levés, un léger sourire sur les lèvres.

— Ne va pas lui chercher querelle, Will, ajouta Jem précipitamment. Pas ici.

— C'est beaucoup demander, tu ne trouves pas ? répliqua Will sans regarder Jem.

Il s'était penché pour mieux voir Charlotte qui guidait les Chasseurs d'Ombres vers la grande table sur le devant de la salle et les pressait de s'asseoir.

— Frederick Ashdown et George Penhallow ici, s'il vous plaît, lança-t-elle. Lilian Highsmith, si vous voulez bien vous asseoir près de la carte…

— Où est Henry ? demanda l'homme aux cheveux gris d'un ton brusque. Votre époux ! En tant que codirecteur de l'Institut, il devrait être ici.

Charlotte hésita une fraction de seconde avant de plaquer un sourire crispé sur son visage.

— Il arrive, Mr Lightwood, répondit-elle.

Tessa comprit, un, que l'homme aux cheveux gris était le père de Gabriel Lightwood et, deux, que Charlotte mentait.

— Il a intérêt, marmonna Mr Lightwood. Une réunion de l'Enclave sans le directeur de l'Institut… ce n'est pas réglementaire.

À cet instant, il se retourna, et bien qu'il ne fallût qu'un instant à Will pour plonger derrière l'étagère, il était trop tard. L'homme plissa les yeux.

— Qui se cache là-bas ? Sortez et montrez-vous !

Will lança un regard à Jem, qui haussa les épaules.

— Il est inutile de se terrer jusqu'à ce qu'ils nous traînent hors de notre cachette, non ?

— Parlez pour vous, siffla Tessa. Je n'ai pas envie que Charlotte s'en prenne à moi parce que nous ne sommes pas censés être ici.

— Ne vous mettez pas dans un état pareil. Je ne vois pas comment vous auriez pu savoir que l'Enclave se réunissait, et Charlotte en est parfaitement consciente, elle aussi, rétorqua Will. Elle sait toujours qui blâmer. (Il sourit.) Cependant, si j'étais vous, je réintégrerais mon corps, si vous voyez ce que je veux dire. Il est inutile d'effrayer ces bonnes gens.

— Oh !

Pendant un bref instant, Tessa avait oublié qu'elle avait pris l'apparence de Camille. Elle se dépêcha de procéder à la transformation et, quand ils émergèrent tous trois de derrière l'étagère, elle était redevenue elle-même.

— Will. (Charlotte soupira en l'apercevant puis secoua la tête à l'intention de Jem et de Tessa.) Je t'avais pourtant prévenu que l'Enclave se réunissait ici à quatre heures.

— Vraiment ? fit-il. J'ai dû oublier. J'en suis terriblement désolé. (Il jeta un coup d'œil à sa gauche et sourit.) Bonjour, Gabriel.

Le garçon brun le gratifia d'un regard furieux. Il avait des yeux d'un vert limpide et, tout en dévisageant Will, il pinça les lèvres d'un air dégoûté.

— William, dit-il enfin, au prix d'un effort visible. (Il reporta le regard sur Jem.) Et James. Vous n'êtes pas un peu jeunes pour assister aux réunions de l'Enclave ?

— Et toi ? répliqua Jem.

— J'ai eu dix-huit ans en juin, lâcha Gabriel en se penchant en arrière sur sa chaise. Désormais, j'ai le droit de participer aux activités de l'Enclave.

— Fascinant, ironisa la femme aux cheveux blancs qui avait tant impressionné Tessa. C'est donc elle la jeune sorcière dont tu nous as parlé, Lottie ? Elle n'est pas très impressionnante.

— Magnus Bane ne m'a pas impressionné non plus la première fois que je l'ai vu, lança Mr Lightwood en posant un regard curieux sur Tessa. Allez-y. Montrez-nous ce que vous savez faire.

— Je ne suis pas une sorcière, protesta Tessa avec colère.

— Vous appartenez forcément à une espèce, ma fille, dit la femme. Si vous n'êtes pas une sorcière, alors qu'êtes-vous ?

Charlotte se redressa sur son siège.

— Ça suffit ! Miss Gray nous a déjà prouvé sa bonne foi. C'est assez pour le moment. Attendons au moins que l'Enclave ait décidé d'utiliser ses talents.

— Cela va de soi ! s'exclama Will. Nous n'avons aucune chance de réussir sans elle…

Gabriel laissa retomber sa chaise sur le sol avec tant de force qu'un craquement sonore s'éleva.

— Mrs Branwell, s'écria-t-il avec colère, William n'est-il pas trop jeune pour participer à une réunion de l'Enclave ?

Le regard de Charlotte se posa tour à tour sur le visage cramoisi de Gabriel et la mine placide de Will. Elle poussa un soupir.

— Si. Will, Jem, veuillez s'il vous plaît attendre dans le couloir avec Tessa…

Will se rembrunit, mais Jem lui jeta un regard lourd de sous-entendus, et il se résigna à garder le silence.

— Je vais vous montrer la sortie, annonça Gabriel Lightwood d'un ton triomphant en se levant d'un bond.

Après avoir escorté les trois jeunes gens jusqu'à la porte, il sortit dans le couloir derrière eux.

— Toi, cracha-t-il à l'intention de Will en baissant la voix pour ne pas être entendu de ceux qui étaient restés dans la bibliothèque. Où que tu ailles, il faut que tu déshonores le nom des Chasseurs d'Ombres.

Will s'adossa au mur et le toisa d'un air tranquille.

— J'ignorais qu'il y avait encore un nom à déshonorer, après ce que ton père…

— Je te saurais gré de ne pas parler de ma famille ! rugit Gabriel en refermant la porte de la bibliothèque.

— Il est bien regrettable que je n'aie que faire de ta gratitude.

Gabriel le regarda bouche bée, les yeux étincelant de rage. En cet instant, il rappelait quelqu'un d'autre à Tessa, sans qu'elle sache qui.

— Quoi ? fit-il.

— Il veut dire, expliqua Jem, qu'il se moque de tes remerciements.

Les joues de Gabriel s'empourprèrent.

— Si tu n'étais pas mineur, Herondale, je te provoquerais en combat singulier. Je te taillerais en pièces…

— Arrête, Gabriel, dit Jem avant que Will puisse répondre. Pousser Will à se battre en duel, c'est un peu comme punir un chien après l'avoir incité à mordre. Tu sais comment il est.

— Mille mercis, James, lâcha Will sans quitter Gabriel des yeux. Ton témoignage me flatte.

Jem haussa les épaules.

— C'est la vérité.

Gabriel lui jeta un regard noir.

— Reste en dehors de ça, Carstairs. Ce ne sont pas tes affaires.

Jem se rapprocha de la porte et de Will qui se tenait parfaitement immobile en soutenant le regard de Gabriel sans ciller. Tessa sentit ses cheveux se dresser sur sa nuque.

— Si ça concerne Will, ça me concerne aussi, dit Jem.

Gabriel secoua la tête.

— Tu es un bon Chasseur d'Ombres, James, et un gentleman. Personne ne te reproche ton… infirmité. Mais ça… (Il pointa le doigt dans la direction de Will.) Cette racaille te tire vers le bas. Trouve-toi un autre *parabatai*. De toute manière, Will Herondale ne fera pas de vieux os, et il n'y aura personne pour le regretter…

— Ce ne sont pas des choses à dire ! s'exclama Tessa avec indignation.

Interrompu au milieu de sa diatribe, Gabriel se figea, ébahi, comme si l'une des tapisseries s'était mise à parler.

— Je vous demande pardon ?

— Vous m'avez entendue. Vos paroles sont inexcusables ! (Elle secoua la manche de Will.) Venez, Will. Ce… cette personne ne mérite pas qu'on perde son temps pour elle.

Will semblait énormément s'amuser.

— C'est vrai.

— Vous… vous… bégaya Gabriel sous l'effet de la colère. Vous n'avez pas la moindre idée de ce qu'il a fait…

— Et je m'en moque. Vous êtes tous des Nephilim, non ? Vous êtes censés être dans le même camp. (Tessa lui jeta un regard noir.) Vous devez des excuses à Will.

— Plutôt me faire éviscérer que de présenter des excuses à ce moins que rien !

— Charmant, dit Jem, désinvolte. Tu ne penses pas ce que tu dis, rassure-moi ? Je ne parle pas de Will, évidemment, mais de cette histoire d'éviscération. C'est répugnant.

— Je suis sérieux, répliqua Gabriel qui s'échauffait de plus en plus. J'aimerais mieux plonger dans une cuve pleine de venin de Malphas et laisser mon corps se dissoudre lentement jusqu'à ce qu'il ne reste que mes os.

— Ah oui ? dit Will. Il se trouve que je connais quelqu'un qui peut nous fournir une cuve pleine de…

La porte de la bibliothèque s'ouvrit et Mr Lightwood se planta sur le seuil.

— Gabriel, dit-il d'un ton glacial, as-tu l'intention d'assister à la réunion – ta première réunion avec l'Enclave, dois-je te le rappeler – ou préfères-tu jouer dans le couloir avec les autres enfants ?

Ce commentaire sembla déplaire à tout le monde, et en particulier à Gabriel qui, après avoir avalé péniblement sa salive, hocha la tête, lança un ultime regard meurtrier à Will et suivit son père en claquant la porte derrière eux.

— Eh bien, fit Jem, cela s'est aussi mal passé que ce que je craignais. Est-ce la première fois que tu le revois depuis le réveillon de Noël de l'année dernière, Will ?

— Oui. J'aurais peut-être dû lui dire qu'il m'avait manqué, non ?

— Non.

— Est-il toujours aussi désagréable ? s'enquit Tessa.

— Vous devriez rencontrer son frère aîné, lâcha Jem. En comparaison, Gabriel est doux comme un agneau. Son frère déteste Will encore plus que lui, si c'est possible.

À cette remarque, Will sourit de toutes ses dents et s'éloigna dans le couloir en sifflotant. Après une hésitation, Jem lui emboîta le pas en faisant signe à Tessa de le suivre.

— Pourquoi Gabriel Lightwood vous déteste-t-il autant, Will ? demanda Tessa tandis qu'ils marchaient. Qu'est-ce que vous lui avez fait ?

— À lui, rien, répondit Will en accélérant le pas. C'est au sujet de sa sœur.

Tessa jeta un regard en coin à Jem, qui haussa les épaules.

— Où qu'aille notre Will, on trouve toujours une demi-douzaine de demoiselles en colère prétendant qu'il a porté atteinte à leur vertu.

— C'est la vérité ? insista Tessa en se pressant pour rejoindre les garçons. Avez-vous vraiment porté atteinte à sa vertu ?

Elle avait du mal à les suivre avec ses jupes pesantes qui lui entravaient les chevilles. Les robes de Bond Street avaient été livrées la veille, et elle commençait seulement à s'habituer à porter des tenues aussi coûteuses. Elle se souvint des robes légères qu'elle portait enfant lorsqu'elle était encore capable de courir aussi vite que son frère, de lui décocher un coup de pied dans la cheville et de le distancer en étant certaine qu'il ne la rattraperait pas. Elle se demanda vaguement ce qu'il adviendrait si elle s'essayait à la même tricherie avec Will. Elle doutait que cela tournerait à son avantage, mais l'idée avait un certain attrait.

— Vous posez beaucoup de questions, dit-il en tournant brusquement à gauche avant de s'engager dans un escalier étroit.

— Je l'admets. Qu'est-ce qu'un *parabatai* ? Et pourquoi le père de Gabriel est-il un déshonneur pour les Chasseurs d'Ombres ?

— *Parabatai* est un mot grec qui désigne un soldat associé à un conducteur de char, répondit Jem. Dans la bouche des Nephilim, il fait référence à un duo de guerriers, à deux hommes qui ont juré de se protéger.

— Deux hommes ? Est-ce que l'équivalent existe avec deux femmes, ou avec un homme et une femme ?

— Je croyais vous avoir entendue dire que les femmes n'avaient pas d'instinct guerrier, lâcha Will sans se retourner. Quant au père de Gabriel, disons qu'il est connu pour aimer les démons et les Créatures Obscures plus qu'il ne devrait. Je ne serais pas étonné que les visites nocturnes de Lightwood senior dans certains établissements de Shadwell lui aient valu une bonne vérole démoniaque.

— Une vérole démoniaque ? répéta Tessa, à la fois fascinée et horrifiée. Qu'est-ce que c'est ?

Jem s'empressa de la rassurer.

— Il raconte n'importe quoi. Franchement, Will. Combien de fois faudra-t-il te dire que la vérole démoniaque n'existe pas ?

Will s'était arrêté devant une porte étroite au détour de l'escalier.

— Je crois que c'est ici, dit-il comme pour lui-même en secouant la poignée.

Comme rien ne se produisait, il sortit sa stèle de sa poche et traça une Marque noire sur la porte. Elle s'ouvrit brusquement dans un nuage de poussière.

Jem le suivit à l'intérieur et, après un moment d'hésitation, Tessa fit de même. Elle se retrouva dans une petite pièce dont la seule source de lumière provenait d'une fenêtre en ogive percée en haut du mur opposé. Une clarté laiteuse éclairait des malles et des boîtes entassées sur le sol. La pièce aurait pu passer pour une réserve si des armes d'un autre âge – glaives ou masses hérissées de pointes, le tout couvert de rouille – n'avaient pas été empilées dans les coins.

Will déplaça l'une des malles pour faire de la place et, ce faisant, souleva un nuage de poussière. Jem toussa et lui jeta un regard lourd de reproches.

— Qu'est-ce que tu fabriques ? demanda-t-il.

— Tu verras bien. Attends, il faut que j'en déplace une autre.

Tandis qu'il poussait une énorme malle contre le mur, Tessa jeta un regard en coin à Jem.

— Que voulait dire Gabriel par « infirmité » ? s'enquit-elle à voix basse pour ne pas être entendue de Will.

L'espace d'une seconde, Jem parut surpris.

— Il parlait de ma santé fragile, voilà tout.

Il mentait, Tessa s'en rendait compte. Il avait le même regard que Nate dans ces cas-là : un peu trop fixe pour être honnête. Mais avant qu'elle ait pu ajouter quelque chose, Will se tourna vers eux.

— Et voilà. Venez vous asseoir.

À ces mots, il s'assit sur le plancher sale ; Jem s'installa à côté de lui. Tessa hésita. Will, qui avait sorti sa stèle de sa poche, la regarda avec un sourire narquois.

— Vous ne venez pas vous joindre à nous, Tessa ? Je suppose que vous ne voulez pas tacher la jolie robe que Jessamine vous a achetée.

« Tout juste, Auguste ! » Tessa n'avait aucune envie d'abîmer le plus beau vêtement qu'il lui ait été donné de porter. Cela étant, le ton moqueur de Will l'agaçait plus que la perspective de tacher sa robe. Les lèvres serrées, elle s'assit face aux deux garçons.

Will appliqua la pointe de sa stèle sur le plancher poussiéreux et se mit à la déplacer. Tessa regarda, fascinée, des lignes noires s'en échapper, non pas comme de l'encre s'échappant d'une plume mais comme si elles avaient toujours existé, et que Will se contentait de les redécouvrir.

Il avait presque terminé quand Jem, reconnaissant manifestement la Marque que son ami dessinait, poussa une exclamation de surprise.

— Qu'est-ce que tu...

Will leva la main.

— Tais-toi ! Si je rate mon coup, on pourrait bien passer à travers le sol.

Jem roula les yeux, mais Will avait déjà fini. Tessa étouffa un cri de stupéfaction : les planches gauchies qui la séparaient des deux garçons semblèrent miroiter et soudain, elles devinrent aussi transparentes que du verre. Oubliant sa robe, elle se pencha en avant et s'aperçut que ce qu'elle voyait était la bibliothèque, sa grande table ronde autour de laquelle s'était réunie l'Enclave, Charlotte assise entre Benedict Lightwood et la femme élégante aux cheveux blancs. Même vue sous cet angle, Charlotte était facilement reconnaissable à son chignon soigné et aux mouvements vifs de ses petites mains tandis qu'elle parlait.

— Pourquoi avoir choisi cet endroit ? demanda Jem à voix basse. Nous aurions pu aller dans la salle d'armes. Elle jouxte la bibliothèque.

— C'est aussi simple de les écouter d'ici, répondit Will. Et puis, qui sait si l'un d'eux ne va pas décider d'aller visiter la salle d'armes au beau milieu de la réunion pour vérifier nos stocks ? C'est déjà arrivé.

Tessa, fascinée, perçut un murmure de voix.

— Ils peuvent nous entendre ?

Will secoua la tête.

— L'enchantement ne fonctionne que dans un sens. (Il fronça les sourcils.) De quoi parlent-ils ?

Les trois jeunes gens se turent, et la voix de Benedict Lightwood leur parvint distinctement.

— Je ne sais pas, Charlotte, disait-il. Ce plan me semble risqué.

— Mais nous ne pouvons pas laisser De Quincey continuer, protesta-t-elle. Il est le chef des clans de Londres. Les autres Enfants de la Nuit prennent exemple sur lui. En le laissant enfreindre la Loi avec autant de désinvolture, quel message enverrons-nous au Monde Obscur ? Que les Nephilim sont devenus laxistes ?

— Si je vous comprends bien, lâcha Lightwood, vous êtes disposée à croire les affirmations de Lady Belcourt selon lesquelles De Quincey, un allié de longue date de l'Enclave, assassine des Terrestres dans sa propre maison ?

— Je m'étonne de votre surprise, Benedict, répliqua Charlotte d'un ton cassant. Vous suggérez qu'il faut ignorer le témoignage de Lady Belcourt, malgré le fait qu'elle nous ait toujours fourni des renseignements fiables par le passé ? Si elle dit la vérité, nous aurons sur les mains le sang de tous les innocents massacrés par De Quincey.

— Sans oublier que la Loi nous oblige à enquêter sur toutes les allégations concernant des infractions aux règles du Covenant, ajouta un jeune homme mince et brun assis de l'autre côté de la table. Vous le savez aussi bien que nous, Benedict, mais vous préférez vous obstiner.

Charlotte laissa échapper un soupir et Lightwood se rembrunit.

— Merci, George, déclara-t-elle. J'apprécie votre soutien.

La femme de haute taille qui avait appelé Charlotte Lottie partit d'un rire caverneux.

— N'en fais pas trop, Charlotte. Admets que toute cette affaire est bizarre. Une métamorphe dont on ne sait

244

si elle est ou non une sorcière, des maisons closes remplies de cadavres et un informateur qui jure avoir vendu à De Quincey des pièces mécaniques… une allégation que tu sembles considérer comme un élément de preuve irréfutable malgré ton refus de nous communiquer le nom de l'informateur en question.

— J'ai juré de le tenir en dehors de cette affaire, protesta Charlotte. Il craint De Quincey.

— S'agit-il d'un Chasseur d'Ombres ? demanda Lightwood d'un ton autoritaire. Car dans le cas contraire, il n'est pas digne de confiance.

— Franchement, Benedict, vous avez des idées dépassées, grommela la femme aux yeux de chat. À vous entendre, on pourrait croire que les Accords n'ont jamais existé.

— Lilian a raison, vous êtes ridicule, Benedict, renchérit George Penhallow. Chercher un informateur totalement digne de confiance revient à chercher une maîtresse chaste. Quand ils sont tout à fait honnêtes, ils ne servent à rien. Un informateur se contente de fournir des renseignements ; c'est notre rôle de les vérifier, comme le suggère Charlotte.

— Je n'aime pas que l'on abuse des pouvoirs de l'Enclave, c'est tout, objecta Lightwood d'un ton doucereux.

Tessa trouvait fort étrange de voir ces adultes distingués s'appeler par leur prénom sans la moindre cérémonie. Apparemment, c'était la coutume chez les Chasseurs d'Ombres.

— Dans le cas d'un vampire ayant une dent contre le chef de son clan et désirant peut-être le voir destitué, quoi de mieux que de manigancer afin que l'Enclave fasse la sale besogne à sa place ?

— Diable, marmonna Will en échangeant un regard avec Jem. Comment est-il au courant ?

Jem secoua la tête, signifiant par là qu'il n'en avait aucune idée.

— Au courant de quoi ? chuchota Tessa, mais sa voix fut noyée sous celles de Charlotte et de la femme aux cheveux blancs, qui avaient pris la parole en même temps.

— Camille ne ferait jamais cela ! s'exclama Charlotte. Tout d'abord, elle n'est pas stupide. Elle connaît le châtiment réservé à ceux qui nous mentent !

— Benedict marque un point, intervint l'autre femme. Il aurait mieux valu que ce soit un Chasseur d'Ombres qui voie De Quincey enfreindre la Loi…

— Mais c'est là le but de toute cette entreprise ! dit Charlotte, dont la voix trahissait de la nervosité et un besoin éperdu de se justifier. Prendre De Quincey sur le fait, tante Callida.

— Oui, c'est la tante de Charlotte, la sœur de son père qui dirigeait autrefois l'Institut, expliqua Jem devant l'air surpris de Tessa. Elle aime bien dicter leur conduite aux gens, alors qu'elle-même n'en fait qu'à sa tête.

— Exact, renchérit Will. Sais-tu qu'un jour elle m'a fait des avances ?

Jem parut pour le moins incrédule.

— Allons, dit-il.

— Mais si ! Elle s'est comportée de façon scandaleuse. J'aurais probablement accédé à sa requête si elle ne m'effrayait pas autant.

Jem se contenta de secouer la tête et reporta son attention sur la scène qui se déroulait dans la bibliothèque.

— Vous oubliez le sceau de De Quincey que l'on a retrouvé à l'intérieur du corps de l'automate, disait Charlotte. Il y a trop d'éléments qui le lient à cette affaire pour qu'on s'abstienne d'enquêter.

— Je suis d'accord, déclara Lilian. Pour ma part, je m'inquiète au sujet de ces créatures mécaniques. Fabriquer une domestique, passe… mais s'il décidait de créer toute une armée ?

— C'est de la pure hypothèse, Lilian, lâcha Frederick Ashdown.

Lilian balaya la remarque d'un revers de main.

— Un automate n'est ni séraphique ni démoniaque par nature. Ce n'est pas un enfant de Dieu ou du diable. Et si nos armes ne pouvaient rien contre eux ?

— Je crois que vous imaginez un problème qui n'en est pas un, dit Benedict Lightwood. Cela fait des années que les automates existent ; les humains sont fascinés par ces créatures. Elles n'ont jamais constitué une menace.

— Jusqu'à présent, on n'avait jamais eu recours à la magie pour les créer, objecta Charlotte.

— C'est vous qui le dites, répliqua Lightwood avec impatience.

Charlotte se redressa ; seuls Tessa et les deux garçons pouvaient voir que ses mains étaient crispées sur ses genoux.

— Il semble, Benedict, que vous soyez inquiet à l'idée de punir De Quincey pour un crime qu'il n'a pas commis et, de fait, compromettre les relations entre les Enfants de la Nuit et les Nephilim. C'est bien cela ?

Benedict Lightwood hocha la tête.

— Mais, dans un premier temps, le plan de Will implique seulement d'observer De Quincey, poursuivit-elle. Si nous ne pouvons pas le prendre sur le fait, nous ne tenterons rien contre lui, et nos rapports avec son clan ne seront pas menacés. Si, en revanche, nous arrivons à le confondre, cette alliance n'aura été qu'une imposture. Nous ne pouvons pas le laisser enfreindre la Loi, bien qu'il soit plus… confortable pour nous d'ignorer les faits.

— Je suis d'accord avec Charlotte, dit Gabriel Lightwood, qui prenait la parole pour la première fois, ce qui ne manqua pas de surprendre Tessa. Son plan me paraît solide, à un détail près : pourquoi avoir choisi Will Herondale pour accompagner la métamorphe ? Il n'a même pas l'âge d'assister à cette réunion. Pourquoi lui confier une mission d'une telle importance ?

— Espèce de petit sournois ! s'exclama Will en se penchant comme s'il cherchait à franchir la fenêtre magique pour étrangler Gabriel. Attends qu'on se retrouve seuls…

— C'est moi qui devrais aller avec elle, poursuivit Gabriel. Moi, je saurais la protéger.

— Il ne vaut pas la corde pour le pendre, admit Jem qui se retenait de rire.

— Tessa connaît Will, protesta Charlotte. Elle lui fait confiance.

— Il ne faut rien exagérer, marmonna Tessa.

— En outre, reprit Charlotte, c'est Will qui est à l'origine de ce plan, et c'est aussi lui que De Quincey reconnaîtra du Club Pandémonium. Une fois dans la maison, il saura quoi chercher pour établir le lien entre De Quincey, les automates et les Terrestres assassinés.

Will est un excellent enquêteur, Gabriel, et un bon Chasseur d'Ombres. Accordez-lui cela.

Gabriel se renfonça dans son siège et croisa les bras.

— Je ne lui accorde rien.

— Alors Will et votre sorcière pénètrent dans la maison, s'infligent la soirée de De Quincey jusqu'à ce qu'ils soient témoins d'une infraction, puis ils nous alertent… Comment vont-ils s'y prendre ? s'enquit Lilian.

— Ils utiliseront l'invention de Henry, répondit Charlotte d'une voix un peu tremblante. Le Phosphore. Cet appareil permet de projeter une lumière extrêmement puissante qui illuminera les fenêtres de la maison pendant un bref instant. Ce sera le signal.

— Oh, pas encore une invention de Henry ! s'exclama George.

— J'avoue qu'il y a eu quelques tâtonnements au début avec le Phosphore, mais Henry m'a fait une démonstration hier soir, protesta Charlotte. Il fonctionne à merveille.

Frederick ricana.

— Vous vous souvenez de la dernière fois où Henry nous a proposé d'utiliser une de ses inventions ? Nous avons mis des jours pour ôter les entrailles de poisson sur nos tenues de combat.

— Mais nous n'étions pas censés nous en servir à proximité d'un plan d'eau… bredouilla Charlotte de la même voix tremblante.

Cependant, les autres s'étaient déjà lancés dans une conversation animée sur les inventions défectueuses de Henry et leurs conséquences désastreuses. Charlotte se mura dans le silence. « Pauvre Charlotte », songea Tessa.

Charlotte, pour qui l'autorité était une qualité si importante, et si chèrement acquise.

— Quelle bande de malappris ! Lui couper ainsi la parole… marmonna Will.

Tessa le dévisagea avec surprise. Il regardait la scène qui se déroulait à ses pieds, les poings serrés. « Il est donc attaché à Charlotte », pensa-t-elle en s'étonnant de l'émotion que lui procurait cette découverte. Peut-être que Will avait des sentiments, après tout.

Non que cela la concernât, bien entendu. Elle reporta vivement son attention sur Jem, qui semblait aussi décontenancé que son ami.

— Où est Henry ? Il devrait déjà être là, non ?

Comme en réponse à sa question, la porte de la réserve s'ouvrit dans un craquement sonore et, faisant volte-face, les trois jeunes gens découvrirent un Henry hagard et échevelé sur le seuil. Il tenait à la main le tube en cuivre qui avait failli briser un bras à Will lorsqu'il était tombé du buffet de la salle à manger.

Will le considéra avec appréhension.

— Tiens ce maudit objet loin de moi !

Henry, le visage cramoisi et luisant de sueur, les dévisagea tous trois d'un air horrifié.

— Bon sang ! s'exclama-t-il. Je cherchais la bibliothèque. L'Enclave…

— Se réunit en ce moment même, dit Jem. Oui, nous sommes au courant. C'est à l'étage d'au-dessous, Henry. Troisième porte à droite. Et tu ferais mieux d'y aller, Charlotte t'attend.

— Je sais, gémit Henry. Zut, zut, zut ! J'essayais juste de faire fonctionner le Phosphore.

— Henry, reprit Jem, Charlotte a besoin de toi.

— D'accord.

Henry se détourna, puis fit volte-face et les regarda fixement. La confusion se peignit sur son visage criblé de taches de rousseur, comme s'il venait seulement de s'interroger sur la raison de la présence de Will, de Jem et de Tessa dans une réserve inutilisée.

— Qu'est-ce que vous fabriquez ici, tous les trois ?

Will sourit.

— On joue aux charades. Quel jeu passionnant !

— Ah. Dans ce cas, fit Henry avant de se précipiter hors de la pièce en laissant la porte se refermer derrière lui.

— Aux charades ? fit Jem avec un ricanement de dégoût.

Il se pencha de nouveau, les coudes sur les genoux, au moment où Callida prenait la parole.

— Franchement, Charlotte, quand admettras-tu que ce n'est pas Henry qui dirige cet endroit, et que tu dois tout gérer seule ? Avec l'assistance de James Carstairs et de William Herondale, peut-être, mais ils ont à peine dix-sept ans. Sont-ils réellement à même de t'aider ?

Charlotte poussa un grognement.

— C'est trop de travail pour une seule personne, et en particulier pour une femme aussi jeune, renchérit Benedict. Vous n'avez que vingt-trois ans. Si vous consentiez à laisser votre place…

« Seulement vingt-trois ans ! » Tessa était surprise. Elle avait cru Charlotte beaucoup plus âgée, sans doute à cause de son sérieux.

— Voilà cinq ans que le consul Wayland nous a confié, à moi et à mon mari, la direction de l'Institut, rétorqua Charlotte qui, visiblement, avait retrouvé sa voix. Si vous avez des objections concernant son choix, je vous suggère d'en discuter avec lui. D'ici là, laissez-moi diriger l'Institut comme bon me semble.

— Cela n'inclut pas votre plan, j'espère ? Il est toujours soumis au vote ? grommela Benedict Lightwood. À moins que vous ayez décidé de gouverner par décret maintenant ?

— Ne soyez pas ridicule, Lightwood, lança Lilian avec colère sans laisser à Charlotte le temps de répondre. Bien sûr que nous voterons. Ceux qui sont pour l'intervention chez De Quincey, levez la main.

À la surprise de Tessa, le plan de Charlotte fut approuvé à l'unanimité. La discussion avait pourtant été suffisamment houleuse pour lui faire penser qu'au moins une des personnes présentes s'y opposerait. Jem sourit devant son air ébahi.

— C'est toujours comme ça, murmura-t-il. Ils aiment les jeux de pouvoir, mais aucun d'eux n'irait voter non dans un cas pareil. On les taxerait de lâches.

— Très bien, déclara Benedict. C'est donc pour demain soir. Tout le monde est prêt ? Y a-t-il…

La porte de la bibliothèque s'ouvrit à la volée, et Henry fit irruption dans la pièce, l'air encore plus hagard que précédemment, si cela était possible.

— Je suis là ! cria-t-il. Je ne suis pas trop en retard ?

Charlotte enfouit le visage dans ses mains.

— Henry, dit Benedict Lightwood d'un ton sec, quel plaisir de vous voir ! Votre épouse nous parlait justement de votre nouvelle invention. Le Phosphore, c'est bien cela ?

— Oui ! répondit Henry en brandissant fièrement l'objet en question. Le voilà. Je peux vous assurer qu'il fonctionne à merveille comme promis. Vous voulez voir ?

— Il n'est pas nécessaire de nous faire une démonstration, s'empressa de protester Benedict.

Henry avait déjà pressé le bouton. Il y eut un éclair aveuglant et les lumières de la bibliothèque s'éteignirent brusquement. Des exclamations s'élevèrent. Un cri retentit, quelque chose s'écrasa par terre dans un bruit tonitruant puis les jurons de Benedict Lightwood dominèrent le vacarme.

Will leva les yeux en souriant de toutes ses dents.

— C'est un peu triste pour Henry, bien sûr, observa-t-il gaiement. Mais, d'un autre côté, c'est assez distrayant, vous ne trouvez pas ?

Tessa dut admettre qu'il avait raison.

10

DES ROIS PÂLES ET DES PRINCES

Je vis des rois pâles et des princes aussi,
De pâles guerriers – tous avaient la pâleur de la mort.

John Keats, « La Belle Dame sans merci »

Tandis qu'ils roulaient à vive allure dans le Strand, Will écarta d'une main gantée de noir l'un des rideaux en velours de la fenêtre, et un rayon de lumière jaune éclaira l'intérieur de la voiture.

— On dirait qu'il va pleuvoir ce soir.

Tessa suivit son regard ; au-dehors, le ciel était gris acier. « Comme toujours à Londres », songea-t-elle. Des hommes en long manteau noir et chapeau se pressaient sur les trottoirs en voûtant les épaules pour lutter contre le vent glacial qui transportait avec lui la poussière de charbon et la puanteur du crottin de cheval. Une fois de plus, Tessa eut l'impression qu'elle pouvait sentir l'odeur du fleuve.

— C'est une église, cet édifice au beau milieu de la rue ? demanda-t-elle.

— Oui, c'est St. Mary-le-Strand, répondit Will. Cet endroit a une longue histoire, je vous la raconterai un autre jour. Avez-vous écouté mes explications ?

— Oui, jusqu'à ce que vous dériviez sur la pluie. Qu'importe s'il pleut ! Nous sommes en route pour une espèce de… soirée organisée par des vampires, je ne sais toujours pas comment me comporter avec eux et jusqu'à présent vous ne m'avez pas beaucoup aidée.

Will esquissa un sourire.

— Soyez prudente, c'est tout. Quand nous arriverons chez De Quincey, vous ne pourrez plus me demander conseil. Rappelez-vous que je suis votre assujetti humain. Si vous me gardez près de vous, c'est seulement pour avoir du sang à volonté.

— Alors vous ne parlerez pas du tout ce soir ?

— Sauf si vous m'y autorisez.

— Alors, cette soirée sera peut-être plus agréable que je ne le croyais.

Will ne semblait pas avoir entendu Tessa. Il regardait fixement par la vitre comme s'il voyait quelque chose qu'elle ne pouvait pas voir.

— Vous pensez peut-être que les vampires sont des monstres assoiffés de sang, mais ce n'est pas le cas de ceux-là. Ils sont aussi cultivés que cruels. Des couteaux aiguisés face à la lame émoussée de l'humanité. Tenez-vous bien. Et, si vous n'y arrivez pas, pour l'amour du ciel, ne dites rien. Ils ont un sens de l'étiquette retors et opaque. Un impair pourrait nous coûter la vie sur-le-champ.

Les doigts de Tessa se crispèrent sur ses genoux. Ils étaient glacés. Elle sentait la froideur de la peau de Camille même à travers ses gants.

— Vous plaisantez ?

— Non, fit-il d'une voix lointaine.

— Will, vous m'effrayez.

Tessa avait parlé sans réfléchir ; elle se raidit, s'attendant à une remarque moqueuse.

Will détacha le regard de la vitre et la dévisagea comme s'il venait de prendre conscience d'un fait nouveau.

— Tess, dit-il, et Tessa sursauta : personne ne l'avait appelée Tess avant lui. Vous n'êtes pas obligée de le faire si vous n'en avez pas envie.

Elle soupira.

— Et ensuite ? On fait demi-tour et on rentre à la maison ?

Il se pencha pour lui prendre les mains. Celles de Camille étaient si petites que les mains robustes de Will les recouvraient tout entières.

— Souvenez-vous : « Un pour tous, tous pour un », lança-t-il.

Elle esquissa un faible sourire.

— *Les Trois Mousquetaires* ?

Will soutint son regard sans ciller. Ses yeux, voilés de longs cils noirs, avaient le bleu très sombre du ciel au crépuscule.

— Parfois, quand je dois m'acquitter d'une tâche qui me déplaît, je m'imagine que je suis le personnage d'un livre. Il est souvent plus facile de savoir ce qu'eux feraient à ma place.

— Vraiment ? Et qui imaginez-vous être ? D'Artagnan ? demanda Tessa, nommant le seul des trois mousquetaires dont elle se rappelait le nom.

— « Ce que je fais aujourd'hui est infiniment meilleur que tout ce que j'ai fait par le passé, et je vais enfin goûter le repos que je n'ai jamais connu. »

— Sydney Carton ? Je croyais que vous détestiez *Un conte de deux villes* !

— Ce n'est pas tout à fait vrai, déclara Will, nullement décontenancé par son mensonge.

— Sydney Carton était un alcoolique et un débauché.

— C'est exact. Voilà un homme qui ne valait rien, qui en avait conscience, et pourtant il avait beau s'efforcer de perdre son âme, il y avait toujours une part de lui capable d'accomplir de grandes choses. (Will baissa la voix.) Que dit-il à Lucie Manette ? Que malgré ses faiblesses, il peut encore brûler ?

Tessa, qui avait lu *Un conte de deux villes* plus de fois qu'elle n'en pouvait compter, murmura :

— « Et cependant j'ai la faiblesse de vouloir que vous sachiez avec quelle puissance vous m'avez transformé tout à coup, moi, pauvre tas de cendres, en un feu ardent. » (Elle hésita.) Mais c'était parce qu'il l'aimait.

— Oui, dit Will. Il l'aimait assez pour savoir qu'elle serait plus heureuse sans lui.

La chaleur de ses mains se propageait à travers le tissu des gants de Tessa. Le vent était glacial au-dehors, il avait ébouriffé ses cheveux noirs comme de l'encre tandis qu'ils traversaient la cour de l'Institut pour se rendre à la voiture. Sur le moment, il avait semblé plus jeune, plus vulnérable – son regard, surtout, qui en cet instant était si facile à déchiffrer. Elle ne l'aurait jamais cru capable de poser un tel regard sur elle ou sur qui que ce soit. Si elle avait pu rougir, pensa-t-elle, ses joues se seraient embrasées !

Elle se reprocha sur-le-champ cette pensée. Car, fatalement, elle en entraînait une autre : était-ce elle qu'il regardait ou Camille, qui était, indubitablement, d'une beauté exquise ? Était-ce la raison du changement dans son expression ? Pouvait-il voir Tessa ou ne voyait-il que son déguisement ?

Elle eut un mouvement de recul, et dégagea non sans mal ses mains qu'il étreignait toujours.

— Tessa… fit-il, mais avant qu'il ait pu ajouter un mot, la voiture s'arrêta avec un soubresaut qui agita les rideaux en velours de l'habitacle.

— Nous y sommes ! lança Thomas de son siège.

Après avoir poussé un gros soupir, Will ouvrit la portière, sauta sur le trottoir et offrit son bras à Tessa.

Elle baissa la tête pour ne pas écraser les roses du chapeau de Camille. Bien que Will portât des gants comme elle, elle avait l'impression de sentir son pouls battre sous sa peau, malgré la double couche de tissu qui les séparait. Il avait les joues roses, et elle se demanda si c'était le froid ou ses émotions qui en étaient la cause.

Devant eux se dressait une haute demeure blanche dont l'entrée était flanquée de deux colonnes. De part et d'autre, elle était entourée de maisons similaires, de sorte que la rue évoquait une rangée de dominos. Une volée de marches menait à une porte à deux battants peinte en noir. Elle était entrouverte, et Tessa distinguait la lumière des lustres à l'intérieur, qui chatoyait comme une étoffe.

Tessa se tourna vers Will. Derrière lui, Thomas s'était rassis sur le siège du cocher, son chapeau ramené sur le visage. Le pistolet à poignée d'argent qu'il avait glissé dans la poche de son gilet était parfaitement indétectable.

Dans un recoin de son esprit, elle entendit Camille rire, et comprit, sans trop savoir comment, que la femme vampire s'amusait de son admiration pour Will. « Te voilà », pensa Tessa, soulagée malgré son agacement. Elle commençait à craindre que la voix intérieure de Camille ne parvienne jamais jusqu'à elle.

Elle s'écarta de Will et redressa la tête. L'allure hautaine de Camille ne lui était pas naturelle.

— Vous vous adresserez à moi comme un domestique, dit-elle en faisant la moue. Venez.

D'un mouvement impérieux, elle s'avança vers les marches du perron sans s'assurer qu'il la suivait.

Un valet élégamment vêtu était posté au sommet de l'escalier.

— Madame, murmura-t-il.

Quand il s'inclina, Tessa vit une trace de morsure sur son cou, juste au-dessus du col. Elle tourna la tête vers Will et allait le présenter au valet quand la voix de Camille résonna à l'intérieur de sa tête : « Nous ne présentons pas nos serviteurs humains les uns aux autres. Ils sont notre propriété anonyme, à moins que nous décidions de leur donner un nom. »

« Pouah », songea Tessa. Toute à son dégoût, elle prêta à peine attention au valet qui la guida dans un long couloir débouchant sur une vaste pièce au sol de marbre. Il s'inclina de nouveau et s'éloigna : Will s'avança à côté d'elle et, pendant un bref moment, ils s'immobilisèrent sur le seuil, fascinés.

La pièce était éclairée par des dizaines de candélabres dorés garnis de grosses bougies blanches. Des mains sculptées dans le marbre surgissaient des murs en brandissant une chandelle rouge dont les gouttes de cire s'épanouissaient comme des roses sur la pierre blanche.

Des vampires au visage blême évoluaient parmi les lumières avec des mouvements à la fois étranges et gracieux. Tessa voyait ce qui les rapprochait de Camille – la peau lisse, les yeux étincelants comme des joyaux, les joues pâles rehaussées de couleurs artificielles. Certains semblaient plus humains que d'autres. La plupart portaient des culottes et des jabots ou des robes empesées à la mode de Marie-Antoinette avec traîne, manches en dentelle et volants. Tessa parcourut rapidement la pièce du regard, cherchant des yeux une silhouette familière aux cheveux blonds, mais Nathaniel demeurait introuvable. Elle s'efforça de ne pas scruter une femme grande et squelettique, coiffée d'une énorme perruque comme les élégantes du siècle des Lumières. Son visage austère et effrayant était plus blanc que la poudre de sa perruque. Camille chuchota son nom à l'oreille de Tessa : Lady Delilah. La femme tenait par la main son frêle compagnon, et Tessa réprima un mouvement de recul : « Quoi ? Un enfant, ici ? » Mais il se retourna, et elle s'aperçut qu'il s'agissait aussi d'un vampire avec des yeux sombres et enfoncés dans son visage poupin. Il sourit à Tessa, dévoilant des crocs effilés.

— Vous devez chercher Magnus Bane, dit Will à mi-voix. Il est censé nous guider dans ce capharnaüm. Je vous le montrerai si je le vois.

Elle était sur le point de dire à Will que Camille reconnaîtrait Magnus pour elle, quand elle aperçut un homme mince avec une masse de cheveux blonds qui portait un habit noir à queue de pie. Elle sentit son cœur bondir dans sa poitrine, puis ravala sa déception quand il se retourna. Ce n'était pas Nathaniel mais un vampire au visage blafard et anguleux. Ses cheveux étaient presque blancs à la lumière des bougies. Il adressa un clin d'œil à Tessa et se dirigea vers elle en se frayant un chemin parmi la foule de vampires et d'assujettis qui portaient des plateaux chargés de verres vides et de toutes sortes d'instruments pointus : couteaux, scalpels et de petits outils évoquant les poinçons dont les cordonniers se servent pour percer le cuir.

Sous les yeux de Tessa, l'un des assujettis s'arrêta sur l'ordre de la femme à la perruque poudrée. D'un geste impérieux, elle claqua des doigts, et le serviteur, un jeune homme livide en veste et pantalon gris, lui offrit docilement son cou. Après avoir pris un poinçon sur le plateau, la femme vampire en enfonça la pointe dans la gorge du garçon, juste au-dessous de sa mâchoire. Les verres tintèrent sur le plateau qu'il tenait, mais il ne le laissa pas tomber, pas même quand la femme prit un verre et en pressa le bord contre sa gorge pour que le sang s'y déverse.

Oscillant entre le dégoût et une faim nouvelle, Tessa sentit son estomac se nouer ; elle ne pouvait pas nier ce désir indescriptible, même si c'était celui de Camille. Horrifiée, elle constata qu'il était plus impérieux que la soif. Elle regarda la femme vampire porter le verre à ses lèvres tandis que le visage du garçon qui se tenait tout tremblant à côté d'elle virait au gris.

Elle se retint d'agripper la main de Will – une baronne vampire n'aurait jamais eu ce genre de familiarité avec son assujetti. Elle se redressa et claqua des doigts à l'intention du jeune homme. Il leva vers elle des yeux surpris, puis s'avança en s'efforçant de masquer son agacement.

— Ne vous éloignez pas, William, dit-elle avec un regard lourd de sous-entendus. Je ne veux pas vous perdre dans cette cohue.

Will serra les dents.

— J'ai l'impression bizarre que tout ceci vous amuse, dit-il dans sa barbe.

— Il n'y a rien de bizarre à cela, répliqua Tessa.

Mue par une audace inexplicable, elle lui tapota le menton de son éventail en dentelle.

— Surveillez votre attitude.

— Ils sont très difficiles à tenir, n'est-ce pas ?

L'homme aux cheveux blonds, qui venait d'émerger de la foule, adressa un signe de tête à Tessa. Devant son air étonné, il ajouta :

— Je parle des assujettis. Et une fois correctement éduqués, ils meurent sans raison. Ce sont des créatures délicates, avec la longévité d'un papillon.

Il sourit en découvrant ses dents. Sa peau avait la blancheur bleutée de la glace durcie. Ses cheveux raides et presque blancs lui tombaient sur les épaules, à hauteur du col de son élégant habit noir. Son gilet en soie grise était discrètement rebrodé de symboles argentés entrelacés. Il ressemblait à un prince russe tout droit sorti d'un livre.

— Content de vous voir, Lady Belcourt, dit-il. (Tessa décela une pointe d'accent slave dans sa voix.) Est-ce une nouvelle voiture que j'aperçois par la fenêtre ?

« C'est De Quincey », fit la voix de Camille dans la tête de Tessa. Des images surgirent dans son esprit : elle se vit en train de danser avec De Quincey, les mains posées sur ses épaules ; dans une autre vision, debout près d'un ruisseau sous le ciel neigeux d'une nuit nordique, elle le regardait se nourrir sur une forme pâle étendue dans l'herbe. Dans une troisième, elle était assise à une grande table en compagnie d'autres vampires. Trônant au bout de la tablée, De Quincey l'invectivait en abattant si fort son poing sur le plateau de marbre qu'il se fendillait. Dans sa dernière vision, elle pleurait à chaudes larmes, seule dans une pièce obscure, quand De Quincey tombait à genoux près de sa chaise et lui étreignait la main pour la réconforter, alors qu'il était la cause de ses tourments. « Les vampires peuvent donc pleurer ? » pensa Tessa ; puis : « Alexei De Quincey et Camille Belcourt se connaissent de longue date. Ils étaient amis autrefois, et il croit qu'ils le sont toujours. »

— En effet, Alexei, répondit-elle, et en prononçant ce nom, elle sut que c'était celui qu'elle avait essayé de se rappeler l'autre soir au dîner, le prénom étranger que les Sœurs Noires avaient mentionné en sa présence. J'avais envie de quelque chose d'un peu plus... spacieux.

Elle tendit la main, et se tint immobile tandis qu'il l'effleurait de ses lèvres glacées. Puis il reporta son attention sur Will.

— Et je vois qu'on s'est trouvé un nouvel assujetti. Celui-ci est très séduisant. (De l'index, il caressa la joue de Will.) Quel teint exceptionnel ! ajouta-t-il d'un ton rêveur. Et ces yeux !

— Merci, dit Tessa à la manière de quelqu'un qu'on complimente au sujet du choix d'un papier peint.

En proie à une nervosité grandissante, elle regarda De Quincey se rapprocher de Will, qui était pâle et tendu. Elle se demanda s'il avait du mal à se contenir alors que chacun de ses nerfs lui criait sans doute : « Ennemi ! »

De Quincey effleura la gorge de Will, et son doigt s'arrêta sur sa clavicule, à l'endroit où battait son pouls. Il sourit en découvrant ses crocs aiguisés, plissa les paupières et dit d'une voix rauque :

— Vous ne m'en voudriez pas, Camille, si je le goûtais un peu…

Un brouillard blanc surgit devant les yeux de Tessa. Elle revit De Quincey, le plastron de sa chemise maculé de sang et, derrière lui, un corps pendu par les pieds à un arbre au bord du ruisseau, ses doigts blêmes immergés dans l'eau ballottant au gré du courant…

D'un geste si vif qu'elle-même ne s'en serait jamais crue capable, elle retint De Quincey par le poignet.

— Non, mon cher, dit-elle d'une voix qui se voulait caressante. J'aimerais le garder pour moi dans un premier temps. Vous savez que l'appétit est parfois capricieux, ajouta-t-elle en baissant les yeux.

De Quincey gloussa.

— Pour vous, Camille, je veux bien me maîtriser. En l'honneur de notre vieille amitié.

Il recula d'un pas et, pendant une fraction de seconde, derrière ses manières cajoleuses, Tessa crut distinguer une étincelle de colère dans ses yeux.

— Merci, Alexei.

— Avez-vous réfléchi, très chère, à ma proposition de vous accueillir au sein du Pandémonium ? Je sais que les Terrestres vous ennuient, mais ils ne sont qu'une source de financement, rien de plus. Ceux d'entre nous qui dirigent le club sont à la veille d'une découverte très... excitante. Imaginez, Camille, un pouvoir au-delà de vos rêves les plus fous.

Tessa attendit, mais Camille resta silencieuse. Pourquoi donc ? Refoulant sa panique, elle parvint à esquisser un sourire.

— Mes rêves sont peut-être déjà plus fous que vous ne l'imaginez, dit-elle en priant pour que De Quincey mette les inflexions rauques de sa voix sur le compte de la moquerie et non de la peur.

Du coin de l'œil, elle vit Will lui jeter un regard surpris ; cependant, il s'empressa de reprendre contenance et se détourna. Les yeux étincelants, De Quincey se contenta de sourire.

— Je vous demande seulement d'étudier mon offre, Camille. À présent, je dois m'occuper de mes autres invités. Puis-je compter sur votre présence lors de la cérémonie ?

Elle hocha la tête, un peu hébétée.

— Cela va de soi.

De Quincey s'inclina, tourna les talons et disparut dans la foule. Tessa poussa un soupir de soulagement.

— Ne faites pas cela, dit Will à voix basse. Les vampires n'ont pas besoin de respirer, souvenez-vous-en.

— Seigneur, Will. (Tessa s'aperçut qu'elle tremblait.) Il voulait vous mordre.

Les yeux de Will étincelaient de rage.

— Je l'aurais tué avant.

Une voix s'éleva près de Tessa.

— Et vous seriez morts tous les deux.

Tessa se retourna brusquement et s'aperçut qu'un homme de haute taille s'était glissé derrière elle sans bruit comme par magie. Il portait un habit en brocart d'un autre temps, et un flot de dentelle blanche émergeait de son col et de ses manches. Sous sa longue veste, Tessa entrevit une culotte de velours et des souliers à boucle. Il avait la peau brune, des cheveux soyeux d'un noir bleuté et des traits qui n'étaient pas sans rappeler ceux de Jem. Tessa en déduisit que, comme lui, il était d'origine étrangère. Il portait à l'oreille gauche un pendant serti de diamants de la taille d'un doigt, qui scintillait à la lumière des bougies, et le pommeau de sa canne en argent était également incrusté de diamants. Il semblait briller de mille feux. Tessa l'observa bouche bée ; elle n'avait jamais rencontré quelqu'un qui soit vêtu de manière aussi excentrique.

— Voici Magnus, chuchota Will, l'air soulagé. Magnus Bane.

— Ma chère Camille, dit Magnus en se baissant pour baiser sa main gantée. Voilà trop longtemps que nous étions séparés.

Au contact de cette main, les souvenirs de Camille affluèrent dans l'esprit de Tessa : des images de Magnus la tenant étroitement enlacée, l'embrassant ou ayant avec elle des gestes indubitablement intimes. Elle retira brusquement sa main avec un petit cri aigu. « Et voilà que tu réapparais », pensa-t-elle avec une pointe de ressentiment à l'encontre de Camille.

— Je vois, murmura-t-il en se redressant.

Il la scruta, et Tessa faillit perdre son aplomb. Ses yeux d'un vert pailleté d'or, avec des pupilles fendues comme celles d'un chat, brillaient de malice. Contrairement à Will, dont le regard trahissait une certaine mélancolie même quand il riait, les yeux de Magnus débordaient d'une joie étonnante. Ils balayèrent les alentours, et indiquant du menton le coin opposé de la pièce, Magnus fit signe à Tessa de le suivre.

— Venez. Je connais un endroit où nous pourrons discuter sans être dérangés.

Tessa le suivit, escortée de Will. Était-ce son imagination ou les visages blêmes des vampires se tournaient-ils sur son passage ? Une femme rousse en robe bleue lui jeta un regard noir ; la voix de Camille lui souffla que cette femme était jalouse des attentions qu'avait De Quincey pour elle. Tessa se sentit soulagée quand Magnus s'arrêta devant une porte si bien dissimulée dans les boiseries du mur qu'elle ne comprit de quoi il s'agissait que lorsque le sorcier sortit une clé de sa poche. La porte s'ouvrit avec un léger cliquetis.

C'était une bibliothèque qui, à l'évidence, servait rarement ; les volumes qui tapissaient les murs étaient couverts de poussière, ainsi que les rideaux de velours suspendus aux fenêtres. Une fois la porte refermée derrière eux, la pièce fut plongée dans les ténèbres ; avant que Tessa ait pu formuler la moindre remarque, Magnus claqua des doigts et des flammes bleues jaillirent dans les cheminées qui se faisaient face aux deux extrémités de la pièce. Elles dégageaient une forte odeur d'encens.

— Oh ! fit Tessa, incapable de dissimuler sa surprise.

Avec un sourire, Magnus s'affala sur la grande table en marbre qui trônait au milieu de la bibliothèque et appuya la tête sur sa main.

— Vous n'avez jamais vu un sorcier pratiquer la magie ?

Will poussa un soupir théâtral.

— S'il vous plaît, Magnus, épargnez-lui vos sarcasmes. Je suppose que Camille vous a déjà prévenu qu'elle ne connaissait pas grand-chose au surnaturel.

— En effet, lâcha Magnus sans la moindre trace de remords dans la voix, mais c'est difficile à croire, compte tenu de ce qu'elle sait faire. J'ai vu l'expression de votre visage en baisant votre main. Vous m'avez reconnu sur-le-champ, n'est-ce pas ? Vous savez ce que sait Camille. Il existe des sorciers et des démons capables de prendre n'importe quelle forme. Mais je n'avais encore jamais entendu parler d'un pouvoir tel que le vôtre.

— On ne peut pas affirmer avec certitude que je suis une sorcière, dit Tessa. D'après Charlotte, il me manque certaines caractéristiques physiques.

— Oh, vous êtes une sorcière, soyez-en sûre. Ce n'est pas parce que vous n'avez pas d'oreilles de chauve-souris… (Voyant Tessa se rembrunir, Magnus leva

268

les sourcils.) Vous n'avez pas envie d'être une sorcière, n'est-ce pas ? Cette idée vous fait horreur.

— C'est seulement que… je me suis toujours considérée comme un être humain, murmura Tessa.

— Pauvre petite, dit Magnus avec une certaine sympathie. Maintenant que vous connaissez la vérité, vous ne pourrez plus revenir en arrière.

— Laissez-la tranquille, Magnus ! lança Will d'un ton cassant. Je dois fouiller la pièce. Si vous n'avez pas l'intention de m'aider, tâchez au moins de ne pas tourmenter Tessa pendant que je m'en charge.

Il s'avança vers un grand bureau en chêne et se mit à examiner les papiers qui s'y trouvaient.

Magnus adressa un clin d'œil à Tessa.

— Je crois qu'il est jaloux, dit-il en prenant un ton de conspirateur.

Tessa secoua la tête et se dirigea vers le rayonnage le plus proche. Sur l'étagère du milieu, quelqu'un avait abandonné un livre ouvert. Ses pages étaient couvertes d'illustrations complexes dont certaines semblaient avoir été dorées à l'or fin. Tessa poussa une exclamation de surprise.

— C'est une bible !

— Cela vous étonne ? demanda Magnus.

— Je croyais que les vampires ne pouvaient pas toucher les objets sacrés.

— Cela dépend de leur foi et de leur âge. De Quincey collectionne les bibles anciennes. D'après lui, il existe peu d'ouvrages qui aient autant de sang sur leurs pages.

Tessa jeta un coup d'œil vers la porte close, à travers laquelle lui parvenait le brouhaha des conversations.

— Ne risquons-nous pas de susciter des commentaires en nous enfermant ici ? Je suis sûre que les vampires nous regardaient quand nous sommes entrés.

— C'était Will qu'ils regardaient.

Le sourire de Magnus était aussi déconcertant que celui d'un vampire, même s'il n'avait pas de crocs.

— Son air ne leur revient pas, reprit-il.

Tessa lança un regard à Will, qui explorait les tiroirs du bureau.

— J'ai du mal à ajouter foi à ce genre de remarque de la bouche d'un homme qui s'habille comme vous, dit-il sans s'interrompre dans sa besogne.

Magnus ignora son commentaire.

— Will ne se comporte pas comme les autres assujettis. Pour commencer, il n'a pas ce regard ébloui qu'ils ont pour leur maître ou leur maîtresse.

— C'est à cause de ce chapeau monstrueux, lâcha Will. Il me déstabilise.

— Les assujettis ne sont jamais « déstabilisés », objecta Magnus. Ils vénèrent leur maître vampire, quelle que soit sa tenue. Bien sûr, si les autres invités nous dévisageaient, c'est aussi parce qu'ils sont au courant de ma relation avec Camille, et qu'ils se demandent ce que nous faisons seuls dans cette bibliothèque, conclut-il, sarcastique.

Tessa repensa à ses visions.

— De Quincey… Il a dit quelque chose à Camille au sujet de sa relation avec ce loup-garou. À l'entendre, elle avait commis un crime.

Magnus, qui s'était allongé sur le dos et faisait tournoyer sa canne au-dessus de sa tête, haussa les épaules.

— À ses yeux, c'en est un. Les vampires et les loups-garous se détestent. Ce serait lié au fait que les deux races de démons à l'origine de leur espèce entretenaient une vieille querelle, mais si vous voulez mon avis, c'est simplement parce que ce sont des prédateurs. Or, les prédateurs n'aiment pas que l'on empiète sur leur territoire. Non que les vampires aient beaucoup d'affection pour les fées ou ma propre espèce, mais De Quincey m'apprécie. Il s'imagine que nous sommes amis. En fait, je le soupçonne d'espérer plus de moi que de l'amitié. (Magnus sourit.) Pour ma part, je le méprise.

— Alors pourquoi passer du temps avec lui ? demanda Will, qui venait de s'attaquer au contenu d'un secrétaire installé entre deux fenêtres. Pourquoi venir ici ?

— Question de politique, répondit Magnus avec un autre haussement d'épaules. Il est chef de clan. Venant de Camille, le fait de ne pas assister à ses soirées serait considéré comme une insulte. Venant de moi, le fait de ne pas l'accompagner serait perçu comme un manque de sollicitude. De Quincey est dangereux, y compris pour ceux de son espèce. Et en particulier pour ceux qui l'ont déçu par le passé.

— Alors vous devriez… (Will s'interrompit et reprit la parole un instant plus tard.) J'ai trouvé quelque chose. Peut-être serait-il bon que vous y jetiez un coup d'œil, Magnus.

Will s'avança pour déposer sur la table une grande feuille de papier roulée. Il fit signe à Tessa de s'approcher et la déroula.

— Je n'ai pas trouvé grand-chose d'intéressant dans le bureau, mais il y avait ceci dans un tiroir caché du secrétaire. Magnus, qu'est-ce que vous en pensez ?

Tessa examina le croquis grossier qui représentait un squelette humain sur lequel étaient fixés des pistons, des rouages et des plaques en métal. Le crâne avait une mâchoire dotée de charnières et une bouche scellée derrière les dents. Le thorax était composé d'un morceau de métal semblable à celui qu'ils avaient trouvé dans le corps de Miranda. Dans la marge, on avait griffonné des notes dans une langue inconnue.

— C'est le plan d'un automate, déclara Magnus. Les humains ont toujours été fascinés par ces créatures, sans doute parce qu'elles sont humanoïdes mais qu'elles ne peuvent pas mourir. Avez-vous lu *Le Livre de la connaissance des procédés mécaniques* ?

— Jamais entendu parler, répondit Will. Est-ce qu'on y trouve des Maures au visage austère enveloppés d'une brume mystérieuse ? Des mariées fantomatiques errant dans les couloirs de châteaux en ruine ? Un charmant jeune homme se précipitant à la rescousse d'une beauté sans le sou ?

— Non, répliqua Magnus. Bien qu'il y ait un passage assez osé sur les rouages et les pistons au milieu, dans l'ensemble, c'est un texte assez aride.

— Alors Tessa ne l'a pas lu non plus.

Tessa foudroya Will du regard, mais ne fit aucun commentaire ; en effet, elle n'avait pas lu ce livre et elle n'était pas d'humeur à se laisser taquiner par Will.

— Dans ce cas… Il a été écrit par un érudit arabe deux siècles avant la naissance de Léonard de Vinci, expliqua Magnus. Il décrit le fonctionnement de machines susceptibles d'imiter les mouvements humains. En soi, cela n'a rien d'alarmant. En revanche, ceci – de son long doigt, Magnus désigna les notes griffonnées sur la feuille – me semble plus inquiétant.

Will se pencha vers la feuille en frôlant de sa manche le bras de Tessa.

— Oui, c'est de cela que je voulais vous parler. S'agit-il d'un sortilège ?

Magnus hocha la tête.

— Oui. Il est censé insuffler de l'énergie démoniaque à un objet pour lui donner vie. J'ai déjà vu ce sortilège à l'œuvre. Avant les Accords, les vampires aimaient s'amuser à créer de petits mécanismes semblables à des boîtes à musique ou encore des chevaux mécaniques qui ne fonctionnaient qu'une fois la nuit tombée, et d'autres inepties. (D'un geste pensif, il tapota le pommeau de sa canne.) L'un des problèmes majeurs, quand on cherche à créer des automates convaincants, c'est leur apparence. Il n'y a pas de matériau susceptible d'imiter l'aspect de la chair humaine.

— Et si on en utilisait… de la chair humaine, je veux dire ? demanda Tessa.

Magnus marqua une pause.

— Pour les concepteurs humains, le problème, dans ce cas-là, est… évident. En préservant la chair, on détruit son aspect. Il faudrait avoir recours à la magie. Et s'en servir une deuxième fois pour insuffler de l'énergie démoniaque au corps mécanique.

— Et quel serait le résultat ? s'enquit Will d'un ton nerveux.

— On a vu des automates capables d'écrire des poèmes ou de peindre des paysages, mais seulement quand ils sont dirigés par la main de l'artiste. Ils ne possèdent ni créativité ni imagination. En revanche, animé d'une énergie démoniaque, un automate bénéficierait d'une certaine capacité de penser et d'une volonté propre. Mais tout esprit enchaîné est forcément réduit en esclavage. Il devient inévitablement le serviteur de son créateur.

— Une armée mécanique, dit Will, et une ironie teintée d'amertume perçait dans sa voix. Qui ne vienne ni du ciel ni de l'enfer.

— Je n'irais pas jusque-là, objecta Magnus. L'énergie démoniaque ne se trouve pas sous le sabot d'un cheval. Il faut invoquer un démon, puis s'en faire obéir, et vous savez à quel point c'est difficile. Obtenir assez d'énergie démoniaque pour créer une armée est presque impossible et terriblement risqué. Même pour un scélérat comme De Quincey.

— Je vois. (Will roula la feuille de papier et la glissa dans sa veste.) Merci de votre aide, Magnus.

Magnus parut un peu perplexe mais sa réponse fut courtoise.

— Je vous en prie.

— Je présume que vous ne regretteriez pas De Quincey s'il était remplacé par un autre vampire. L'avez-vous vu enfreindre la Loi ?

— Une fois. J'étais invité à assister à l'une de ses « cérémonies ». (Le visage de Magnus s'assombrit, ce qui ne lui ressemblait guère.) Laissez-moi vous montrer.

Il se dirigea vers le rayonnage que Tessa avait examiné un peu plus tôt et leur fit signe d'approcher. Après qu'ils l'eurent rejoint, il claqua des doigts, et une gerbe d'étincelles bleues en jaillit. La bible illustrée s'écarta, révélant un petit trou percé dans le bois de l'étagère. En se penchant, Tessa constata avec surprise qu'il offrait une vue imprenable sur un salon de musique raffiné. Du moins, c'est ce qu'elle crut dans un premier temps en voyant des chaises alignées face au fond de la pièce, qui formait une espèce de scène. Des candélabres avaient été disposés çà et là pour éclairer les lieux. Des rideaux de satin rouge dissimulaient l'un des murs, et on avait érigé une estrade à la va-vite, sur laquelle trônait un fauteuil en bois au dossier surélevé.

Sur les bras du fauteuil on avait attaché des menottes étincelant comme la carapace d'un insecte à la lumière des bougies. Le bois du siège était constellé de taches rouge sombre, et Tessa remarqua que ses pieds étaient rivetés au sol.

— C'est ici qu'ont lieu leurs petites... performances, déclara Magnus d'une voix teintée de dégoût. Ils amènent un humain et l'attachent à ce fauteuil. Puis, à tour de rôle, ils vident lentement leur victime de son sang sous les applaudissements de la foule.

— Et ça leur plaît de voir souffrir un Terrestre ? s'exclama Will, indigné.

— Les Enfants de la Nuit ne sont pas tous comme eux, observa tranquillement Magnus. Ils sont les pires représentants de leur espèce.

— Et leurs victimes, demanda Will, où les dénichent-ils ?

— Ce sont des criminels, pour la plupart. Des ivrognes, des prostituées. Des laissés-pour-compte que personne ne pleurera. (Magnus regarda Will droit dans les yeux.) Pourriez-vous me parler de votre plan ?

— Nous entrerons en scène quand nous aurons été témoins d'une infraction. Dès qu'un vampire s'en prend à un humain, je préviens l'Enclave qui donne l'assaut.

— Vraiment ? fit Magnus. Comment feront-ils pour entrer ?

— Ne vous inquiétez pas pour cela, répondit Will, imperturbable. Votre rôle consiste à emmener Tessa en lieu sûr. Thomas attend dehors. Regagnez la voiture le plus rapidement possible et il vous ramènera à l'Institut.

— Je trouve que c'est gâcher mon talent que de me charger de la protection d'une jeune fille, observa Magnus. Vous pourriez certainement me confier…

— Cette affaire concerne les Chasseurs d'Ombres. Nous faisons la Loi, et nous nous chargeons de la faire respecter. Jusqu'ici, vous nous avez été d'une aide précieuse, mais nous n'avons plus besoin de vous.

Magnus échangea un regard avec Tessa derrière le dos de Will ; il semblait désabusé.

— Les Nephilim et l'orgueil qu'ils retirent de leur isolement ! Ils ne rechignent pas à se servir des Créatures Obscures mais de là à partager une victoire avec eux…

Tessa se tourna vers Will.

— Moi aussi, vous me renvoyez avant la bataille ?

— Je n'ai pas le choix, dit Will. Il vaudrait mieux pour Camille qu'on ne la voie pas collaborer avec les Chasseurs d'Ombres.

— C'est stupide, protesta Tessa. De Quincey sait que c'est moi… elle qui vous a amené ici. Il en déduira qu'elle a menti sur votre compte. S'imagine-t-elle vraiment qu'après tout cela, le reste du clan ne se doutera pas qu'elle les a trahis ?

Quelque part dans un recoin de son esprit, Camille éclata de rire. Elle ne semblait pas le moins du monde effrayée.

Will et Magnus échangèrent un regard.

— Elle ne s'attend pas qu'un seul vampire présent ce soir en sorte vivant, expliqua Magnus.

— Les morts ne parlent pas, ajouta Will.

Les lumières vacillantes de la pièce peignaient alternativement son visage d'ombre et d'or ; il semblait déterminé. Il jeta un coup d'œil par le trou dans le mur.

— Regardez.

Tous trois virent s'ouvrir la porte coulissante au fond du salon de musique. Au-delà s'étendait la vaste pièce éclairée par des bougies. Les vampires commencèrent à affluer dans le salon et à s'installer devant la « scène ».

— Il est l'heure, annonça Magnus à voix basse en refermant le judas.

Le salon de musique était presque plein. Tessa, qui tenait Magnus par le bras, regarda Will se faufiler parmi les invités pour chercher trois sièges côte à côte. Il avait beau garder la tête baissée et le regard rivé sur le sol…

— Ils ne le quittent pas des yeux, chuchota-t-elle à Magnus.

— Évidemment. Regardez-le. Il a un visage d'ange et des yeux sombres comme le ciel de l'enfer. Il est très

277

beau, et les vampires apprécient la beauté. Moi-même, je ne peux pas dire que j'y sois insensible, ajouta-t-il en souriant. Les cheveux noirs et les yeux bleus sont ma combinaison préférée.

Tessa désigna une des boucles blondes de Camille. Magnus haussa les épaules.

— Personne n'est parfait.

Tessa fut dispensée de lui répondre ; Will avait trouvé des places et leur faisait signe de sa main gantée. S'efforçant de ne pas prêter attention aux regards que les vampires posaient sur lui, Tessa se laissa guider par Magnus. Magnus disait vrai : Will était beau, mais que leur importait son apparence ? Pour eux, il n'était qu'un repas, n'est-ce pas ?

Elle s'assit entre Magnus et Will dans un froissement de taffetas. La pièce était glaciale du fait que les personnes présentes ne dégageaient aucune chaleur corporelle. Alors qu'il tâtait la poche de son gilet, la manche de Will remonta sur son bras, révélant sa peau piquetée de chair de poule. Tessa se demanda si les compagnons humains des vampires étaient toujours glacés jusqu'aux os.

Un murmure parcourut la foule, et Tessa détourna les yeux de Will. La lumière des candélabres n'atteignait pas les recoins éloignés de la pièce ; le fond de la « scène » était plongé dans la pénombre et, malgré ses yeux de vampire, Tessa ne parvint pas à distinguer ce qui se passait à cet endroit jusqu'à ce que De Quincey émerge brusquement de l'obscurité.

Le silence se fit parmi le public. De Quincey grimaça un sourire de dément qui découvrit ses crocs et déforma ses traits, lui donnant l'air féroce et prédateur. Un murmure d'approbation parcourut l'assemblée, comme vis-à-vis d'un acteur ayant exécuté une prestation particulièrement bonne.

— Bonsoir, dit-il. Bienvenue, mes amis. Ceux d'entre vous qui nous ont rejoints aujourd'hui – et il adressa un sourire à Tessa, qui était trop nerveuse pour réagir – sont la digne descendance des Enfants de la Nuit. Nous ne plions pas devant l'oppression de la Loi. Nous ne répondons pas de nos actes devant les Nephilim et nous ne renoncerons pas à nos vieilles coutumes pour satisfaire leur caprice.

Il était difficile de ne pas remarquer l'effet des paroles du vampire sur Will. Il était tendu comme un arc, il serrait les poings et ses veines saillaient sur son cou.

— Nous avons un prisonnier, poursuivit De Quincey. Son crime est d'avoir trahi les Enfants de la Nuit. (Son regard balaya l'assemblée de vampires suspendus à ses lèvres.) Et quel est le châtiment pour une telle trahison ?

— La mort ! cria Lady Delilah.

Elle était penchée sur son siège, et semblait brûler d'impatience. Les autres vampires l'imitèrent.

— La mort ! La mort !

Des silhouettes sombres se faufilèrent entre les rideaux qui délimitaient la scène. Deux vampires s'avancèrent dans la lumière en maintenant un homme qui se débattait. Ses traits étaient dissimulés sous un capuchon noir. Il était mince, probablement jeune, et très sale. Ses beaux vêtements déchirés tombaient en lambeaux, et ses pieds nus laissèrent des traces de sang sur le plancher alors que les hommes le traînaient de force jusqu'au fauteuil. Tessa poussa un gémissement étouffé et sentit Will se raidir à côté d'elle.

L'homme continuait à se débattre faiblement, comme un insecte au bout d'une épingle, tandis que les vampires lui menottaient les poignets et les chevilles au fauteuil. Une fois leur tâche accomplie, ils reculèrent et De Quincey sourit de nouveau en découvrant ses crocs luisants comme de l'ivoire. Tessa percevait l'impatience des vampires autour d'elle et, surtout, la faim qui les torturait. S'ils avaient pu passer pour un public cultivé amateur de théâtre, ils évoquaient à présent des fauves prêts à bondir, les yeux brillants, la bouche ouverte.

— Quand devez-vous alerter l'Enclave ? demanda Tessa d'une voix pressante.

La réponse de Will fut sans appel.

— Quand le sang aura coulé. Nous devons le voir à l'œuvre.

— Will…

— Tessa, chuchota-t-il en agrippant ses doigts. Taisez-vous.

À contrecœur, Tessa reporta son attention sur la scène, où De Quincey s'avançait vers l'homme enchaîné. Il s'arrêta près du fauteuil et ses longs doigts pâles rampèrent telle une araignée jusqu'à l'épaule du prisonnier. Celui-ci sursauta de frayeur au moment où la main du vampire remontait jusqu'à son cou pour tâter son pouls comme un médecin auscultant son patient.

De Quincey portait à un doigt un anneau en argent serti d'une pointe qu'il brandit dans son poing serré. Le métal étincela, et le prisonnier poussa un hurlement. La voix parut vaguement familière à Tessa.

Un mince filet de sang coula sur la gorge de l'homme avant de se répandre sur sa poitrine. Il se mit à s'agiter en tous sens tandis que De Quincey, le visage enlaidi par la faim, récoltait un peu de sang sur le bout de ses doigts, qu'il porta à sa bouche sous les sifflements et les gémissements des vampires rassemblés, qui avaient de plus en plus de mal à rester assis. Tessa jeta un coup d'œil vers la femme emperruquée. Elle avait la bouche ouverte et le menton luisant de salive.

— Will, murmura Tessa. Will, je vous en prie.

Will se tourna vers Magnus.

— Magnus, faites-la sortir.

Révoltée à l'idée d'être emmenée de force, Tessa protesta :

— Non, Will, je reste ici…

Le ton de Will ne changea pas mais ses yeux étincelèrent.

— Nous en avons déjà discuté. Partez ou je n'alerte pas l'Enclave. Partez ou cet homme mourra.

— Venez, dit Magnus en posant la main sur le bras de Tessa pour l'aider à se lever.

À contrecœur, elle se laissa guider jusqu'à la porte en jetant des coups d'œil inquiets autour d'elle pour s'assurer que leur départ précipité n'avait pas attiré l'attention, mais personne ne s'intéressait à eux. Tous les regards étaient rivés sur De Quincey et son prisonnier. De nombreux vampires s'étaient déjà levés : ils sifflaient, acclamaient leur hôte et poussaient des gémissements affamés, inhumains.

Au milieu de la foule déchaînée, Will s'était penché sur son siège tel un chien de chasse impatient d'être lâché sur sa proie. Il glissa la main dans la poche de son gilet et en sortit un objet en métal.

Le Phosphore.

Magnus ouvrit la porte.

— Dépêchez-vous.

Tessa hésita, se tourna une dernière fois vers la scène. De Quincey se tenait à présent derrière le prisonnier. Sa bouche grimaçante était tachée de sang. Il saisit le capuchon de l'homme à deux mains.

Will se leva en brandissant le Phosphore dans sa main. Magnus poussa un juron et tira Tessa par le bras. Elle se détourna à demi pour le suivre puis s'arrêta net au moment où De Quincey arrachait le capuchon noir pour révéler le visage de sa victime.

L'homme avait la bouche enflée, la figure couverte de bleus, et un œil au beurre noir si tuméfié qu'il ne pouvait plus l'ouvrir. Le sang et la sueur plaquaient ses cheveux blonds sur son crâne. Mais, malgré tout cela, Tessa l'aurait reconnu entre tous. Maintenant, elle comprenait pourquoi son cri de douleur lui avait semblé familier.

C'était Nathaniel.

11

LA MÊLÉE

Nous sommes tous des hommes,
fragiles par nature et faibles par la chair ;
peu d'entre nous sont des anges.

Shakespeare, *Henri VIII*

Tessa poussa un hurlement inhumain, un hurlement de vampire. Elle eut peine à reconnaître le son qui avait jailli de sa gorge ; on aurait dit le bruit d'un verre qui se brise. Là où elle aurait dû crier le nom de son frère, elle hurla :

— Will ! Will, maintenant !

Des exclamations étonnées fusèrent, et des dizaines de visages livides se tournèrent vers elle. De Quincey s'était figé sur l'estrade ; même Nathaniel l'observait, ébahi, l'air de se demander s'il rêvait.

Will, le doigt sur le bouton du Phosphore, parut hésiter. Son regard croisa celui de Tessa. Cela ne dura qu'une fraction de seconde, mais De Quincey s'en aperçut. Comme s'il lisait dans leurs pensées, il pointa le doigt sur Will.

— Le serviteur, cracha-t-il. Arrêtez-le !

— Je ne suis pas un domestique, dit Will. Je suis un Nephilim.

Et à ces mots, il appuya sur le bouton.

Tessa, qui s'attendait à un éclair de lumière blanche, perçut un grand souffle d'air, puis les flammes des candélabres s'élevèrent brusquement vers le plafond. Des étincelles jaillirent, avant de s'éparpiller sur le sol en une pluie de braises rougeoyantes qui embrasèrent les rideaux et les robes des femmes. Soudain, la pièce se remplit de fumée noire et résonna de hurlements aigus.

Tessa ne voyait plus Will. Elle fit mine de revenir sur ses pas mais Magnus, dont elle avait presque oublié la présence, la retint fermement par le poignet.

— Miss Gray, non, dit-il, et comme elle essayait de se dégager, il ajouta : Miss Gray ! Vous êtes un vampire, à présent ! Si vous prenez feu, vous flamberez comme du petit bois…

Comme pour illustrer son argument, à cet instant précis une braise atterrit sur la perruque blanche de Lady Delilah, qui prit feu sur-le-champ. Avec un cri d'horreur, elle tenta de l'arracher de sa tête, mais ses mains s'enflammèrent à leur tour comme du papier. En une fraction de seconde, ses bras se transformèrent en torches. Elle se rua vers la porte en hurlant, mais les flammes furent plus rapides qu'elle et, quelques instants plus tard, un grand feu de joie brûlait à l'endroit où elle se trouvait. Tessa ne distinguait déjà plus que les contours d'une créature noircie qui se tordait dans d'affreuses souffrances.

— Vous voyez ce que je veux dire ? brailla Magnus dans l'oreille de Tessa pour se faire entendre par-dessus le vacarme.

— Laissez-moi ! gémit-elle.

De Quincey s'était jeté dans la mêlée ; Nathaniel, qui semblait avoir perdu connaissance, resta seul sur l'estrade, enchaîné à son fauteuil.

— C'est mon frère, là-bas, cria Tessa. Mon frère !

Magnus se figea de surprise. Profitant de sa confusion, elle se dégagea d'un geste brusque et s'élança vers la scène. Dans la pièce, c'était le chaos : les vampires se bousculaient pour gagner la sortie. Ceux qui avaient atteint la porte se poussaient pour passer les premiers ; d'autres se ruaient vers les baies vitrées qui donnaient sur le jardin.

Tessa fit un écart pour éviter une chaise renversée, et faillit s'affaler de tout son long sur la femme rousse en robe bleue qui l'avait fusillée du regard un peu plus tôt dans la soirée. À présent, elle semblait terrifiée. Elle se jeta sur Tessa... puis s'arrêta net. Sa bouche s'ouvrit en un cri silencieux, et des flots de sang en jaillirent comme d'une fontaine. Son visage se ratatina jusqu'à ce que sa peau tombe en poussière sur les os de son crâne. Ses cheveux roux se racornirent et virèrent au gris, la peau de ses bras se désagrégea et, dans un dernier hurlement désespéré, la femme vampire se désintégra en un tas de poussière et de débris d'os qui s'éparpillèrent sur sa robe en satin.

Prise d'un haut-le-cœur, Tessa détourna vivement le regard et aperçut Will. Il se tenait devant elle, un couteau à la main. Son visage était couvert de sang, et ses yeux lançaient des éclairs.

— Que diable faites-vous encore ici ? cria-t-il. Il faut que vous soyez d'une bêtise incroyable…

Tessa se retourna avant lui, alertée par un gémissement à peine audible évoquant le grincement d'une machine en panne. Le serviteur en veste grise dont Lady Delilah avait bu le sang un peu plus tôt fondait sur Will. Un couinement aigu s'échappait de sa gorge, et son visage était maculé de sang et de larmes. Il tenait à la main un pied de chaise à l'extrémité pointue.

— Will, attention ! cria Tessa.

Will fit volte-face, se déplaça avec une rapidité prodigieuse et le couteau dans sa main étincela dans la pièce saturée de fumée. Quand il s'immobilisa, le garçon gisait à ses pieds, le poignard planté dans la poitrine. Du sang jaillissait de sa blessure, plus sombre et plus épais que du sang de vampire.

Les yeux baissés sur le cadavre, Will devint livide.

— Je croyais…

— Il vous aurait tué s'il en avait eu le temps, dit Tessa.

— Vous n'en savez rien.

Il secoua la tête comme pour effacer la vision du garçon étendu sur le sol. Il semblait très jeune, et son visage avait une expression paisible dans la mort.

— Je vous avais dit de partir…

— C'est mon frère là-bas, dit Tessa en désignant l'estrade.

Nathaniel était toujours inconscient. Si elle n'avait pas remarqué le sang qui coulait encore le long de son cou, elle aurait sans doute cru qu'il était mort.

Will ouvrit de grands yeux.

— Mais comment… ?

Il n'eut pas le temps de formuler sa question car, à cet instant, les baies vitrées explosèrent et la pièce se remplit de Chasseurs d'Ombres en tenue de combat. Ils poussaient devant eux un groupe dépenaillé et braillard de vampires qui avaient réussi à gagner le jardin. D'autres Chasseurs d'Ombres entrèrent par la porte en poussant d'autres vampires devant eux comme des chiens de berger guidant des moutons vers un enclos. De Quincey marchait en tête du groupe, le visage pâle et maculé de suie, les crocs dénudés.

Parmi les Nephilim, Tessa repéra Henry, facilement reconnaissable à ses cheveux roux. Charlotte était là elle aussi, vêtue, comme les illustrations féminines du *Codex*, de la même tenue que les hommes. Malgré sa petite taille, elle avait l'air étonnamment féroce et déterminé. Ensuite venait Jem. Ses vêtements noirs rehaussaient sa pâleur saisissante, et ses Marques ressortaient sur sa peau comme de l'encre sur du papier. Parmi la foule, elle reconnut également Gabriel Lightwood, son père Benedict, les cheveux noirs et le corps mince de Mrs Highsmith et, derrière, Magnus, qui marchait en faisant jaillir des étincelles bleues de ses mains.

Will soupira et ses joues reprirent un peu de couleur.

— Je n'étais pas sûr qu'ils viendraient, marmonna-t-il. J'avais peur que le Phosphore ne fonctionne pas. Allez secourir votre frère. Ensuite, le plus dur sera passé. Enfin, j'espère.

À ces mots, il s'éloigna sans un regard pour elle. Les Nephilim encerclèrent les vampires qui n'avaient pas péri dans l'incendie. Le visage déformé par la colère et la chemise tachée de sang, De Quincey dominait manifestement le groupe ; les vampires se blottissaient derrière lui comme des enfants derrière leur père, l'air à la fois féroce et désemparé.

— La Loi nous protège, grogna-t-il au moment où Benedict Lightwood s'avançait vers lui, un couteau gravé de runes étincelant dans sa main droite. Nous acceptons de nous rendre. La Loi…

— Vous l'avez violée, rugit Benedict. Par conséquent, elle ne vous protège plus. Le châtiment, c'est la mort.

— Un seul Terrestre, protesta De Quincey en évitant de regarder Nathaniel. Un seul Terrestre qui a lui aussi enfreint les lois du Covenant…

— Ces lois ne s'appliquent pas aux Terrestres. On ne peut pas s'attendre qu'ils suivent les règles d'un monde dont ils ignorent tout.

— C'est un bon à rien ! Tenez-vous vraiment à rompre notre traité à cause d'un misérable Terrestre ?

— Il y en a eu d'autres ! cria Charlotte, et de sa veste elle sortit la feuille de papier que Will avait prise dans la bibliothèque. Que dites-vous de ces sortilèges ? Vous pensiez peut-être que nous ne découvririons pas leur existence ? Cette… cette magie noire est formellement interdite par le Covenant !

La surprise se peignit sur les traits du vampire.

— Où avez-vous trouvé cela ?

— Ça n'a pas d'importance, répondit Charlotte avec sévérité.

— Ce que vous croyez savoir…

— Nous en savons assez ! s'emporta-t-elle. Nous savons que vous nous haïssez et que votre alliance avec nous n'est qu'une mascarade !

— Depuis quand est-ce illégal de ne pas aimer les Chasseurs d'Ombres ? répliqua De Quincey, mais sa belle assurance avait disparu ; il semblait vaincu.

— Cessez vos petits jeux, cracha Benedict. Après tout ce que nous avons fait pour vous, après tous ces traités… Pourquoi ? Nous qui prônions l'égalité…

Un rictus déforma les traits du vampire.

— L'égalité ? Vous ignorez jusqu'au sens de ce mot. Pour le comprendre, il faudrait vous défaire de votre sentiment de supériorité ! Où sont nos sièges au Conseil ? Où est notre ambassade à Idris ?

— Mais… mais c'est ridicule, protesta Charlotte, qui avait pourtant blêmi.

— Et ce n'est pas le propos, ajouta Benedict avec impatience. En tout cas, cela n'excuse pas votre comportement, De Quincey. Bien que vous ayez siégé avec nous lors des Accords et prétendu que vous défendiez la paix, vous avez enfreint la Loi dans notre dos et tourné en ridicule notre autorité. Rendez-vous, dites-nous ce que nous voulons savoir, et nous laisserons peut-être la vie sauve aux membres de votre clan. Le cas échéant, nous serons sans pitié.

Un autre vampire prit la parole. C'était l'un des vampires qui avaient attaché Nathaniel au fauteuil, un homme grand et roux aux traits déformés par la colère.

— S'il nous fallait d'autres preuves que les Nephilim n'ont jamais voulu la paix, c'est chose faite. Si vous osez vous en prendre à nous, Chasseurs d'Ombres, vous aurez la guerre !

Benedict sourit.

— Alors que la guerre soit déclarée, dit-il, et, à ces mots, il lança son couteau dans la direction de De Quincey.

L'arme décrivit un cercle avant de s'enfoncer jusqu'à la garde dans le torse du vampire aux cheveux roux, qui s'était interposé devant le chef de son clan. Il explosa en une gerbe de sang et, autour de lui, les vampires poussèrent des hurlements. Avec un grognement de fureur, De Quincey se jeta sur Benedict. S'arrachant à leur stupeur, les autres vampires l'imitèrent et en quelques secondes, ce fut une gigantesque mêlée.

Ce chaos soudain tira également Tessa de sa torpeur. Relevant sa jupe, elle courut vers l'estrade et tomba à genoux près de Nathaniel. Il avait la tête ballante et les paupières closes mais du sang s'écoulait toujours de sa blessure. Tessa le secoua par la manche.

— Nathaniel, murmura-t-elle. Nate, c'est moi.

Il gémit. Tessa entreprit d'ôter les menottes en fer qui enchaînaient ses poignets. Elles étaient fixées aux bras du fauteuil par des rangées de clous et visiblement conçues pour résister aux assauts d'un vampire. Elle tira dessus jusqu'à avoir les doigts en sang, mais rien ne bougea. Si seulement elle avait un couteau !

Elle parcourut la pièce du regard. Au-delà de l'écran de fumée, elle distinguait l'éclat des poignards séraphiques des Chasseurs d'Ombres, qui prenaient vie quand ils invoquaient le nom d'un ange. Leur lame faisait couler le sang des vampires, rouge comme des rivières de rubis. Elle s'aperçut avec stupéfaction que ces créatures qui l'avaient terrifiée de prime abord étaient manifestement en position de faiblesse. Si les Enfants de la Nuit étaient rapides et cruels, les Chasseurs d'Ombres les égalaient presque en agilité, et ils avaient pour eux leur maniement des armes. Les uns après les autres, les vampires tombaient sous leurs coups de poignard. Le sang formait des flaques qui détrempaient les tapis persans.

À un endroit, la fumée s'était dissipée, et Tessa vit Charlotte expédier un vampire solidement charpenté vêtu d'une veste grise. Après qu'elle lui eut tranché la gorge en éclaboussant de sang le mur derrière eux, il tomba à genoux en rugissant et elle l'acheva d'un coup de poignard en pleine poitrine.

Derrière Charlotte, Tessa reconnut la silhouette de Will, qui était poursuivi par un vampire fou de rage brandissant un pistolet. Il pointa l'arme sur Will, visa et tira. Will fit un bond de côté, glissa sur le sol poissé de sang, roula sur lui-même et grimpa sur une chaise. Il bondit de nouveau pour éviter une autre balle et, stupéfaite, Tessa le regarda courir d'un pas léger sur une rangée de chaises puis sauter de la dernière. Il se tourna vers le vampire qui s'était figé à l'autre bout de la pièce, dégaina un petit poignard et le lança vers son assaillant, qui tenta de l'esquiver mais ne fut pas assez rapide ; la lame se planta dans son épaule. Il poussa un cri de douleur et s'apprêtait à retirer le couteau de sa blessure quand une ombre surgit de nulle part, et le vampire explosa en une gerbe de sang et de poussière. Un instant plus tard, Tessa aperçut Jem qui tenait un long couteau dans son poing levé. Il sourit, donna un coup de pied dans le pistolet abandonné parmi les restes du vampire, et l'arme glissa sur le sol avant de s'arrêter aux pieds de

Will. Il rendit son sourire à Jem, ramassa le pistolet et le passa à sa ceinture.

— Will ! cria Tessa, consciente qu'il risquait de ne pas l'entendre par-dessus le tumulte de la bataille. Will...

Soudain, une main la saisit par le dos de sa robe et la tira en arrière. Tessa eut l'impression d'être prisonnière des serres d'un énorme oiseau. Elle cria et s'affala sur une rangée de chaises qui se renversèrent dans un vacarme tonitruant. Gisant parmi les chaises éparses, Tessa leva les yeux et laissa échapper un hurlement.

De Quincey se dressait au-dessus d'elle. Ses yeux noirs injectés de sang étincelaient de fureur ; ses cheveux blonds tombaient en désordre sur son visage, et le plastron de sa chemise était déchiré et taché de sang, seules traces d'une blessure qui avait dû cicatriser entre-temps ; la peau sous le tissu en lambeaux semblait intacte.

— Garce ! rugit-il. Menteuse, traîtresse ! C'est toi qui as amené ce garçon ici, Camille. Ce Nephilim.

Tessa recula tant bien que mal, et son dos heurta une des chaises.

— J'ai accepté que tu reviennes dans le clan, même après ton petit... interlude répugnant avec ce lycanthrope. Je tolère ton sorcier ridicule. Et c'est ta façon de me remercier ? (Il tendit vers elle ses mains noircies.) Tu vois cela ? Ce sont les cendres de nos morts. Tu les as trahis pour les Nephilim !

Il cracha ce dernier mot comme s'il s'agissait d'un poison. Tessa sentit enfler dans sa gorge un rire qui n'était pas le sien. Le rire de Camille.

— Un interlude répugnant ? (Les mots jaillirent de sa bouche sans qu'elle puisse exercer le moindre contrôle dessus.) Je l'aimais comme tu ne m'as jamais aimée... comme tu ne pourras jamais aimer personne. Si tu l'as tué, c'est uniquement pour montrer au clan de quoi tu étais capable. Je veux que tu saches ce que cela fait de tout perdre. Je veux que tu saches, alors que ta maison brûle, que ton clan est réduit en cendres et que ta misérable vie est sur le point de s'achever, que c'est moi qui t'ai fait cela.

La voix de Camille se tut aussi brutalement qu'elle s'était fait entendre, laissant Tessa vidée et choquée, ce qui ne l'empêcha pas de tâtonner dans son dos. Il devait bien y avoir un débris de bois dont elle se pourrait servir comme d'une arme. De Quincey la dévisageait d'un air stupéfait, la bouche entrouverte. Elle supposa qu'il n'avait pas l'habitude qu'on lui parle sur ce ton.

— Peut-être que je t'ai sous-estimée, dit-il enfin. Peut-être que tu causeras ma perte. (Il tendit les mains vers elle.) Mais je t'emmènerai avec moi...

Les doigts de Tessa se refermèrent sur un pied de chaise ; sans même réfléchir, elle l'abattit sur le dos de De Quincey, qui recula. Le temps qu'il reprenne ses esprits, elle avait réussi à se relever et le frappait de nouveau. Les lèvres du vampire se retroussèrent sur ses crocs et il se jeta sur elle comme un fauve, la plaqua par terre et lui arracha la chaise des mains. Au moment où il plongeait vers sa gorge, elle le griffa de toutes ses forces et lui lacéra la joue. Quelques gouttes de sang brûlant comme de l'acide éclaboussèrent sa main. Elle poussa un cri, le frappa de plus belle, mais il éclata de rire. Ses pupilles disparurent dans ses iris noirs, lui donnant l'air inhumain. Soudain, il ressemblait à un serpent monstrueux.

Il lui saisit les poignets et les immobilisa.

— Reste tranquille, petite Camille, susurra-t-il en se penchant sur elle. Ce sera fini dans un instant…

Tel un cobra sur le point de planter ses crochets dans sa proie, il rejeta la tête en arrière. Terrifiée, Tessa se débattit pour libérer ses jambes et lui donner des coups de pied…

Soudain, il poussa un cri, et Tessa s'aperçut qu'une main l'avait saisi par les cheveux pour le forcer à se relever. Une main entièrement recouverte de Marques noires.

La main de Will.

De Quincey se redressa sans cesser de crier, les mains plaquées sur sa tête. Tessa se releva à son tour tandis que Will repoussait le vampire loin de lui d'un geste dédaigneux. Il ne souriait plus, et ses yeux étincelaient. En cet instant, Tessa comprenait pourquoi Magnus avait comparé leur couleur au ciel de l'enfer.

— Nephilim !

Une fois qu'il eut retrouvé son équilibre, De Quincey cracha aux pieds de Will. Celui-ci dégaina son pistolet et le braqua sur le vampire.

— Une abomination créée par le diable, voilà ce que vous êtes. Vous ne méritez pas le droit de vivre dans ce monde et quand, pris de pitié, nous vous accordons le droit de vivre, vous nous jetez notre générosité à la figure.

— Comme si nous avions besoin de votre miséricorde ! répliqua De Quincey. Comme si nous valions moins que vous ! Vous autres Nephilim, vous vous prenez pour…

Il s'interrompit brusquement. Il était si sale qu'il était difficile d'en jurer, mais l'estafilade sur sa joue avait déjà cicatrisé.

— Pour quoi ? (Will arma le pistolet ; il émit un clic sonore qui domina le bruit de la bataille.) Dis-le.

Les yeux du vampire étincelèrent.

— Dire quoi ?

— Dieu, répondit Will. Tu allais me dire que les Nephilim se prennent pour Dieu, n'est-ce pas ? Sauf que tu ne peux même pas prononcer son nom. Moque-toi de la Bible autant que ça te chante avec ta petite collection, tu n'arrives toujours pas à le dire. Dis-le. Dis-le, et je te laisserai la vie sauve.

Le vampire découvrit ses crocs.

— Tu ne peux pas me tuer avec ce jouet ridicule.

— Si la balle t'atteint en plein cœur, tu mourras, rétorqua Will en tenant d'une main ferme le pistolet. Or, je suis très bon tireur.

Tessa observait la scène, immobile. Elle aurait voulu retourner auprès de son frère, mais elle avait peur de bouger.

De Quincey leva la tête, ouvrit la bouche pour parler. Un faible gargouillis s'échappa de ses lèvres. Il s'étrangla de nouveau, porta la main à sa gorge. Will se mit à rire…

Et le vampire bondit. Le visage déformé par la rage, il se jeta sur Will en rugissant. Ils s'empoignèrent, puis une détonation retentit et un flot de sang jaillit. Will tomba à terre, le pistolet lui glissa des mains et le vampire se dressa au-dessus de lui. Tessa se baissa pour ramasser l'arme et en se retournant, elle vit que De Quincey avait empoigné Will par le dos de sa veste et glissé le bras sous sa gorge.

D'une main tremblante, elle leva le pistolet... mais elle ne s'était jamais servie d'une arme à feu, alors comment atteindre sa cible sans blesser Will ? À voir son visage cramoisi, il s'étouffait. De Quincey proféra quelques mots incompréhensibles et resserra son étreinte.

Baissant la tête, Will planta ses dents dans l'avant-bras du vampire, qui poussa un hurlement de douleur et lâcha prise. Le jeune homme fit un bond de côté, réprima un haut-le-cœur et roula sur les genoux pour cracher un jet de salive ensanglantée sur l'estrade. Quand il releva la tête, il avait le menton barbouillé de sang. À la stupéfaction de Tessa, il sourit et, se tournant vers De Quincey, il lança :

— Alors, ça te plaît, vampire ? Toi qui allais mordre ce Terrestre un peu plus tôt, maintenant tu sais ce que ça fait.

À genoux par terre, De Quincey regarda tour à tour Will et la vilaine plaie sanglante sur son bras, qui commençait déjà à se refermer, malgré le sang sombre qui s'écoulait en un mince filet sur sa peau blanche.

— Tu vas me le payer, Nephilim.

Will ouvrit grand les bras en souriant tel un démon, la bouche pleine de sang. En cet instant, lui-même n'avait plus grand-chose d'humain.

— Viens me chercher.

Comme Quincey se préparait à bondir une nouvelle fois, Tessa pressa la détente. Le vampire tomba sur le flanc, et du sang se mit à couler de son épaule. Elle avait manqué son cœur.

De Quincey se releva tant bien que mal en gémissant. Tessa brandit son arme et pressa la détente une seconde fois… mais rien ne se produisit. Un clic ténu lui indiqua que le chargeur était vide.

De Quincey éclata de rire. Il agrippait toujours son épaule blessée bien que le sang ait cessé de couler.

— Camille, cracha-t-il, je reviendrai et je te ferai regretter d'avoir gagné la vie éternelle.

Tessa sentit son estomac se nouer. Ce n'était pas seulement sa peur qu'elle éprouvait, c'était aussi celle de Camille. De Quincey montra les crocs une dernière fois puis, faisant volte-face, il s'élança vers une baie vitrée à une vitesse prodigieuse et se jeta à travers dans une pluie de débris, le corps comme projeté en avant par une vague, avant de disparaître dans la nuit.

Will poussa un juron.

— Il ne peut pas nous échapper… marmonna-t-il en se lançant à la poursuite du fuyard.

Mais le cri perçant de Tessa lui fit rebrousser chemin. Un vampire dépenaillé s'était faufilé derrière elle tel un fantôme, et l'avait saisie par les épaules. Elle tenta de se dégager, mais il était trop fort pour elle. Elle l'entendit lui murmurer des menaces à l'oreille : pour la punir d'avoir trahi les Enfants de la Nuit, il la taillerait en pièces.

— Tessa ! cria Will.

Était-ce de la peur ou de la colère qu'elle percevait dans sa voix ? Il dégaina son poignard séraphique au moment où le vampire faisait pivoter Tessa vers lui. Elle entrevit son visage blême, son regard concupiscent, ses crocs sur le point de se planter dans sa gorge. Il se pencha vers elle…

Et explosa en une pluie de poussière et de sang. L'espace d'un instant, Tessa aperçut son squelette noirci avant qu'il ne se désagrège, ne laissant derrière lui qu'un tas de vêtements.

Elle releva la tête. Jem se tenait à quelques pas d'elle. Il était très pâle et serrait un couteau dans sa main. Hormis une grosse entaille sur la joue, il paraissait indemne. Ses cheveux et ses yeux avaient un éclat argenté à la lumière mourante des flammes.

— Je crois que c'était le dernier, annonça-t-il.

Tessa parcourut la pièce d'un regard surpris. La paix était revenue. Des Chasseurs d'Ombres s'affairaient çà et là au milieu des débris. On soignait les blessés installés sur des chaises, mais Tessa ne voyait plus un seul vampire. La fumée s'était dissipée bien que les cendres blanches des rideaux partis en flammes flottent encore dans l'atmosphère comme des flocons de neige.

Will, qui avait encore du sang sur le menton, se tourna vers Jem, les sourcils levés.

— Joli lancer.

Jem secoua la tête.

— Tu as mordu De Quincey ! Imbécile, c'est un vampire. Tu sais ce que cela signifie de mordre un vampire ?

— Je n'avais pas le choix. Il était en train de m'étrangler.

— Je sais, dit Jem. Mais franchement, Will. Encore ?

Ce fut Henry, pour finir, qui délivra Nathaniel de son fauteuil de torture en tapant sur les menottes avec le plat d'une épée. Nathaniel glissa sur le sol et se mit à gémir quand Tessa le serra contre elle. Charlotte alla chercher des linges humides pour lui nettoyer le visage ainsi qu'un bout de rideau pour couvrir ses épaules, avant de se ruer sur Benedict Lightwood. S'ensuivit une discussion animée au cours de laquelle elle ne cessa de montrer du doigt Tessa et Nathaniel, ne s'interrompant que pour agiter les mains de façon théâtrale. Tessa, hébétée et recrue de fatigue, se demanda ce qu'elle pouvait bien raconter.

Pour finir, elle s'en désintéressa. Avec l'impression d'évoluer dans un rêve, elle s'assit par terre auprès de Nathaniel tandis que les Chasseurs d'Ombres se marquaient les uns les autres avec leur stèle. C'était un spectacle incroyable que de voir leurs blessures disparaître à mesure qu'ils appliquaient des runes de guérison sur leur peau. Elle regarda Jem déboutonner sa chemise en grimaçant pour dénuder son épaule balafrée ; il détourna les yeux, les dents serrées, tandis que Will appliquait une Marque sur sa blessure.

Quand il en eut fini avec Jem, il se dirigea vers Tessa d'un pas nonchalant et c'est alors qu'elle comprit pourquoi elle était aussi fatiguée.

— Vous êtes redevenue vous-même, à ce que je vois.

Il tenait une serviette humide à la main mais n'avait pas encore pris la peine d'essuyer le sang sur son visage et sur son cou.

Tessa s'examina de la tête aux pieds. Il disait vrai. À un moment donné, elle avait perdu Camille et retrouvé son apparence. Elle devait être bien fatiguée pour ne pas s'être aperçue que son cœur s'était remis à battre.

— J'ignorais que vous saviez vous servir d'un pistolet, ajouta Will.

— Je n'ai jamais appris. C'est Camille, sans doute. J'ai tiré... d'instinct. (Elle se mordit la lèvre.) Qu'est-ce que ça change ? J'ai manqué ma cible.

— Nous nous servons rarement d'armes à feu. Quand on grave des runes sur un pistolet ou sur une balle, allez savoir pourquoi, cela empêche la poudre de s'enflammer. Henry n'a pas trouvé de solution à ce problème. Or, comme il est impossible d'éliminer un démon sans avoir recours aux runes ou à un poignard séraphique, les armes à feu ne nous sont d'aucune utilité. En théorie, il est possible de tuer un vampire en visant son cœur, et de blesser un loup-garou avec une balle en argent, mais si l'on rate son coup, cela ne sert qu'à attiser leur colère. Les poignards et les runes sont plus efficaces. Il est plus difficile pour un vampire de guérir d'une blessure infligée avec un poignard séraphique.

— C'est un crève-cœur, non ? demanda Tessa.

— De quoi parlez-vous ?

— De tuer des vampires. Même si ce ne sont pas des êtres humains, ils en ont l'apparence. Ils éprouvent des émotions identiques. Ils crient et ils saignent. Cela ne vous fait rien de les tuer ?

Le visage de Will se ferma.

— Non. Si vous les connaissiez vraiment...

— Camille a un cœur. Elle peut aimer ou haïr.

— Et elle est toujours en vie. Nous avons tous le choix, Tessa. Ces vampires ne seraient pas venus ici ce soir s'ils n'avaient pas fait les leurs. (Il baissa les yeux vers Nathaniel, dont la tête reposait sur les genoux de la jeune fille.) Cela vaut aussi pour votre frère, j'imagine.

— J'ignore pourquoi De Quincey l'avait condamné à mort, dit-elle à mi-voix. Je ne sais pas ce qu'il a fait pour s'attirer la colère des vampires.

— Tessa !

Charlotte se précipita vers eux. Elle semblait toujours aussi minuscule et inoffensive malgré sa tenue et les Marques noires qui s'entrelaçaient sur sa peau.

— On nous a autorisés à ramener votre frère à l'Institut, annonça-t-elle. Les vampires l'ont sans doute drogué. Il a sûrement été mordu, et Dieu sait quoi d'autre. Il pourrait devenir un assujetti si nous n'y prenons pas garde. Dans tous les cas, je doute qu'on puisse lui venir en aide dans un hôpital terrestre. Avec nous au moins, les Frères Silencieux pourront veiller sur lui, le pauvre.

— Le pauvre ? répéta Will d'un ton condescendant. Il s'est fourré tout seul dans ce guêpier, non ? Personne ne l'obligeait à fréquenter les vampires.

— Franchement, Will, dit Charlotte en lui jetant un regard glacial, tu pourrais faire preuve d'un peu de compassion.

— Pourquoi faut-il que les femmes se fassent encore plus bêtes qu'elles ne sont dès qu'on les met en présence d'un jeune homme blessé ? répliqua Will en observant tour à tour Charlotte et Nate.

Tessa le fusilla du regard.

— Vous devriez peut-être nettoyer ce sang sur votre visage avant de vous aventurer sur ce terrain-là.

Will leva les bras au ciel et s'éloigna d'un air furieux. Charlotte regarda Tessa avec un sourire malicieux.

— Je dois admettre que j'apprécie votre façon de dompter Will.

Tessa secoua la tête.

— Personne ne peut le dompter.

Il fut rapidement décidé que Tessa et Nathaniel rentreraient en voiture avec Henry et Charlotte. Will et Jem emprunteraient le cabriolet de la tante de Charlotte pour effectuer le trajet du retour avec Thomas. Quant aux Lightwood et au reste de l'Enclave, ils fouilleraient la maison et effaceraient les traces de la bataille pour ne pas éveiller les soupçons des Terrestres qui viendraient dans la matinée. Will voulait prendre part aux investigations, mais Charlotte se montra intraitable. Il avait ingéré du sang de vampire et devait donc rentrer à l'Institut au plus vite pour commencer le traitement.

Cependant, Thomas refusa de le laisser monter en voiture couvert de sang et, après avoir annoncé qu'il s'absentait pendant une minute, il alla chercher un linge humide. Adossé au flanc de la voiture, Will regarda les Chasseurs d'Ombres entrer et sortir de la maison en s'activant comme des fourmis pour arracher aux dernières flammes les meubles et la paperasse.

De retour avec un chiffon mouillé d'eau savonneuse, Thomas le tendit à Will et s'adossa à son tour à la voiture, qui tangua sous son poids. Charlotte avait toujours encouragé Thomas à se joindre à Will et à Jem lors des entraînements physiques et, au fil des ans, l'enfant malingre était devenu si charpenté que les tailleurs s'arrachaient les cheveux quand ils prenaient ses mesures. Will était probablement meilleur combattant – son sang l'y prédisposait – mais la force physique de Thomas ne pouvait être considérée à la légère.

Parfois, Will se remémorait Thomas le jour de son arrivée à l'Institut. Bien qu'issu d'une famille employée au service des Nephilim depuis des générations, à sa naissance il était si chétif qu'on en avait déduit qu'il ne vivrait pas longtemps. À l'âge de douze ans, il avait été envoyé à l'Institut ; à cette époque, il était si petit et si frêle qu'il paraissait en avoir à peine neuf. Will s'était moqué de Charlotte qui voulait le prendre à son service, tout en espérant secrètement qu'il resterait afin d'avoir un garçon de son âge dans son entourage. Le Chasseur d'Ombres et le domestique étaient devenus amis, jusqu'à ce que Jem arrive et que Will en oublie presque Thomas. Celui-ci ne lui en avait pas tenu rigueur et avait continué à le traiter avec la même gentillesse que le reste de la maisonnée.

— Ça me coupe toujours la chique, après un raffut pareil, que les voisins ne viennent pas fureter dans le coin, dit-il en lançant un regard de part et d'autre de la rue.

Charlotte exigeait que les domestiques adoptent un langage « correct » au sein de l'Institut, mais Thomas retrouvait vite le parler de l'East End dès qu'il n'y prêtait pas garde.

— Des charmes puissants sont à l'œuvre, expliqua Will en se frottant le visage et le cou. Et je suppose qu'il y a quelques habitants du quartier qui ne sont pas des Terrestres et savent s'occuper de leurs affaires dès lorsqu'il est question de Chasseurs d'Ombres.

— C'est vrai que, vous autres, vous êtes terrifiants, lâcha Thomas d'un ton si tranquille que Will le soupçonna de se moquer de lui. Vous aurez un beau coquard demain si vous n'appliquez pas une *iratze* là-dessus.

— Et si j'ai envie d'avoir un coquard ? répliqua Will d'un ton maussade.

Thomas sourit et se hissa sur le siège du cocher pendant que Will essuyait le sang sur ses bras et ses mains. Cette tâche l'absorba suffisamment pour ne pas voir Gabriel Lightwood surgir de l'obscurité et se diriger vers la voiture d'un pas nonchalant, un sourire condescendant aux lèvres.

— Bien joué, Herondale. C'était une bonne idée d'incendier la maison, lança-t-il. Heureusement que nous étions là pour nettoyer derrière toi ou notre plan aurait capoté avec ce qu'il te reste de réputation.

— Quoi, il m'en reste encore ? s'exclama Will d'un air faussement horrifié. J'ai dû fauter à un moment. Ou plutôt rater une occasion de le faire. (Il donna un coup de poing dans le flanc de la voiture.) Thomas ! Il faut nous rendre immédiatement dans le bordel le plus proche ! J'ai besoin de scandale et de mauvaises fréquentations !

Thomas ricana. Will crut l'entendre marmonner « Foutaises ! » mais il préféra ignorer sa remarque. Le visage de Gabriel s'assombrit.

— Est-ce qu'il t'arrive d'être sérieux ?

— Non, du moins je n'en ai pas souvenir.

— Tu sais, il fut un temps où je croyais que nous pourrions être amis, Will.

— Il fut un temps où je me prenais pour un furet, mais c'était à cause des vapeurs d'opium. Tu savais que cela faisait cet effet-là ? Moi non.

— Je pense que tu devrais réfléchir à deux fois avant de faire des plaisanteries douteuses sur l'opium, étant donné la… situation de ton ami Carstairs.

Will se figea.

— Tu veux parler de son infirmité ?

Gabriel cilla.

— Quoi ?

— C'est bien le mot que tu as employé à l'Institut, non ? Son infirmité. (Will jeta au loin le linge taché de sang.) Et tu te demandes pourquoi nous ne sommes pas amis.

— Tu n'en as jamais assez ? dit Gabriel d'un ton radouci.

— Assez de quoi ?

— De te comporter comme tu le fais.

Will croisa les bras, et une lueur menaçante s'alluma dans son regard.

— Oh, il m'en faut toujours plus. C'est justement ce que m'a dit ta sœur quand…

La portière de la voiture s'ouvrit. Une main agrippa Will par le dos de sa chemise et l'attira à l'intérieur. La portière se referma sur lui et après s'être redressé, Thomas s'empara des rênes. Un instant plus tard, la voiture s'enfonçait dans la nuit, sous l'œil furieux de Gabriel.

— Qu'est-ce qui t'a pris ?

Jem secoua la tête et ses yeux gris étincelèrent dans la pénombre. Il avait calé sa canne entre ses genoux et s'appuyait d'une main sur le pommeau orné d'une tête de dragon. Will savait qu'il la tenait de son père et qu'elle avait été conçue pour lui par un armurier de Pékin.

— Pourquoi faut-il toujours que tu tourmentes Gabriel Lightwood ? Quel est l'intérêt ?

— Tu as entendu ce qu'il a dit sur toi…

— Je m'en moque. Lui au moins, il a le courage de dire tout haut ce que les autres pensent tout bas. (Jem se pencha, le menton dans la main.) Tu sais, je ne pourrai pas toujours assurer tes arrières. Un jour, il faudra que tu apprennes à te débrouiller seul.

Comme toujours, Will ignora son conseil.

— Gabriel Lightwood est loin d'être une menace.

— Oublie Gabriel. D'où te vient cette manie de mordre les vampires ?

Will toucha le sang séché sur son poignet et sourit.

— Ça les déstabilise.

— Tu m'étonnes ! Ils savent ce qu'on risque à ce jeu-là, et ils s'attendent probablement à un peu plus de jugeote de ta part.

— Voilà ce qui arrive quand on attend trop des gens.

Jem considéra Will d'un air songeur. Il était le seul à ne jamais perdre son calme avec lui. Quoi qu'il fasse, il ne provoquait, au pire, qu'un vague agacement chez lui.

— Qu'est-ce qui s'est passé ? Nous attendions le signal…

— Ce diable de Phosphore n'a pas fonctionné. Au lieu d'envoyer un signal lumineux, il a mis le feu aux rideaux.

Jem réprima un gloussement.

— Ce n'est pas drôle, dit Will en lui jetant un regard noir. Je n'étais pas sûr que vous viendriez.

— Tu penses sincèrement que nous t'aurions abandonné alors que toute la maison flambait ?

— Et cette idiote de Tessa qui était censée fuir avec Magnus, et qui a refusé de partir…

— Son frère était menotté à une chaise, objecta Jem. Moi non plus, je ne serais pas parti.

— Je vois que tu es décidé à réfuter tous mes arguments.

— Si ton argument, c'est qu'il y avait une jolie demoiselle dans la pièce et que cela t'a distrait, tu t'es bien fait comprendre.

— Tu la trouves jolie ? demanda Will, surpris.

Jem émettait rarement ce genre d'avis.

— Oui, et toi aussi.

— Je n'avais pas remarqué.

— Oh que si, et j'ai remarqué que tu avais remarqué, répliqua Jem en souriant.

Malgré le stress occasionné par la bataille, il semblait en grande forme. Ses joues avaient retrouvé un peu de couleur, et ses yeux brillaient avec intensité. Parfois, dans les pires moments de sa maladie, ils perdaient tout leur éclat. L'iris devenait terriblement pâle, presque blanc et la pupille noire au centre ressortait comme une tache de cendre sur de la neige. Il lui arrivait aussi de délirer. Dans ces moments-là, Will devait le plaquer au sol pour l'empêcher de s'agiter tandis qu'il s'égosillait dans une langue étrangère en roulant les yeux comme un possédé. Chaque fois que cela s'était produit, Will avait pensé que Jem ne survivrait pas à la crise. Par la suite, il s'était parfois demandé ce qu'il deviendrait sans lui mais il ne pouvait pas l'imaginer, pas plus qu'il ne parvenait à se rappeler sa vie avant son arrivée à l'Institut.

Mais il y avait aussi d'autres moments comme celui-ci où, lorsqu'il regardait Jem, il ne voyait aucune trace de sa maladie. Alors, il se surprenait à imaginer un monde où son ami ne serait pas condamné à mourir. Il portait ce vide en lui, cette peur terrible, que seuls la colère, le chagrin et le danger lui faisaient oublier.

Jem interrompit ses réflexions.

— Will, tu as entendu un seul mot de ce que je viens de t'expliquer pendant ces cinq dernières minutes ?

— Pas vraiment.

— On n'est pas obligés de parler de Tessa si cela te contrarie.

— Ça n'a rien à voir avec elle.

Will disait la vérité. Ce n'était pas à Tessa qu'il pensait. Il avait de moins en moins de mal à ne pas penser à elle ; cela ne requérait que de la pratique et de la détermination.

— L'un des vampires avait un serviteur humain qui s'en est pris à moi, poursuivit-il. Je l'ai tué sans même réfléchir. Ce n'était qu'un gamin.

— C'était un assujetti. Un jour ou l'autre, il serait devenu un vampire.

— Ce n'était qu'un gamin, répéta Will.

Il se tourna vers la vitre, mais il faisait si clair dans l'habitacle illuminé par la lumière de sort qu'il ne distingua que le reflet de son visage.

— Dès qu'on arrive à la maison, je ressors me saouler, déclara-t-il. Je crois que j'en ai vraiment besoin.

— Mais non, fit Jem. Tu sais bien comment cela va se terminer.

Will se rembrunit, car il savait qu'il avait raison.

Dans la première voiture, Tessa était assise en face de Henry et de Charlotte, qui évoquaient à voix basse les événements de la soirée. Elle les écoutait d'une oreille distraite. Seuls deux Chasseurs d'Ombres avaient été tués, mais la fuite de De Quincey était un désastre, et Charlotte craignait que l'Enclave ne la tienne pour responsable. Henry s'efforçait vainement de la rassurer. Si elle avait eu encore assez d'énergie pour ressentir quelque chose, Tessa aurait eu de la peine pour elle.

Nathaniel reposait, la tête appuyée sur ses genoux. Elle se pencha pour caresser ses cheveux poissés de sang.

— Nate, chuchota-t-elle, tout va bien maintenant.

Nate battit des paupières et ouvrit les yeux. Il tendit vers elle sa main meurtrie et serra ses doigts dans les siens.

— Ne pars pas, dit-il d'une voix pâteuse, avant de glisser à nouveau dans l'inconscience. Tessie… reste.

Il était le seul à employer ce surnom ; elle ferma les yeux pour refouler ses larmes. Elle ne voulait pas que Charlotte – ou un autre Chasseur d'Ombres – la voie pleurer.

12

SANG ET EAU

Je n'ose pas la toucher, de crainte que le baiser
Ne laisse à mes lèvres une gerçure.
— Oui, Seigneur, un peu d'absolue joie,
Une brève, amère joie a-t-on pour un grand péché ;
Néanmoins tu sais comme c'est une douce chose.

Algernon Charles Swinburne,
« Laus Veneris »

À leur arrivée à l'Institut, Sophie et Agatha les attendaient sur le seuil, une lanterne à la main. Tessa titubait de fatigue en descendant de voiture, et fut aussi surprise que reconnaissante quand Sophie vint l'aider à monter les marches du perron tandis que Charlotte et Henry soutenaient Nathaniel. Derrière eux, la voiture de Will et de Jem franchit les grilles, et la voix de Thomas leur souhaitant le bonsoir résonna dans la nuit froide.

Quant à Jessamine, elle n'avait pas reparu, ce qui n'étonna pas Tessa.

Ils installèrent Nathaniel dans une chambre semblable à celle de Tessa, avec les mêmes meubles massifs en bois sombre, la même armoire, le même lit démesuré. Tandis que Charlotte et Agatha le couchaient, Tessa, que la fatigue et l'inquiétude rendaient fiévreuse, se laissa choir dans un fauteuil à son chevet. Autour d'elle, on chuchotait comme dans un hôpital. Elle entendit Charlotte mentionner les Frères Silencieux, et Henry lui répondre à voix basse. À un moment donné, Sophie l'incita à boire un breuvage chaud au goût doux-amer qui lui redonna peu à peu de l'énergie. Bientôt, elle fut capable de se redresser et de regarder autour d'elle. Stupéfaite, elle s'aperçut qu'en dehors d'elle et de son frère la pièce était vide. Tout le monde était parti.

Elle observa Nathaniel qui reposait aussi immobile qu'un gisant, le visage pâle et couvert de bleus, ses cheveux emmêlés étalés sur l'oreiller. Elle ne put s'empêcher de convoquer avec un pincement au cœur le frère élégamment vêtu de ses souvenirs, à la chevelure blonde toujours peignée avec soin, aux souliers et aux manchettes immaculés. Le Nathaniel qu'elle avait sous les yeux ne ressemblait guère à celui qui la faisait danser dans le salon ou fredonnait tout bas sa joie de vivre.

En se penchant pour l'examiner de plus près, elle décela du coin de l'œil du mouvement dans la pièce et, tournant la tête, constata qu'il ne s'agissait que de son reflet dans le miroir accroché au mur. Dans la robe de Camille, elle se faisait l'effet d'une enfant endimanchée. Elle était trop frêle pour ce genre de tenue sophistiquée. Elle ressemblait à une petite fille… une petite fille ridicule. Pas étonnant que Will…

— Tessie ? (La voix faible de Nathaniel l'arracha à ses pensées.) Tessie, ne m'abandonne pas ! Je crois que je suis malade.

Elle prit sa main, la serra entre ses doigts gantés.

— Tout va bien, Nate. Ils sont allés chercher un médecin…

— Qui ça, « ils » ? gémit-il. Où sommes-nous ? Je ne connais pas cet endroit.

— C'est l'Institut. Tu es en sécurité ici.

Nathaniel cilla. Il avait des cernes et une croûte de sang séché sur les lèvres. Son regard errait à travers la pièce sans se fixer sur un point précis.

— L'Institut des Chasseurs d'Ombres ? (Il soupira.) Et moi qui pensais qu'ils n'existaient pas… Le Magistère, dit-il soudain. (Tessa sursauta.) Il a dit qu'ils représentaient la Loi et qu'il fallait avoir peur d'eux. Mais il n'y a pas de lois ici-bas. Il n'y a pas de châtiment… Il faut tuer ou être tué. (Sa voix enfla.) Tessa, je regrette tellement…

— Le Magistère ? Tu veux parler de De Quincey ?

Un son étranglé s'échappa de la gorge de Nate, et son regard terrifié se posa derrière Tessa. Lâchant sa main, elle se retourna pour voir ce qu'il regardait.

Charlotte était entrée sans bruit dans la chambre. Elle portait toujours sa tenue d'homme sur laquelle elle avait jeté une longue cape fermée au niveau du cou. Elle paraissait toute petite, en partie sans doute parce que Frère Énoch, près d'elle, projetait une ombre immense sur le sol. Vêtu de la même robe couleur parchemin que lors de sa précédente visite, il s'appuyait cette fois sur une canne noire dont le pommeau représentait une paire d'ailes. Son capuchon était rabattu sur son visage.

— Tessa, dit Charlotte, vous vous souvenez de Frère Énoch, n'est-ce pas ? Il est ici pour soigner Nathaniel.

Nate agrippa le poignet de Tessa avec un cri de terreur. Surprise, elle baissa les yeux vers lui.

— Nathaniel ? Qu'est-ce qui ne va pas ?

— De Quincey m'a parlé d'eux, hoqueta-t-il. Les Gregori... les Frères Silencieux. Ils peuvent tuer un homme par la pensée. (Il frissonna.) Tessa, ajouta-t-il dans un murmure, regarde son visage.

Tessa obéit. Tandis qu'elle parlait à son frère, Frère Énoch avait ôté son capuchon. Les orbites vides de ses yeux réfléchissaient la lumière de sort, dont l'éclat soulignait sa bouche couturée.

Charlotte fit un pas vers le lit.

— Si Frère Énoch pouvait examiner Mr Gray...

— Non ! s'écria Tessa en s'interposant entre son frère et ses deux visiteurs. Ne le touchez pas.

Charlotte s'arrêta, déconcertée.

— Les Frères Silencieux sont nos meilleurs guérisseurs. Sans Frère Énoch, Nathaniel... (Elle s'interrompit.) Eh bien, nous ne pouvons pas grand-chose pour lui.

Theresa Gray.

Il fallut un moment à Tessa pour comprendre que son nom n'avait pas été prononcé à voix haute. Comme les bribes d'une chanson presque oubliée, il avait résonné à l'intérieur de sa tête. C'était la voix de Frère Énoch. Il s'était adressé à elle de la même manière en quittant sa chambre, le premier jour à l'Institut.

Il est curieux, Theresa Gray, que tu sois une Créature Obscure et que ce ne soit pas le cas de ton frère. Comment une telle chose a-t-elle pu se produire ?

Tessa se figea.

— Vous… vous pouvez l'affirmer rien qu'en l'examinant ?

— Tessie ! (Nathaniel se redressa contre son oreiller et son visage pâle s'empourpra.) Qu'est-ce qui te prend de parler au Gregori ? Il est dangereux !

— Tout va bien, Nate, dit-elle sans détacher les yeux de Frère Énoch. (Elle n'éprouvait aucune peur, seulement de la déception.) Vous insinuez qu'il n'y a rien d'inhabituel chez mon frère ? demanda-t-elle à voix basse. Rien de surnaturel ?

Rien, répondit le Frère Silencieux.

Jusqu'à cet instant, Tessa n'avait pas mesuré à quel point elle espérait que son frère soit comme elle.

— Je suppose, puisque vous en savez autant, que vous pourrez répondre à cette question : suis-je une sorcière ?

Je n'en jurerais pas. On pourrait te classer parmi les Enfants de Lilith, et pourtant tu ne portes pas la marque du démon.

— Je me suis fait la même réflexion, intervint Charlotte, et Tessa comprit qu'elle aussi pouvait entendre la voix de Frère Énoch. J'en ai déduit qu'elle n'était peut-être pas une sorcière. Il arrive que des humains naissent avec un pouvoir. La Seconde Vue, par exemple. À moins qu'elle n'ait du sang de fée dans les veines…

Elle n'est pas humaine. C'est autre chose. J'examinerai la question. Je trouverai peut-être une piste dans les archives. Bien qu'aveugle, Frère Énoch semblait scruter le visage de Tessa. *Tu détiens un grand pouvoir, je le sens. Un pouvoir que ne possède aucun sorcier.*

— Vous parlez de mon pouvoir de métamorphose ? demanda Tessa.

Non, je ne faisais pas référence à cela.

— Alors quoi ? fit-elle, stupéfaite. Que pourrais-je bien…

Un gémissement de Nathaniel l'interrompit. Se tournant vers lui, elle s'aperçut qu'il avait repoussé ses couvertures et rampé jusqu'au bord du lit ; son visage trempé de sueur était d'une pâleur cadavéreuse. Elle se sentit tenaillée par la culpabilité. Elle était tellement absorbée par sa discussion avec Frère Énoch qu'elle en avait oublié son frère.

Elle se leva d'un bond et, avec l'aide de Charlotte, rallongea Nate de force sur ses oreillers avant de rabattre la couverture sur lui. Son état semblait avoir empiré. Au moment où elle le bordait, il agrippa de nouveau son poignet et, l'air affolé, lui demanda :

— Est-ce qu'il sait ? Est-ce qu'il sait où je suis ?

— De qui parles-tu ? De De Quincey ?

— Tessie ! (Serrant plus fort son poignet, il l'attira vers lui pour lui murmurer à l'oreille.) Il faut que tu me pardonnes. Il m'a dit que tu deviendrais leur reine à tous. Il m'a menacé de me tuer. Je ne veux pas mourir, Tessie. Je ne veux pas mourir.

— Tu ne mourras pas, dit-elle d'une voix apaisante.

Il ne parut pas l'entendre. Ses yeux fixés sur elle s'agrandirent d'horreur et il se mit à hurler.

— Ne le laissez pas m'approcher ! Ne le laissez pas m'approcher ! Seigneur, ne le laissez pas me toucher !

Terrifiée, Tessa dégagea sa main et se tourna vers Charlotte, mais elle s'était éloignée du lit et, imperturbable, Frère Énoch avait pris sa place au chevet de Nate.

Tu dois me laisser aider votre frère ou il mourra.

— Qu'est-ce qu'il raconte ? s'alarma Tessa. Qu'est-ce qui ne va pas chez lui ?

Les vampires l'ont drogué pour qu'il se tienne tranquille pendant qu'ils buvaient son sang. Si on ne le soigne pas, la drogue le rendra fou, puis elle le tuera. Il a déjà des hallucinations.

— Ce n'est pas ma faute ! s'écria Nathaniel. Je n'avais pas le choix ! Ce n'est pas ma faute !

Il se tourna vers Tessa ; elle constata avec horreur que ses yeux étaient entièrement noirs, comme ceux d'un insecte. Elle recula en hoquetant de frayeur.

— Aidez-le. Je vous en prie, aidez-le, dit-elle en agrippant la manche de Frère Énoch.

Elle regretta immédiatement son geste ; sous l'étoffe, le bras du Frère Silencieux était froid et dur comme du marbre. Horrifiée, elle ôta sa main. Frère Énoch posa ses doigts couturés sur le front de Nathaniel. Le jeune homme se renfonça dans ses oreillers et ferma les yeux.

Pars, maintenant, dit Frère Énoch sans se retourner. *Ta présence risquerait de ralentir sa guérison.*

— Mais Nate m'a demandé de rester…

Dehors, fit la voix, soudain glaciale, dans la tête de Tessa.

Elle regarda son frère ; il reposait, immobile, sur les oreillers. Elle se tourna vers Charlotte pour protester ; croisant son regard, celle-ci eut un mouvement de tête imperceptible. Ses yeux exprimaient à la fois la compassion et la fermeté.

— Dès qu'il y aura un changement dans l'état de votre frère, je vous le ferai savoir, dit-elle. Promis.

Tessa suivit des yeux Frère Énoch. Il avait ouvert la besace pendue à sa taille et disposait avec des gestes lents et méthodiques des objets sur la table de nuit : fioles remplies de poudres et de liquides, petits tas de plantes séchées, bâtonnets d'une substance noire qui ressemblait à du charbon.

— S'il arrive quelque chose à Nate, s'écria Tessa, je ne vous le pardonnerai jamais. Jamais !

Autant s'adresser à une statue. Frère Énoch ne lui accorda aucune attention.

Tessa sortit de la pièce d'un pas rageur.

Après l'obscurité de la chambre du malade, la lumière des torches dans le couloir lui fit plisser les yeux. Elle s'adossa au battant de la porte en s'efforçant de refouler ses larmes. C'était la seconde fois de la soirée qu'elle était à deux doigts de pleurer, et elle se sentait furieuse contre elle-même. Serrant le poing, elle l'abattit contre le mur et sentit une décharge électrique lui remonter dans tout le bras. Bizarrement, la douleur tarit ses larmes et lui éclaircit les idées.

— Ça doit faire mal.

Tessa se retourna. Silencieux comme un chat, Jem s'était glissé derrière elle dans le couloir. Il avait troqué sa tenue de combat pour un pantalon ample noué à la taille et une chemise blanche à peine plus claire que sa peau. Humides, ses beaux cheveux soyeux bouclaient sur ses tempes et au creux de son cou.

— En effet.

Tessa frotta sa main contre sa robe. Le choc avait été amorti par ses gants, mais ses articulations la faisaient souffrir.

— Est-ce que votre frère va s'en sortir ? demanda Jem.

— Je l'ignore. Un de vos… moines est à son chevet.

— Frère Énoch. (Jem l'observa d'un air compatissant.) En dépit de leur physique peu engageant, les Frères Silencieux sont d'excellents médecins. Ils sont experts dans l'art de guérir et, du fait de leur grand âge, ils ont accumulé quantité de connaissances.

— À quoi bon vivre aussi longtemps si c'est pour ressembler à ça ?

Jem esquissa un sourire.

— Je suppose que cela dépend de ce pour quoi on vit.

Il scruta Tessa avec insistance. Quand il la regardait, elle avait l'impression qu'il lisait en elle, mais sans jamais la juger.

— Savez-vous ce qu'a dit Frère Énoch ? lança-t-elle. Il prétend que Nate n'a aucun pouvoir.

— Et cela vous contrarie ?

— Oui et non. D'un côté, je ne lui souhaite pas ce que je vis. D'ailleurs, je ne le souhaite à personne. Pourtant, s'il n'est pas comme moi, cela signifie qu'il n'est pas mon frère. Il est le fils de mes parents. Et moi, alors, de qui suis-je la fille ?

— Ne vous tourmentez pas à ce sujet. Certes, ce serait formidable si nous savions tous qui nous sommes précisément. Mais cela ne peut venir que de nous. « Connais-toi toi-même », comme disait l'oracle de Delphes. (Jem sourit.) Excusez-moi si cela sonne comme un sophisme. Je me contente de vous répéter ce que je sais d'expérience.

— Sauf que moi, je ne me connais pas ! gémit-elle en secouant la tête. Je suis désolée. Vu la manière dont vous vous êtes battu chez De Quincey, vous devez penser que je

suis terriblement lâche de regretter que mon frère ne soit
pas un monstre et de ne pas avoir le courage d'en être un
sans lui.

— Vous n'êtes pas un monstre ! Et je ne vous trouve
pas lâche. Au contraire, j'ai été très impressionné quand
vous avez tiré sur De Quincey. Vous l'auriez sans doute
tué s'il y avait eu assez de balles dans le pistolet.

— Oui, je le crois aussi. J'aurais voulu les tuer tous.

— C'est ce que Camille nous avait demandé.
« Tuez-les tous. » C'étaient peut-être ses émotions que
vous ressentiez.

— Mais Camille ne s'intéressait pas le moins du
monde à Nate, et c'est lorsqu'on s'en est pris à lui que j'ai
vu rouge. Quand j'ai compris ce qu'ils avaient l'intention
de faire… (Elle soupira.) J'ignore quelle était ma part et
quelle était celle de Camille. Je ne sais même pas si c'est
bien d'éprouver ce genre de pulsions…

— Vous voulez dire pour une femme ?

— Pour un homme aussi, je suppose…

Jem lui jeta un regard perçant comme s'il voyait bien
au-delà d'elle, de ce couloir et de l'Institut.

— Que vous soyez homme ou femme, fort ou faible,
malade ou bien portant, seul compte ce que vous dicte
votre cœur. Si vous avez l'âme d'une guerrière, alors
vous en êtes une. Quelle que soit sa couleur ou sa forme,
la flamme d'une lanterne reste la même. Vous êtes cette
flamme. (À ces mots, il eut un sourire gêné comme s'il
venait de retrouver ses esprits.) C'est ce que je crois.

Avant que Tessa ait pu ajouter quelque chose, la porte
de la chambre de Nate s'ouvrit sur Charlotte. Elle répondit

au regard interrogateur de Tessa par un hochement de tête las.

— Frère Énoch fait son possible pour votre frère, mais il n'est pas encore guéri, et nous n'en saurons pas plus avant demain matin. Je vous suggère d'aller vous coucher, Tessa. Ce n'est pas en épuisant vos forces que vous sauverez Nathaniel.

Au prix d'un effort de volonté, Tessa parvint à ne pas assaillir Charlotte de questions qui resteraient sans réponse.

Charlotte se tourna vers Jem.

— Jem, j'aimerais te parler quelques instants. Veux-tu venir avec moi dans la bibliothèque ?

— Bien sûr. (Jem s'inclina en souriant à l'intention de Tessa.) À demain, lança-t-il avant de suivre Charlotte dans le couloir.

À la seconde où ils se furent éloignés, Tessa essaya d'ouvrir la porte de la chambre de Nate. Elle était verrouillée. Avec un soupir, elle prit la direction de sa chambre. Charlotte avait peut-être raison. Elle ferait probablement mieux d'aller dormir.

À mi-chemin, elle entendit du remue-ménage. Un seau dans chaque main, Sophie sortit dans le couloir en claquant une porte derrière elle. Elle était livide.

— Son Altesse est d'une humeur particulièrement agréable ce soir ! s'exclama-t-elle. Il m'a jeté un seau à la figure.

— Qui ? demanda Tessa avant de comprendre : Oh, vous voulez parler de Will. Comment va-t-il ?

— Assez bien pour me jeter un seau à la figure, répliqua Sophie avec mauvaise humeur. Et pour me dire des grossièretés. Je n'ai pas compris, il me semble que c'était du français ; c'est ainsi qu'on appelle les prostituées là-bas, je crois. (Elle pinça les lèvres.) Je ferais mieux d'aller chercher Mrs Branwell. Elle parviendra peut-être à lui faire avaler son remède.

— Quel remède ?

Sophie indiqua à Tessa un seau qui semblait contenir de l'eau.

— Il doit boire tout ça, sinon qui sait ce qui se passera.

Sur une impulsion, Tessa déclara :

— Moi, je vais le convaincre. Où est-il ?

— Là-haut, dans le grenier. (Sophie ouvrit de grands yeux.) Mais à votre place, je n'irais pas, mademoiselle. Il est méchant comme une teigne dans ces moments-là.

— Ça m'est égal, répliqua Tessa en tendant la main vers le seau.

Sophie le lui donna avec un soulagement mêlé de crainte. En le prenant, Tessa plia un peu sous son poids ; il était rempli à ras bord.

— Will Herondale doit prendre son médicament comme un homme, ajouta-t-elle en poussant la porte qui menait au grenier.

Sophie la regarda partir avec un regard signifiant indubitablement qu'elle avait perdu la tête.

La porte donnait sur un escalier étroit. Tandis qu'elle montait les marches, Tessa dut tenir le seau devant elle ; il débordait à chaque pas en éclaboussant le corsage de sa robe. Quand elle atteignit le sommet de l'escalier, elle était trempée et hors d'haleine.

La dernière marche débouchait directement sur le grenier, une vaste pièce vide au toit mansardé, que seule éclairait la lumière grisâtre de l'aube qui filtrait par les fenêtres basses percées à intervalles réguliers. Un petit escalier permettait d'accéder à une trappe dans le plafond.

Will était allongé à même le plancher nu. Des seaux étaient disposés près de lui. En se rapprochant, Tessa s'aperçut que le sol était trempé. L'eau, rougeâtre comme si elle s'était mélangée à du sang, s'écoulait en rigoles sur les lattes et formait de petites flaques dans les inégalités du bois.

Un bras en travers du visage, Will se cachait les yeux. Il remuait sans cesse, l'air de souffrir terriblement. Tessa crut l'entendre murmurer un nom. Cecily. Oui, elle l'avait bien entendu dire « Cecily ».

— Will ? À qui parlez-vous ?

— On est de retour, Sophie ? répliqua Will sans tourner la tête. Je vous avais pourtant prévenue que si vous m'apportiez encore un de ces satanés seaux…

— Ce n'est pas Sophie. C'est moi, Tessa.

Pendant un moment, Will resta silencieux et immobile, à l'exception de sa poitrine qui se soulevait et s'abaissait au rythme de sa respiration. Il portait un pantalon ainsi qu'une chemise blanche et, comme le sol autour de lui, il était trempé. Ses vêtements lui collaient à la peau, et ses cheveux noirs étaient plaqués sur son crâne. Il devait être gelé.

— Ce sont eux qui vous envoient ? demanda-t-il enfin.

— Oui, répondit Tessa bien que ce ne fût pas la stricte vérité.

Will ouvrit les yeux et la regarda. Même dans la pénombre, elle distinguait le bleu profond de ses yeux.

— Très bien. Laissez le seau et allez-vous-en.

Tessa baissa les yeux vers le seau dont ses mains refusaient de lâcher l'anse.

— Qu'est-ce qu'il y a dedans ?

— Ils ne vous ont pas expliqué ? C'est de l'eau bénite.

Tessa le considéra, interdite.

— Vous voulez dire…

— J'oublie sans arrêt tout ce qu'il vous reste à apprendre. Vous vous souvenez que, la nuit dernière, j'ai mordu De Quincey ? Eh bien, j'ai bu un peu de son sang. Trois fois rien, à vrai dire, mais il n'en faut pas beaucoup pour transformer quelqu'un en vampire.

À ces mots, Tessa laissa tomber le seau.

— Vous êtes en train de devenir un vampire ?

Will sourit et se hissa sur un coude.

— Ne vous inquiétez pas. Il faut des jours pour que la transformation s'accomplisse et, même à ce stade-là, je dois mourir pour qu'elle prenne effet. Mais à cause du sang, je me sens irrésistiblement attiré vers les vampires, avec l'espoir qu'ils fassent de moi l'un d'eux. Un peu comme leurs assujettis.

— Et l'eau bénite… ?

— Elle neutralise les effets du sang. Je dois en boire régulièrement. Elle me rend malade, évidemment, puisqu'elle me fait recracher le sang que j'ai avalé.

— Seigneur ! (Tessa poussa le seau vers lui et fit la moue.) Je suppose que je ferais mieux de vous le laisser, dans ce cas.

— C'est préférable, oui.

Will se redressa et prit le seau. Il grimaça en examinant son contenu, puis le porta à sa bouche. Après en avoir avalé quelques gorgées, il s'aspergea la tête avec ce qui restait.

— Est-ce que c'est bien utile de le vider sur votre tête ? demanda Tessa avec une curiosité sincère.

Will réprima un gloussement.

— Vous avez de ces questions…

Il secoua la tête en projetant des gouttes d'eau sur les vêtements de Tessa. À travers sa chemise trempée, elle distingua les contours de ses muscles, la ligne de sa clavicule et ses Marques qui lui évoquèrent ces gravures en laiton sur lesquelles on applique une fine feuille de papier qu'on frotte avec du charbon pour en révéler le tracé. Elle avala péniblement sa salive.

— Le sang me donne de la fièvre et me brûle la peau, poursuivit Will. Je n'arrive pas à me rafraîchir. Cela étant, oui, l'eau m'aide un peu.

Tessa l'observa en silence. Lorsqu'il était entré dans la chambre de la maison noire, elle avait pensé que c'était le plus beau garçon qu'elle ait jamais vu. À présent, elle ne pouvait s'empêcher de le dévorer des yeux ; jamais encore elle n'avait regardé un homme ainsi, et son audace lui faisait monter le rouge aux joues. Plus que tout au monde, elle avait envie de le toucher, de frotter sa joue contre la sienne…

— Will, dit-elle d'une voix qui lui parut fluette, Will, je voulais vous demander…

— Quoi ?

— Vous agissez comme si rien n'avait d'importance, reprit-elle dans un souffle.

Il lui semblait qu'elle venait de courir jusqu'au sommet d'une colline, et qu'elle dégringolait la pente de l'autre côté sans aucun moyen de s'arrêter. La gravité la poussait là où elle devait aller.

— Mais... tout le monde a une raison de vivre, n'est-ce pas ?

— Ah oui ? répondit doucement Will.

Comme elle se taisait, il se rallongea.

— Venez vous asseoir près de moi, Tess.

Le sol était froid et humide, mais elle s'exécuta en rassemblant ses jupes autour d'elle et se tourna vers Will ; ils se faisaient face, tout près l'un de l'autre. Le profil de Will se découpait nettement sur la lumière grise.

— Vous ne riez jamais, dit-elle. Vous vous comportez comme si tout était matière à plaisanterie, mais vous ne riez jamais. Parfois, vous souriez quand vous croyez que personne ne vous observe.

Il resta silencieux pendant quelques instants.

— Vous, dit-il à contrecœur, vous me faites rire. Depuis l'instant où vous m'avez frappé avec cette bouteille.

— C'était un broc, rectifia-t-elle sans réfléchir.

Il esquissa un sourire.

— Sans oublier le fait que vous passez votre temps à me reprendre avec ce drôle d'air. Et la fois où vous avez grondé Gabriel Lightwood... Ou votre colère face à De Quincey. Vous me faites... (Il s'interrompit, les yeux fixés sur elle, et elle se demanda s'il s'était aperçu de son trouble.) Montrez-moi vos mains, ordonna-t-il de but en blanc.

Sans cesser de le dévisager, elle lui tendit les paumes.

— Il y a du sang sur vos gants, observa-t-il.

Exact. Elle n'avait pas pris la peine d'ôter les gants en cuir blanc de Camille ; ils étaient tachés de sang et de poussière, et elle en avait abîmé le bout des doigts en s'acharnant sur les menottes de Nate.

— Oh ! s'exclama-t-elle, en faisant mine d'ôter ses mains de celles de Will pour retirer les gants, mais il ne lui abandonna que la gauche et garda la droite dans la sienne.

Il portait un anneau en argent à l'index de la main droite, sur lequel était gravé un oiseau en plein vol. Il avait la tête baissée, et ses cheveux lui tombaient sur le visage. Du bout des doigts, il effleura le tissu du gant. Il était fermé par quatre boutons de perle et, après les avoir fait sauter un à un, il caressa de son pouce l'intérieur du poignet de Tessa, à l'endroit où battaient des veines bleues.

Elle sursauta.

— Will !

— Tessa… Que voulez-vous de moi ?

Il lui touchait toujours le poignet, et ses caresses lui procuraient des sensations délicieuses dans tous les nerfs.

— Je… je voudrais mieux vous comprendre, répondit-elle d'une voix tremblante.

Il la scruta, les yeux mi-clos.

— Est-ce vraiment nécessaire ?

— Je ne sais pas. Je ne suis pas sûre qu'il y ait quelqu'un qui vous comprenne, à l'exception peut-être de Jem.

— Jem ne me comprend pas. Il m'aime comme un frère. Ce n'est pas la même chose.

— Vous n'avez pas envie qu'il vous comprenne ?

— Grands dieux, non ! Pourquoi devrait-il connaître mes raisons de mener ma vie comme je l'entends ?

— Peut-être qu'il cherche seulement à s'assurer que vous avez au moins une raison de la vivre.

— Peu importe, fit-il à mi-voix et, d'un geste vif, il ôta le gant de Tessa.

Un frisson parcourut tout son corps, comme si elle se retrouvait soudain entièrement nue dans le froid.

— Peu importent les raisons quand il n'y a aucun moyen de changer les choses, reprit-il.

Tessa chercha une réponse, et n'en trouva aucune. Elle frissonna à nouveau.

— Vous avez froid ?

Will prit sa main et la pressa contre sa joue. La chaleur de sa peau surprit Tessa.

— Tess, dit-il d'une voix à la fois douce et rauque.

Elle se pencha vers lui en se balançant comme les branches d'un arbre ployant sous la neige. Tout son corps la faisait souffrir, elle sentait un vide terrible à l'intérieur d'elle. Jamais encore elle n'avait été à ce point troublée par la présence d'un homme, l'éclat voilé de ses yeux bleus sous ses paupières mi-closes, l'ombre de sa barbe sur son menton, les pâles cicatrices qui constellaient ses épaules et sa gorge et, surtout, sa bouche, la petite entaille au milieu de sa lèvre inférieure. Quand il effleura ses lèvres des siennes, elle se tendit vers lui comme pour ne pas se noyer.

Leurs bouches s'unirent passionnément. Tessa sursauta quand Will l'enlaça et l'attira contre lui dans un froissement de jupes. Posant délicatement les mains sur son cou, elle constata que sa peau était brûlante. À travers le tissu fin et humide de sa chemise, elle sentit les muscles de ses épaules sous ses doigts, à la fois durs et lisses. Au moment où il ôtait le peigne retenant ses cheveux, elle laissa échapper un petit cri de surprise et, sans crier gare, il la repoussa avec tant de force qu'elle faillit basculer en arrière. Elle s'appuya des deux mains par terre pour rétablir son équilibre et regarda Will, ébahie, les cheveux en désordre. Agenouillé près d'elle, il cherchait son souffle comme s'il avait couru à perdre haleine. Il était pâle, à l'exception de deux taches écarlates sur ses joues.

— Dieu du ciel, murmura-t-il. Qu'est-ce que c'était que ça ?

Tessa sentit ses joues s'empourprer. N'était-ce pas à lui de savoir ce qu'il faisait, et à elle de le repousser ?

— Je ne peux pas, reprit-il en serrant les poings pour empêcher ses mains de trembler. Tessa, je crois que vous feriez mieux de vous en aller.

Tessa était en proie à un terrible tumulte intérieur ; elle avait l'impression, après avoir goûté à la sécurité d'un endroit chaud et calme, d'être jetée dans des ténèbres glacées.

— Je… je n'aurais pas dû être aussi entreprenante. Je regrette…

Une immense tristesse se peignit sur le visage de Will.

— Seigneur, Tessa. (Comme si on lui arrachait les mots de force, il poursuivit :) S'il vous plaît, allez-vous-en. Je ne peux pas vous garder ici avec moi. Ce n'est pas… possible.

— Will, je vous en prie…

— Non. (Il détourna la tête, les yeux fixés sur le sol.) Demain, je vous dirai tout ce que vous voulez savoir. Mais à présent, laissez-moi seul. (Sa voix trembla.) Tessa. Je vous en supplie, partez.

— Très bien.

Elle s'aperçut avec un mélange d'étonnement et d'amertume qu'il respirait de nouveau. Était-ce si horrible d'être en sa présence ? Était-il si soulagé de la voir partir ? Elle se leva, fit quelques pas sur le sol glissant dans sa robe alourdie par l'humidité. Will n'esquissa pas un geste ; il resta agenouillé par terre, les yeux baissés, tandis qu'elle traversait la pièce et descendait l'escalier sans se retourner.

Un peu plus tard, dans sa chambre à demi éclairée par la lumière blafarde du lever de soleil londonien, Tessa s'étendit tout habillée sur le lit. Elle était trop épuisée pour ôter la robe de Camille, trop épuisée pour dormir même. Cette journée était placée sous le signe des premières fois. Pour la première fois, elle avait utilisé son pouvoir de son propre chef, et elle s'était sentie bien. Pour la première fois, elle avait tiré au pistolet. Et pour la première fois, elle avait embrassé un garçon.

Tessa roula sur le ventre et enfouit son visage dans son oreiller. Pendant des années, elle s'était demandé comment serait son premier baiser. Et le bénéficiaire de ce baiser… serait-il beau ? Serait-il doux ? L'aimerait-il ? Quoi qu'elle ait pu imaginer, elle n'aurait jamais cru que ce serait si bref, si fiévreux, si désespéré… ou que cela aurait le goût de l'eau bénite et du sang.

13

LA PART D'OMBRE

*On est quelquefois moins malheureux d'être trompé
de ce qu'on aime, que d'en être détrompé.*

François de La Rochefoucauld, *Maximes*

Ce fut Sophie qui, en allumant la lampe sur la table de chevet, la réveilla. Tessa gémit et se couvrit les yeux.

— Allons, mademoiselle, dit Sophie avec sa brusquerie habituelle, vous avez passé la journée à dormir. Il est plus de huit heures, et Charlotte m'a demandé de vous réveiller.

— Huit heures ? Du soir ?

Tessa repoussa ses couvertures et s'aperçut avec stupeur qu'elle portait toujours la robe de Camille. Les souvenirs de la nuit précédente commencèrent à affluer : les visages blafards des vampires, les flammes dévorant les rideaux, le rire de Magnus Bane, de De Quincey, de Nathaniel, de Will. « Oh, mon Dieu, songea-t-elle. Will. »

Elle chassa cette pensée de son esprit et se redressa en posant un regard anxieux sur Sophie.

— Mon frère. Est-il… ?

Sophie ébaucha un sourire incertain.

— À vrai dire, son état n'a pas empiré, mais il ne s'est pas amélioré non plus.

Devant l'air affolé de Tessa, elle ajouta :

— Un bain chaud et un bon repas, mademoiselle, voilà ce qu'il vous faut. Ce n'est pas en vous affamant que vous aiderez votre frère à guérir. Et regardez-vous ! Vous êtes sale à faire peur.

Tessa baissa les yeux sur sa tenue. À l'évidence, la robe de Camille – déchirée, tachée de sang et de cendres – était irrécupérable, et ses bas de soie étaient filés. Tessa avait les pieds, les mains et les bras couverts de crasse ; elle n'osait imaginer l'état de sa coiffure.

— Je suppose que vous avez raison.

Une baignoire à pieds ovale était dissimulée derrière un paravent japonais dans un coin de la pièce. Sophie l'avait remplie d'eau chaude qui commençait déjà à refroidir. Tessa se glissa derrière le paravent, et après s'être déshabillée, s'immergea dans le bain. Pendant un moment, elle se tint immobile pour laisser la chaleur pénétrer ses os glacés. Puis, elle se détendit peu à peu et ferma les yeux…

L'image de Will s'imprima dans son esprit. Will dans le grenier. Le contact de sa main sur la sienne, ses baisers, puis la rebuffade qu'elle avait essuyée.

Elle mit la tête sous l'eau pour se dérober à ce souvenir humiliant. Peine perdue. « Ce n'est pas en te noyant que tu vas te rendre service, se dit-elle sévèrement. Noyer

Will, d'un autre côté… » Elle se redressa, prit le savon à la lavande posé sur le bord de la baignoire et se frotta la peau et les cheveux jusqu'à ce que l'eau soit noire. Il était probablement impossible de frotter ses pensées pour effacer le souvenir de quelqu'un, mais elle pouvait toujours essayer.

Sophie l'attendait quand elle émergea de derrière le paravent. Un plateau chargé d'une théière et d'une assiette de sandwichs était posé sur la table. Devant le miroir, la domestique l'aida à revêtir sa robe jaune bordée d'un liseré noir ; elle avait trop de fanfreluches à son goût, mais Jessamine s'était extasiée sur sa coupe et avait insisté pour la lui offrir. « Cette couleur ne me flatte pas, mais elle sied à merveille à votre châtain terne », avait-elle dit.

Le contact agréable de la brosse sur ses cheveux humides lui rappela l'époque où tante Harriet la coiffait. Cette sensation l'apaisa à tel point que Sophie la fit légèrement tressaillir en reprenant la parole.

— Avez-vous réussi à convaincre Mr Herondale de prendre son traitement hier soir, mademoiselle ?

— Oh, je…

Tessa s'efforça de garder son sang-froid. En vain. Ses joues s'étaient empourprées.

— Au début, il ne voulait pas, répondit-elle d'un ton hésitant. Puis j'ai fini par le convaincre.

— Je vois.

L'expression de Sophie ne changea pas, mais le rythme de ses coups de brosse s'accéléra.

— En tant que domestique, je n'ai pas le droit de…

— Sophie, vous pouvez me dire tout ce que vous avez sur le cœur, je vous assure…

— C'est juste que… Mr Will ne mérite pas votre affection, Miss Tessa, dit vivement Sophie. Pas cette affection-là, en tout cas. On ne peut pas compter sur lui. Il… il n'est pas celui que vous croyez.

Tessa croisa les mains sur ses genoux. Elle éprouvait un vague sentiment d'irréalité. Les choses étaient-elles allées si loin qu'elle avait besoin d'être mise en garde contre Will ? Et cependant, c'était bon d'avoir quelqu'un avec qui parler de lui. Elle avait un peu l'impression d'être une affamée à qui on offre de la nourriture.

— Je n'ai aucune certitude à son sujet, Sophie. Il peut changer complètement d'un moment à l'autre sans que je sache pourquoi ni ce qui s'est passé…

— Il ne s'est rien passé. Il ne s'intéresse qu'à lui, voilà tout.

— Il a des égards pour Jem.

Sophie suspendit son geste. Tessa devina qu'elle brûlait de lui révéler un secret. De quoi pouvait-il s'agir ?

— Ça ne suffit pas, dit-elle après un silence.

— Vous insinuez que je ne devrais pas m'émouvoir pour un garçon qui ne m'aimera jamais…

— Non ! s'exclama Sophie. Il y a pire que cela. Ce n'est pas grave d'aimer quelqu'un qui ne vous aime pas, tant qu'il mérite cet amour.

La passion qui perçait dans sa voix surprit Tessa.

— Sophie, y a-t-il une personne qui soit chère à votre cœur ? C'est Thomas ?

Sophie parut étonnée.

— Thomas ? Non. Qui vous a mis cette idée-là dans la tête ?

— Eh bien, je crois que lui a de l'affection pour vous. Je l'ai vu vous lancer des regards à la dérobée. Il n'a d'yeux que pour vous dès que vous entrez dans une pièce. Je suppose que j'ai cru…

Elle s'interrompit devant l'air sidéré de Sophie.

— Thomas ? répéta-t-elle. Non, c'est impossible. Je suis sûre qu'il n'a pas de sentiments pour moi.

Tessa n'osa pas la contredire. À l'évidence, quels que soient les sentiments de Thomas pour Sophie, ils n'étaient pas réciproques. Il restait donc…

— Will ? Vous voulez dire que vous avez eu des sentiments pour lui ?

« Ce qui expliquerait son amertume », songea-t-elle, étant donné la façon dont Will traitait les jeunes filles qui s'amourachaient de lui.

— Will ? s'exclama Sophie, si horrifiée qu'elle en oublia de l'appeler Mr Herondale. Vous sous-entendez que j'aurais pu tomber amoureuse de lui ?

— Eh bien… il est très séduisant.

Tessa s'aperçut que l'argument devait sembler bien faible.

— Ce n'est pas à son apparence qu'on juge de la qualité d'un homme, répliqua Sophie avec animation. Mon précédent employeur se rendait souvent en Afrique et en Inde pour chasser le tigre. Il m'a expliqué que souvent, pour savoir si un serpent est venimeux, il faut regarder s'il a des taches colorées. Plus sa peau est belle, plus son venin est fatal. C'est pareil avec Will. Sa belle figure ne lui sert qu'à dissimuler sa nature mauvaise et malhonnête.

— Sophie, je ne sais pas…

— Il cache une part d'ombre, un secret, de ceux qui vous dévorent de l'intérieur.

Sophie reposa la brosse à cheveux sur la table de toilette, et Tessa s'aperçut que sa main tremblait.

— Croyez-moi sur parole, conclut-elle.

Après le départ de Sophie, Tessa prit l'ange mécanique sur la table de nuit, le passa autour de son cou et se sentit immédiatement rassurée. Elle avait dû l'ôter pour prendre l'apparence de Camille, et il lui avait beaucoup manqué. Sa présence la réconfortait et elle avait beau avoir conscience que c'était une idée ridicule, elle espérait qu'en le portant pour rendre visite à Nate il se sentirait peut-être plus rassuré, lui aussi.

La main toujours posée sur le pendentif, elle sortit dans le couloir et frappa doucement à la porte de la chambre de son frère. N'obtenant pas de réponse, elle l'ouvrit. Les rideaux étaient tirés et dans la pénombre, elle vit son frère qui dormait, adossé à une montagne d'oreillers. Il avait une main en travers du visage, et les joues empourprées de fièvre.

Jessamine était assise dans un fauteuil à son chevet, un livre ouvert sur les genoux. Elle soutint calmement le regard étonné de Tessa.

— Qu'est-ce que vous faites ici ? demanda celle-ci, une fois revenue de sa surprise.

— J'ai eu envie de lire quelques pages à votre frère, répondit Jessamine. Tout le monde a passé la moitié de la journée à dormir, et on l'a cruellement négligé. Il n'y avait guère que Sophie pour s'occuper de lui, et il ne faut pas compter sur elle pour faire la conversation.

— Nate est inconscient, Jessamine. Il n'a pas besoin qu'on lui parle.

— Qu'en savez-vous ? Il paraît que les gens sans connaissance entendent ce qu'on leur dit. Et quand ils sont morts aussi.

— Il n'est pas mort, dois-je vous le rappeler ?

— Inutile. (Jessamine dévisagea le malade avec insistance.) Il est beaucoup trop beau pour mourir. Est-il marié, Tessa ? Ou y a-t-il une jeune fille à New York qui lui est destinée ?

— Qui ça, Nate ?

Tessa ouvrit de grands yeux. Il y avait toujours eu des femmes, toutes sortes de femmes, qui s'intéressaient à Nate, mais il préférait papillonner.

— Jessamine, il n'est même pas réveillé. Ce n'est guère le moment de…

— Il va guérir. Et quand il sera remis sur pied, il saura que c'est moi qui l'ai veillé. Les hommes tombent toujours amoureux de celles qui restent à leur chevet. « Ô femme, quand le malheur vient fondre sur nous, tu es un ange secourable ! » conclut-elle avec un sourire suffisant. (Devant l'air horrifié de Tessa, elle fronça les sourcils.) Qu'y a-t-il ? Je ne suis pas assez bien pour votre frère bien-aimé ?

— Il n'a pas d'argent, Jessie…

— J'en ai assez pour deux. Tout ce qu'il me faut, c'est quelqu'un qui m'emmène loin d'ici, je vous l'ai déjà expliqué.

— En fait, vous m'aviez proposé d'être cette personne-là.

— C'est donc cela qui vous chiffonne ? Sincèrement, Tessa, nous pourrons demeurer les meilleures amies du monde une fois que nous serons belles-sœurs, mais pour ce genre de chose, un homme vaut toujours mieux qu'une femme, vous ne trouvez pas ?

Tessa ne sut que répondre à cela.

— Au fait, Charlotte m'a chargée de vous dire qu'elle voulait vous voir, poursuivit Jessamine en haussant les épaules. Elle est au salon. Inutile de vous inquiéter pour Nathaniel. Je vérifie sa température tous les quarts d'heure et je mets des compresses froides sur son front.

Tessa hésitait à la croire, mais comme Jessamine ne semblait pas disposée à céder sa place au chevet de Nathaniel, elle prit congé en soupirant.

À l'approche du salon, des éclats de voix lui parvinrent par la porte entrouverte. Elle hésita, et allait frapper quand elle se figea en entendant son nom.

— L'Institut n'est pas un hôpital ! Le frère de Tessa ne devrait pas être ici ! tempêtait Will. Ce n'est pas une Créature Obscure, c'est un Terrestre stupide et vénal qui s'est retrouvé mêlé à une histoire qui le dépasse…

— Les médecins terrestres ne peuvent rien pour lui, objecta Charlotte. Sois raisonnable, Will.

— Il connaît déjà l'existence du Monde Obscur, fit la voix calme et pondérée de Jem. En fait, il détient peut-être des informations qui nous ont échappé. Mortmain prétend que Nathaniel travaillait pour De Quincey ; il pourra peut-être nous renseigner sur ses projets, sur les automates et sur cette sombre histoire de Magistère. De

Quincey voulait se débarrasser de lui, après tout. Parce qu'il en savait trop, peut-être.

Un long silence s'installa.

— Dans ce cas, il ne nous reste qu'à convoquer une nouvelle fois les Frères Silencieux, déclara Will. Ils pourraient fouiller ses pensées. Nous n'aurions même pas à attendre qu'il se réveille.

— Tu sais que ce genre de procédé est délicat avec les Terrestres, protesta Charlotte. Frère Énoch a dit que la fièvre donnait des hallucinations à Mr Gray. Il lui est impossible de démêler la vérité de ce qui relève du délire dans la tête du malade sans endommager son cerveau de façon irréversible.

— Il faudrait qu'il en ait un dans le crâne, pour commencer.

Tessa perçut le mépris dans la voix de Will, et cela la mit en rage.

— Tu ne sais rien de lui, répliqua Jem avec une froideur qui lui était peu coutumière. J'ignore ce qui motive ta mauvaise humeur, Will, mais cette attitude est indigne de toi.

— Moi, je sais, dit Charlotte.

— Vraiment ? s'étonna Will.

— Tu es aussi contrarié que moi par le tour qu'a pris la soirée d'hier. Nous n'avons que deux morts à déplorer parmi les nôtres, c'est vrai, mais l'évasion de De Quincey ne joue pas en notre faveur. C'était mon plan. Je l'ai imposé à l'Enclave, et dorénavant ils vont me tenir pour responsable de tout ce qui a mal tourné. Sans oublier que Camille doit se tenir cachée puisque nous n'avons aucune idée de l'endroit où se trouve De Quincey, et qu'il a dû mettre sa tête à prix. Quant à Magnus Bane, évidemment, il nous reproche la disparition de Camille. Par conséquent, nous avons perdu à la fois notre meilleure informatrice et notre meilleur sorcier.

— Mais nous avons réussi à empêcher De Quincey d'assassiner le frère de Tessa et bien d'autres Terrestres, lui rappela Jem. Ce n'est pas rien. Benedict Lightwood ne voulait pas croire à la trahison de De Quincey ; désormais, il ne peut plus ignorer que tu avais raison.

— Cela n'aura probablement servi qu'à attiser sa colère, marmonna Charlotte.

— Peut-être, dit Will. Et peut-être que si tu n'avais pas insisté pour que le succès de MON plan repose sur l'une des inventions ridicules de Henry, nous n'en serions pas là aujourd'hui. Tu peux tourner autour du pot autant que tu veux, mais si tout a cafouillé, c'est parce que le Phosphore n'a pas fonctionné. Les inventions de Henry ne marchent jamais. Si tu te décidais à admettre que ton mari n'est qu'un bon à rien, on s'en porterait tous beaucoup mieux.

— Will, dit Jem d'un ton lourd de menace.

— Non, James, ne t'en mêle pas, rétorqua Charlotte d'une voix tremblante. Will, Henry est un homme bon et il t'aime.

— Épargne-moi tes sentiments à la guimauve, Charlotte, rétorqua Will avec dédain.

— Il t'a connu enfant. Il te traite comme un frère, et moi aussi. Je t'ai toujours chéri, Will…

— Oui, et j'aurais préféré que tu t'abstiennes.

Charlotte poussa un gémissement de chiot blessé.

— Je sais que tu ne penses pas ce que tu dis.

— Je pense toujours ce que je dis. Et en particulier quand j'affirme qu'il faut fouiller sans tarder les pensées de Nathaniel Gray. Si tu es trop faible pour t'en charger…

Charlotte n'eut pas le temps de l'interrompre. Tessa, qui en avait trop entendu, ouvrit la porte en grand. Un feu crépitait joyeusement dans la cheminée, contrastant avec la lueur pâle du crépuscule nuageux qui entrait par les fenêtres. Charlotte était assise derrière un vaste bureau et Jem dans un fauteuil près d'elle. Quant à Will, il s'était adossé au manteau de la cheminée ; la colère colorait ses joues et ses yeux lançaient des éclairs. Pendant un bref moment, il considéra Tessa avec ébahissement. Si elle avait nourri quelque espoir qu'il ait oublié comme par magie ce qui s'était passé la veille dans le grenier, il s'envola sur-le-champ. Will rougit en la voyant, son regard insondable s'assombrit… et il détourna les yeux comme si sa seule vue l'indisposait.

— Vous nous espionniez, je suppose ? lâcha-t-il. Et vous êtes ici pour me donner le fond de votre pensée ?

— Au moins, vous me reconnaissez cette faculté-là, contrairement à mon frère. (Tessa se tourna vers Charlotte.) Je ne laisserai pas Frère Énoch s'immiscer dans l'esprit de Nate. Il est assez malade comme cela ; il en mourrait probablement.

Charlotte secoua la tête. Elle semblait épuisée ; elle avait le teint gris, les paupières tombantes.

— Bien entendu, nous lui laisserons le temps de guérir avant de l'interroger.

— Et s'il restait malade pendant des semaines, voire des mois ? s'exclama Will. Nous n'avons pas tout ce temps devant nous.

— Qu'y a-t-il de si urgent pour que vous risquiez la vie de mon frère ? s'écria Tessa.

Les yeux de Will étincelèrent.

— Tout ce qui vous intéressait, c'était de le retrouver. Et c'est chose faite. Tant mieux pour vous. Mais cela n'a jamais été notre but à nous, vous en avez conscience, n'est-ce pas ? D'ordinaire, nous ne dévions pas de nos objectifs pour le salut d'un Terrestre délinquant.

— Ce que Will essaie de dire de manière fort peu courtoise… intervint Jem. (Il s'interrompit et soupira.) De Quincey a prétendu qu'il faisait confiance à votre frère, même s'il l'a regretté par la suite. Or, il a disparu et nous n'avons aucune idée de l'endroit où il se cache. Les notes retrouvées dans son bureau indiquent qu'il croyait à une guerre prochaine entre Créatures Obscures et Chasseurs d'Ombres, dans laquelle ses créatures mécaniques jouaient manifestement un rôle déterminant. Vous comprenez pourquoi nous cherchons à découvrir où il se trouve, et ce que votre frère sait à son sujet.

— Peut-être, mais votre combat n'est pas le mien. Je ne suis pas une Chasseuse d'Ombres, dit Tessa.

— En effet, répliqua Will. Nous en sommes parfaitement conscients.

— Tais-toi, Will, dit Charlotte d'un ton cassant. (Elle jeta un regard implorant à Tessa.) Nous avons confiance en vous, Tessa. Il faut que ce soit réciproque.

— Non, siffla Tessa. Moi, je ne vous fais pas confiance.

Sentant le regard de Will se poser sur elle, elle fut soudain prise d'une rage incontrôlable. Comment osait-il se montrer aussi glacial et aussi agressif envers elle ?

Qu'avait-elle fait pour mériter cela ? Elle s'était laissé embrasser, rien de plus. D'une certaine manière, c'était comme si ce seul fait avait effacé tout ce qui s'était passé ce soir-là, comme si depuis qu'elle avait embrassé Will le courage dont elle avait fait preuve ne comptait plus.

— Vous vous servez de moi, de la même manière que les Sœurs Noires. Dès l'instant où Lady Belcourt est venue vous trouver et que vous avez eu besoin de mes services, vous m'avez entraînée dans votre sale histoire au mépris du danger. Vous agissez comme si j'avais des responsabilités envers votre monde, vos lois, vos Accords, mais c'est votre monde, justement, et c'est à vous de le gouverner. Ce n'est pas ma faute si vous vous y prenez mal !

Charlotte blêmit et se rassit. Tessa sentit son cœur se serrer. Ce n'était pas Charlotte qu'elle voulait blesser. Pourtant, elle poursuivit, incapable de se contenir :

— Vous pérorez à longueur de journée sur les Créatures Obscures. Quand vous prétendez que vous ne les haïssez pas, ce ne sont que des phrases. Vous n'en pensez pas un traître mot. Quant aux Terrestres, ne croyez-vous pas que vous sauriez mieux les protéger si vous ne les méprisiez pas autant ?

Elle se tourna vers Will. Il était pâle et ses yeux étincelaient. Il semblait horrifié.

— Tessa… protesta Charlotte.

Mais elle avait déjà regagné la porte. Au moment de sortir, elle se retourna et vit trois paires d'yeux braqués sur elle.

— Ne vous approchez pas de mon frère. Et vous n'avez pas intérêt à me suivre.

Tessa trouvait qu'il y avait quelque chose d'étrangement gratifiant dans le fait de laisser parler sa rage jusqu'à ce que les mots se tarissent.

Bien sûr, l'après-coup était nettement moins agréable. Où se réfugier une fois qu'on avait déversé sa haine sur le monde entier ? Retourner dans sa chambre revenait à admettre qu'elle avait juste eu une saute d'humeur et qu'elle finirait par se calmer. Dans l'état où elle était, elle ne pouvait pas rendre visite à Nate et en rôdant ailleurs dans l'Institut elle risquait de se faire surprendre en train de bouder par Sophie ou Agatha.

Pour finir, elle s'engouffra dans l'escalier étroit qui menait à l'extérieur. Après avoir traversé la nef éclairée, elle sortit sur les grandes marches de l'église, se laissa choir sur la plus haute et serra les bras autour d'elle en frissonnant à cause de la brise glaciale. Il avait dû pleuvoir car les marches étaient humides et la pierre noire de la cour brillait comme un miroir. La lune s'était levée, elle surgissait de temps à autre entre deux nuages, et l'énorme grille en fer forgé luisait sous sa lumière capricieuse. « Nous sommes des ombres et de la poussière. »

— Je sais ce que vous pensez.

La voix était si douce qu'elle se confondait presque avec le vent qui agitait les feuilles des arbres.

Tessa se retourna. Jem se tenait sous l'arche de l'entrée ; la lumière blanche derrière lui éclairait ses cheveux de sorte qu'ils paraissaient étinceler comme du métal. Son visage, en revanche, était dissimulé dans la pénombre. Il tenait sa canne dans sa main droite ; les yeux du dragon semblaient scruter Tessa.

— Je ne crois pas, non.

— Vous pensez : « Si c'est cela qu'ils appellent l'été, à quoi doit ressembler l'hiver ? » Vous seriez étonnée. C'est sensiblement la même chose. (Il s'assit sur la même marche que Tessa.) C'est le printemps qui est le plus agréable.

— Vraiment ? fit Tessa avec indifférence.

— Non. En réalité, il est assez brumeux et humide, lui aussi. (Jem l'observa du coin de l'œil.) Je sais que vous ne vouliez pas qu'on vous suive, mais j'espérais que vous parliez juste de Will.

— En effet, c'est à lui que je m'adressais. (Tessa se tourna vers Jem.) Je n'aurais pas dû m'emporter ainsi.

— Non, vous aviez raison. Nous autres Chasseurs d'Ombres sommes tellement isolés que nous oublions souvent de considérer la situation d'un autre point de vue. Nous nous préoccupons seulement de ce qui est bon ou mauvais pour nous. Parfois, il me semble que nous oublions de nous demander ce qu'il en est pour le reste du monde.

— Je n'avais pas l'intention de blesser Charlotte.

— Charlotte est très sensible sur la question de l'Institut et sur la façon dont on le dirige. En tant que femme, elle doit se battre pour se faire entendre, et ses décisions sont souvent critiquées. Vous avez entendu Benedict Lightwood pendant la réunion de l'Enclave. Elle n'a pas droit à l'erreur.

— N'est-ce pas votre lot à tous ? Tout est une question de vie et de mort avec vous. (Tessa inhala une grande bouffée d'air glacé ; il portait l'odeur de la ville, une odeur de fer, de cendres, de chevaux et d'eau saumâtre.) Je… j'ai parfois l'impression que c'en est trop pour moi. J'aurais voulu ne jamais savoir ce que je suis. Si seulement Nate était resté à la maison, rien de tout cela ne serait arrivé !

— Parfois, nos vies changent si vite que le cœur et l'esprit sont dépassés. C'est dans ces moments-là, où nous regrettons encore notre vie d'avant, que nous souffrons le plus, il me semble. Cependant, je peux vous affirmer d'après ma propre expérience qu'on s'habitue à tout. On s'adapte à sa nouvelle vie et on finit par ne plus se rappeler à quoi ressemblait celle d'avant.

— Vous prétendez que je vais me faire à l'idée que je suis une sorcière ou Dieu sait quoi ?

— Vous avez toujours été ainsi. Ce n'est pas nouveau.

Tessa soupira.

— Je ne pensais pas ce que j'ai dit tout à l'heure. Je ne crois pas que les Nephilim soient si mauvais que ça.

— Je sais, sinon vous ne seriez pas ici, mais au chevet de votre frère pour le protéger de nos ignobles desseins.

— Will ne pensait pas vraiment ce qu'il disait non plus, n'est-ce pas ? demanda Tessa après un silence. Il ne ferait jamais de mal à Nate.

— Ah. (Jem jeta un regard pensif vers la grille.) Vous avez raison. Toutefois, je m'étonne que vous ayez vu clair dans son jeu. Moi, je le sais, mais il m'a fallu des années pour comprendre Will, pour savoir quand il pense ce qu'il dit.

— Vous ne vous mettez jamais en colère contre lui ?

Jem éclata de rire.

— Je ne dirais pas cela. J'ai souvent envie de l'étrangler.

— Comment diable parvenez-vous à vous retenir ?

— Je vais me réfugier dans mon endroit préféré à Londres. Je contemple le fleuve en pensant à la continuité de la vie et à toute cette eau qui s'écoule sans se soucier de nos afflictions dérisoires.

Tessa semblait fascinée.

— Et ça marche ?

— Pas vraiment, mais ensuite je me dis que je pourrais le tuer dans son sommeil si l'envie m'en prenait, et là je me sens mieux.

Tessa s'esclaffa.

— Et où se trouve-t-il, ce fameux endroit ?

Jem resta pensif pendant un moment, puis il se leva d'un bond et lui tendit la main.

— Venez, je vais vous montrer.

— C'est loin ?

— Non, c'est à deux pas, répondit-il en souriant.

Il avait un sourire charmant, songea-t-elle, et contagieux. Elle ne put s'empêcher de lui sourire à son tour, et eut l'impression que c'était la première fois qu'elle souriait depuis des siècles.

Elle laissa Jem l'aider à se relever. Sa main était chaude, robuste, étonnamment rassurante. Après avoir lancé un dernier regard à l'Institut, elle se laissa entraîner au-delà de la grille, dans les ténèbres de la ville.

14

LE PONT
DE BLACKFRIARS

Vingt ponts de Tower à Kew
Voulaient savoir ce que savait le fleuve,
Car ils étaient jeunes et la Tamise ancienne,
Voici donc ce que le fleuve leur conta.

Rudyard Kipling,
« Le conte du fleuve »

En franchissant la grille de l'Institut, Tessa eut l'impression d'être la Belle au bois dormant fuyant son château ceint de ronces. L'Institut se trouvait au milieu d'une place d'où débouchaient des rues indiquant les quatre points cardinaux, qui s'enfonçaient dans le labyrinthe des maisons. La main chastement posée sur le coude de Tessa, Jem la guida vers un passage étroit. Au-dessus de leur tête, le ciel avait pris une teinte acier. Le sol était encore humide, et les façades des immeubles qui semblaient comprimés de chaque côté de la rue étaient luisantes de pluie et couvertes de poussière de charbon.

Tandis qu'ils marchaient, Jem parlait de tout et de rien d'une voix hypnotique. Il entreprit de lui décrire sa première impression à son arrivée à Londres, où tout lui avait semblé gris, y compris les gens. Tout d'abord, il n'avait pas voulu croire qu'il puisse autant pleuvoir dans un seul endroit, et sans la moindre interruption. Il lui semblait que l'humidité s'immisçait jusque dans ses os, à tel point qu'ils finiraient par se couvrir de moisissure comme les arbres.

— Mais on s'y habitue, conclut-il alors qu'ils quittaient la ruelle pour s'engager dans Fleet Street. Même si j'ai parfois l'impression qu'on pourrait m'essorer comme une serpillière.

Tessa, qui se rappelait le chaos régnant dans cette rue pendant la journée, fut soulagée de constater à quel point elle était calme la nuit. Les foules qui se pressaient sur les trottoirs avaient laissé place à de rares passants qui marchaient dans l'ombre des immeubles, la tête baissée. On trouvait encore quelques fiacres, voire un ou deux cavaliers, mais aucun d'eux ne leur prêta attention. Était-ce l'œuvre d'un charme ? Tessa se garda de formuler sa question. Elle aimait écouter Jem. Il lui expliqua qu'ils se trouvaient dans la partie la plus ancienne de la ville, le berceau même de Londres. Les échoppes bordant la rue étaient toutes fermées, leurs volets tirés, mais partout où le regard se posait, on voyait des réclames vantant tout et n'importe quoi, d'une marque de savon à une lotion capillaire en passant par une conférence sur le spiritisme. Tessa distinguait au loin les flèches de l'Institut entre deux immeubles, et ne pouvait s'empêcher de se demander si elle était la seule à les voir. Elle se souvint de la femme perroquet à la peau verte et aux plumes multicolores. L'Institut était-il vraiment invisible pour le commun des mortels ? Dévorée par la curiosité, elle se décida à questionner Jem.

— Laissez-moi vous montrer quelque chose, répondit-il. Arrêtons-nous un instant. (Il prit Tessa par le coude, la fit pivoter face à l'autre côté de la rue, puis tendit le bras.) Que voyez-vous là-bas ?

Elle plissa les yeux ; ils se trouvaient non loin du croisement de Fleet Street et de Chancery Lane. L'endroit où ils se tenaient n'avait a priori rien d'extraordinaire.

— La façade d'une banque. Il y a autre chose à voir ?

— Maintenant, laissez votre esprit dériver un peu, reprit-il de la même voix douce. Fixez votre attention sur autre chose, comme lorsqu'on évite de regarder un chat droit dans les yeux pour ne pas l'effrayer. Regardez de nouveau la banque du coin de l'œil. Maintenant regardez-la franchement, et très vite !

Tessa suivit les instructions de Jem... et ouvrit de grands yeux. La banque avait disparu ; à sa place se dressait une taverne avec des colombages et des fenêtres à croisillons au travers desquelles filtrait une lumière rouge. À l'intérieur, des ombres se mouvaient ; ce n'étaient pas celles, familières, d'hommes et de femmes mais des silhouettes trop grandes, trop fines, trop allongées pour être humaines, quand elles n'avaient pas un membre en trop. Des éclats de rire couvraient de temps à autre une musique douce et entêtante. Au-dessus de la porte, une pancarte montrait un homme tendant la main pour pincer le nez d'un démon cornu. Sous l'illustration figuraient les mots suivants : La Taverne du Diable.

« C'est donc ici que Will est allé l'autre soir ! » Tessa regarda Jem du coin de l'œil. Il observait la taverne, la main toujours posée sur son bras, la respiration lente et régulière. Elle voyait la lumière rouge se refléter dans ses yeux gris.

— C'est ça, votre endroit préféré ? demanda-t-elle.

Le regard de Jem perdit son éclat ; il se tourna vers elle et rit.

— Grands dieux, non ! Je voulais juste vous le montrer.

À cet instant, un homme en long manteau noir coiffé d'un élégant chapeau recouvert de soie moirée sortit de la taverne. Au moment où il jetait un regard vers le haut de la rue, Tessa s'aperçut que sa peau était bleu nuit, et que sa barbe ainsi que ses cheveux étaient blancs. Il prit la direction du Strand et Tessa le regarda s'éloigner en se demandant s'il éveillerait la curiosité des passants, mais il se faufila entre eux comme un fantôme sans attirer leur attention. En fait, les Terrestres qui passaient devant la taverne ne paraissaient pas la remarquer, même quand plusieurs silhouettes chétives en surgirent en s'interpellant et faillirent renverser un homme apparemment épuisé qui poussait devant lui une charrette vide. Il s'arrêta pour regarder autour de lui, l'air hagard, puis haussa les épaules et reprit sa route.

— Autrefois, il y avait une taverne ordinaire à cet endroit, dit Jem. Comme elle était de plus en plus infestée de Créatures Obscures, les Nephilim ont commencé à craindre que le monde occulte ne se mélange avec celui des Terrestres. Ils les ont chassés au moyen d'un simple charme censé les persuader que la taverne avait fermé et qu'une banque avait ouvert à sa place. Le Diable est désormais un lieu presque exclusivement réservé aux Créatures Obscures. (Jem scruta la lune, les sourcils froncés.) Il se fait tard. Nous ferions mieux de nous dépêcher.

Après avoir lancé un dernier regard à la taverne, Tessa suivit Jem qui se remit à bavarder tranquillement en désignant çà et là des monuments dignes d'intérêt, tels que l'église du Temple, où se tenaient désormais des procès et où les Templiers accueillaient jadis les pèlerins en route vers la Terre sainte.

— Ces chevaliers étaient les amis des Nephilim. Des Terrestres, certes, mais qui possédaient une certaine connaissance du monde occulte. Bien sûr, ajouta-t-il tandis qu'ils émergeaient du dédale des rues pour s'engager sur le pont de Blackfriars, un grand nombre d'entre nous croient que les Frères Silencieux et les Black Friars – les Frères Noirs – ne font qu'un, mais personne ne peut le prouver. Nous y sommes. (Il désigna les lieux d'un grand geste.) Voici mon endroit préféré à Londres.

En examinant le pont, Tessa ne put s'empêcher de se demander pourquoi Jem aimait tant cet endroit, une structure basse en granit enjambant la Tamise, avec de multiples arches et des parapets peints en rouge sombre et or qui brillaient au clair de lune. Ce pont aurait été joli sans la ligne de chemin de fer qui courait sur sa façade est, silencieuse à cette heure de la nuit mais non moins laide avec son treillis de rails en fer qui s'étendait jusqu'à la berge opposée.

— Je sais ce que vous pensez, dit Jem pour la seconde fois de la soirée. Les rails. Oui, c'est horrible mais cela sous-entend que peu de gens viennent ici pour admirer le paysage. J'apprécie la solitude et la vue du fleuve au clair de lune.

Ils marchèrent jusqu'au milieu du pont et Tessa se pencha par-dessus le parapet. La Tamise était noire comme de l'encre. Londres s'étendait de chaque côté du fleuve, le grand dôme de St. Paul se dressait derrière eux tel un fantôme blanc, et le brouillard formait un voile adoucissant les lignes dures de la ville.

Tessa contempla les flots exhalant des odeurs de sel, de crasse et de pourriture qui se mêlaient au brouillard. Le fleuve lui faisait une impression sinistre, comme si ses courants charriaient le poids du passé. Des bribes d'un vieux poème lui revinrent en mémoire.

— « Douce Tamise ! Coule paisiblement jusqu'à la fin de mon chant », murmura-t-elle.

En temps normal, elle n'aurait jamais récité des vers à voix haute en présence de quelqu'un, mais tout en Jem lui soufflait que quoi qu'elle fasse, elle ne serait pas jugée.

— J'ai déjà entendu ce vers, dit-il. C'est Will qui me l'a cité. De quoi s'agit-il ?

— « Prothalamion », de Spencer. (Tessa fronça les sourcils.) Will semble cultiver un goût étrange pour la poésie. Pour quelqu'un de si… si…

— Will passe son temps à lire et il a une excellente mémoire. Il est rare qu'il oublie quelque chose.

Il y avait dans la voix de Jem une légère insistance qui donnait du poids à cette affirmation au-delà de la simple énonciation d'un fait.

— Vous aimez beaucoup Will, n'est-ce pas ? dit Tessa. Vous avez de l'affection pour lui.

— Je l'aime comme un frère, répondit Jem d'un ton égal.

— On peut le dire. Il a beau être horrible avec le reste du monde, avec vous il est gentil. Il vous aime. Qu'avez-vous fait pour qu'il vous traite différemment des autres ?

Jem s'appuya au parapet et posa sur elle un regard lointain en tapotant pensivement le pommeau en jade de sa canne. Comme il était distrait, Tessa put l'observer à loisir, et s'émerveilla de sa beauté étrange illuminée par le clair de lune.

— Honnêtement, je ne sais pas, répondit-il enfin. J'ai longtemps cru que c'était parce que nous étions tous deux orphelins et qu'il avait l'impression d'avoir trouvé un alter ego…

— Je suis orpheline, objecta Tessa. Jessamine aussi. Ça ne nous rapproche pas pour autant.

— Non, c'est vrai.

Une lueur bizarre passa dans le regard de Jem, comme s'il ne disait pas tout.

— Je ne le comprends pas, reprit Tessa. Il peut être adorable et détestable l'instant d'après. Je n'arrive pas à décider s'il est bon ou cruel, affectueux ou haineux…

— Quelle importance ? Êtes-vous obligée de vous faire un avis définitif ?

— L'autre soir, dans votre chambre, quand il est entré, il prétendait avoir passé la nuit à boire mais, plus tard, quand vous… il s'est dégrisé sur-le-champ. J'ai vu mon frère sous l'emprise de l'alcool. Je sais que l'ivresse ne se dissipe pas en un instant ; même les seaux d'eau glacée que ma tante lui jetait à la figure ne parvenaient pas à l'arracher à son hébétude quand il était fin saoul. Et Will ne sentait pas l'alcool, pas plus qu'il ne paraissait malade le lendemain. Pourquoi irait-il raconter qu'il est ivre si ce n'est pas le cas ?

Jem semblait résigné.

— Vous avez là l'essence du mystère de Will Herondale. Je me posais la même question. Comment quelqu'un peut-il boire autant qu'il l'affirme et se battre comme il le fait ? Alors un soir, je l'ai suivi.

— Vraiment ?

Jem eut un pauvre sourire.

— Oui. Il est sorti sous prétexte de quelque rendez-vous, et je l'ai suivi. Si j'avais su ce qui m'attendait, j'aurais choisi des souliers plus solides. Pendant toute la nuit, il a arpenté la ville, de la cathédrale St. Paul au marché de Spitalfieds en passant par Whitechapel. Puis il a gagné les berges du fleuve et erré parmi les docks. Jamais il ne s'est arrêté pour parler à quelqu'un. C'était comme suivre un fantôme. Le lendemain matin, il m'a concocté une histoire rocambolesque avec des rebondissements grivois, et je n'ai pas exigé d'entendre la vérité. S'il me ment, c'est qu'il a une raison.

— Il vous ment, et vous lui faites confiance ?

— Oui.

— Mais…

— Il ment avec assiduité. Il invente toujours une histoire qui le montrera sous le jour le plus abject.

— Vous a-t-il raconté ce qui est arrivé à ses parents ?

— Des bribes seulement, répondit Jem après un long silence. Je sais que son père a tourné le dos aux Nephilim avant sa naissance. Il est tombé amoureux d'une Terrestre, et comme le Conseil refusait d'en faire une Chasseuse d'Ombres, il a quitté l'Enclave et s'est installé avec elle dans un coin reculé du pays de Galles, là où personne ne viendrait les chercher. Le Conseil était furieux.

— La mère de Will était une Terrestre ? Vous voulez dire qu'il n'est qu'à moitié Chasseur d'Ombres ?

— C'est le sang des Nephilim qui domine. C'est pourquoi ceux qui décident de quitter l'Enclave doivent respecter trois règles. Tout d'abord, ils sont obligés de couper les ponts avec tous les Chasseurs d'Ombres, y compris leur famille, laquelle n'a plus le droit de leur adresser la parole. Ensuite, ils ne peuvent plus solliciter l'aide de l'Enclave, quel que soit le danger. Et enfin…

— Enfin ?

— Même s'ils quittent l'Enclave, elle est en droit de réclamer leurs enfants.

Un frisson parcourut Tessa. Jem avait gardé les yeux fixés sur le fleuve, comme s'il voyait le reflet de Will sur sa surface argentée.

— Tous les six ans, jusqu'à ce que l'enfant ait atteint l'âge de dix-huit ans, un représentant de l'Enclave vient lui demander s'il souhaite quitter sa famille pour rejoindre les Nephilim.

— Je ne vois pas qui accepterait une proposition pareille, s'écria Tessa, épouvantée. Cette décision implique de ne plus jamais revoir ses parents, c'est bien cela ?

Jem hocha la tête.

— Et Will y a consenti ? Il a rejoint les Chasseurs d'Ombres malgré tout ?

— Il a refusé deux fois. Puis, un jour, il devait avoir une douzaine d'années, quelqu'un a frappé à la porte de l'Institut et Charlotte est allée ouvrir. Elle devait avoir dix-huit ans à l'époque. Will se tenait sur les marches du perron. Elle m'a dit qu'il était couvert de terre comme s'il avait dormi sous une haie. Il a dit : « Je suis un Chasseur d'Ombres comme vous. Vous devez me laisser entrer. Je n'ai pas d'autre endroit où aller. »

— Il a dit ça ? « Je n'ai pas d'autre endroit où aller » ?

Jem hésita.

— Je tiens toutes ces informations de Charlotte. Will ne m'en a jamais parlé.

— Je ne comprends pas. Ses parents… ils sont morts, n'est-ce pas ? Sans quoi ils seraient venus le chercher.

— Oh, mais ils sont venus, répondit tranquillement Jem. Quelques semaines après son arrivée. Ils l'appelaient en tambourinant à la porte de l'Institut. Charlotte est allée le trouver dans sa chambre pour lui demander s'il souhaitait les voir. Il s'était réfugié sous son lit, les mains plaquées sur ses oreilles. Malgré les supplications de Charlotte, il a refusé de quitter sa chambre. Je crois qu'elle a fini par les renvoyer chez eux, ou alors ils sont partis de leur propre chef, je ne sais plus…

— Elle les a renvoyés ? Mais leur fils était à l'Institut. Ils avaient le droit de…

— Ils n'avaient aucun droit. (Jem avait beau s'exprimer avec douceur, Tessa sentait, au ton de sa voix, qu'un monde les séparait.) Will a choisi de rejoindre les Chasseurs d'Ombres. De ce fait, ils n'avaient plus d'autorité sur lui. C'était le droit et la responsabilité de l'Enclave de les congédier.

— Et vous ne lui avez jamais demandé pourquoi ?

— S'il avait voulu m'en parler, il l'aurait fait. Vous vouliez savoir pourquoi il me tolère mieux que les autres. J'imagine que c'est précisément parce que je ne lui jamais posé de questions.

Il eut un sourire désabusé. L'air froid de la nuit lui fouettait les joues et ses yeux brillaient. Leurs mains à tous deux se frôlaient presque sur le parapet. Pendant un bref moment de confusion, Tessa crut qu'il allait lui prendre la main, mais son regard se posa derrière elle, et il fronça les sourcils.

— Il est un peu tard pour une promenade, non ?

Suivant son regard, elle vit les silhouettes d'un homme et d'une femme s'avancer vers eux sur le pont. L'homme portait un feutre d'ouvrier et un manteau en laine noire ; la femme avait la main sur son bras et le visage penché vers lui.

— Ils pensent peut-être la même chose de nous, dit Tessa. (Elle reporta le regard sur Jem.) Et vous, si vous êtes venu à l'Institut, c'est aussi parce que vous n'aviez nulle part où aller ? Pourquoi n'êtes-vous pas resté à Shanghai ?

— Mes parents dirigeaient l'Institut là-bas mais ils ont été tués par un démon. Il s'appelait Yanluo, poursuivit-il calmement. Après leur mort, tout le monde s'accordait à penser que la solution la plus sûre était de me faire quitter le pays, au cas où le démon ou ses sbires décideraient de s'en prendre à moi.

— Mais pourquoi ici, pourquoi l'Angleterre ?

— Mon père était britannique. Je parlais anglais. Cela semblait l'option la plus raisonnable. (Jem s'exprimait toujours sur le même ton tranquille, mais Tessa sentit qu'il ne lui disait pas tout.) J'ai pensé que je me sentirais plus chez moi ici qu'à Idris, où mes parents n'avaient jamais mis les pieds.

À quelque distance d'eux, le couple s'était arrêté près du parapet ; l'homme montrait du doigt un détail du pont, et la femme hochait la tête.

— Et… c'était le cas ? Vous vous êtes senti chez vous, ici ?

— Pas vraiment. La première chose que je me suis rappelée en arrivant ici, c'est que mon père ne s'était jamais considéré comme un citoyen britannique, du moins pas au sens où l'entend un Anglais ordinaire. Les vrais Anglais sont britanniques avant tout, et gentlemen ensuite. Quelle que soit leur profession – médecin, magistrat ou propriétaire terrien –, elle vient en troisième position. Pour les Chasseurs d'Ombres, c'est différent. Nous sommes des Nephilim avant toute chose, et ensuite seulement nous acceptons de reconnaître le pays qui nous a vus naître. Quant au troisième aspect, il n'y en a pas. Nous sommes uniquement des Chasseurs d'Ombres. Quand un autre Nephilim me regarde, il voit un Chasseur d'Ombres, contrairement aux Terrestres qui ne voient en moi ni un étranger ni l'un des leurs.

— Il y a deux moitiés qui cohabitent en vous, résuma Tessa. C'est un peu comme moi. Sauf que vous, au moins, vous savez que vous êtes un être humain.

L'expression de Jem se radoucit.

— Mais vous aussi vous êtes humaine au sens noble du terme, et c'est tout ce qui compte.

Tessa sentit les larmes lui monter aux yeux. Levant la tête, elle s'aperçut que la lune s'était dissimulée derrière un nuage et lui donnait des reflets iridescents.

— Il faudrait peut-être rentrer. Les autres doivent s'inquiéter.

Jem s'avança pour lui offrir le bras… et s'arrêta. Le couple qu'ils avaient remarqué plus tôt surgit brusquement à quelques pas devant eux pour leur barrer la route. S'ils avaient dû se déplacer très vite pour atteindre l'autre extrémité du pont en si peu de temps, ils se tenaient étrangement immobiles à présent. Le visage de la femme était caché sous une simple coiffe, et celui de l'homme disparaissait lui aussi sous le bord de son chapeau.

La main de Jem se crispa sur le bras de Tessa, mais ce fut d'un ton serein qu'il s'adressa aux deux étrangers.

— Bonsoir, puis-je vous aider ?

Pour toute réponse, ils avancèrent d'un pas. Tessa regarda autour d'elle. Il n'y avait pas âme qui vive sur le pont ni même sur les berges. Londres semblait déserte sous le clair de lune masqué.

— Excusez-moi, reprit Jem. Je vous saurais gré de nous laisser passer, ma compagne et moi.

Il fit un pas en direction du couple silencieux, et Tessa l'imita. Soudain, la lune, émergeant de derrière le nuage, illumina le pont et le visage de l'homme au chapeau, que Tessa reconnut immédiatement.

Ces cheveux emmêlés ; ce grand nez fracturé, ce menton balafré ; et surtout, ces yeux globuleux, les mêmes que ceux de la femme près de lui, laquelle fixait Tessa d'un regard vide qui n'était pas sans rappeler celui de Miranda.

« Mais tu es morte. Will t'a tuée. J'ai vu ton corps », songea Tessa.

— C'est lui, c'est le cocher, murmura-t-elle. Il obéit aux Sœurs Noires.

L'homme ricana.

— J'obéis au Magistère. Au temps où les Sœurs Noires travaillaient pour lui, j'étais à leur service. Désormais, c'est lui seul que je sers.

La voix du cocher était différente du souvenir qu'en gardait Tessa : un peu moins pâteuse, plus articulée, avec une suavité presque sinistre. Au côté de Tessa, Jem s'était figé.

— Qui êtes-vous ? demanda-t-il d'un ton autoritaire. Pourquoi nous suivez-vous ?

— C'est le Magistère qui nous l'a ordonné, répondit le cocher. Tu es un Nephilim. Tu es responsable de la destruction de son foyer et de ses gens, les Enfants de la Nuit. Nous sommes venus te remettre une déclaration de guerre et récupérer la fille. (Il se tourna vers Tessa.) Elle est la propriété du Magistère, et nous l'emmenons avec nous.

— Le Magistère, répéta Jem, les yeux étincelant au clair de lune. Vous voulez dire De Quincey ?

— Le nom que tu lui donnes n'a pas d'importance. Il est le Magistère. Il nous a chargés de transmettre son message. Ce message, c'est la guerre.

La main de Jem étreignit le pommeau de sa canne.

— Vous servez De Quincey mais vous n'êtes pas des vampires. Qu'êtes-vous donc ?

La femme émit un sifflement étrange, semblable au bruit d'une locomotive.

— Prenez garde, Nephilim. Ceux qui tuent seront tués à leur tour. Votre ange ne peut pas vous protéger contre ce qui n'est ni l'œuvre de Dieu ni celle du diable.

Jem brandit sa canne, qui étincela dans la pénombre, et une lame effilée en jaillit. D'un mouvement leste, il lacéra la poitrine du cocher qui recula en poussant un cri aigu de surprise semblable au vrombissement d'une machine.

Tessa retint son souffle. Sous la chemise déchirée de l'homme, on ne distinguait ni chair ni sang mais l'éclat du métal éraflé par la canne-épée de Jem.

Il rengaina la lame avec un soupir de satisfaction et de soulagement.

— Je le savais…

Le cocher poussa un rugissement, glissa la main sous son manteau et en sortit un de ces gros couteaux dentelés dont se servent les bouchers pour scier les os, tandis que la femme fondait sur Tessa, les bras tendus. Les mouvements des deux automates, quoique saccadés, étaient cependant beaucoup plus rapides que ce que Tessa prévoyait. La compagne du cocher se jeta sur elle, les traits figés ; au fond de sa bouche ouverte, étincelait une plaque en cuivre. « Elle n'a pas d'œsophage et je parierais qu'elle n'a pas d'estomac non plus. Sa bouche est fermée par une plaque de métal fixée derrière ses dents », avait dit Henry.

Tessa recula jusqu'à ce que son dos heurte le parapet. Elle chercha Jem des yeux ; le cocher était reparti à l'assaut. Jem eut beau le frapper de sa canne-épée, cela ne servit qu'à ralentir sa progression. Son manteau et sa chemise, désormais en lambeaux, pendaient sur sa carcasse en montrant des fragments de sa carapace en métal.

Tessa fit un bond de côté pour éviter son assaillante, qui alla s'affaisser lourdement contre le parapet. Elle ne paraissait guère plus sensible à la douleur que son compagnon : au bout de quelques instants, elle se redressa avec raideur et se rua de nouveau sur Tessa. Cependant, sa chute avait apparemment endommagé son bras gauche, inerte contre son flanc. De sa main valide, elle agrippa le poignet de Tessa et serra assez fort pour lui arracher un cri de douleur. Dans l'espoir de se dégager, elle griffa la main qui la retenait prisonnière : ses doigts s'enfoncèrent dans sa peau grasse et lisse qui se défit comme la pulpe d'un fruit, et ses ongles raclèrent le métal en dessous dans un crissement de ferraille qui la fit frissonner.

Elle eut beau se débattre, elle ne parvint qu'à attirer contre elle l'automate, dont la gorge émettait des cliquetis et des ronronnements semblables au bourdonnement irritant d'un insecte. De près, ses yeux dépourvus de pupilles étaient noirs comme la nuit. Tessa prit son élan pour lui donner un coup de pied…

Soudain, elle entendit un bruit de ferraille qui s'entre-choque, et vit la canne-épée de Jem trancher net le bras de la femme au niveau du coude. Enfin libérée, Tessa tomba en arrière tandis que le bras sectionné atterrissait à ses pieds. Avec un soubresaut, la femme se tourna vers Jem. Il se jeta en avant, la frappa avec le plat de sa canne pour la forcer à reculer, et ainsi de suite jusqu'à ce qu'elle heurte le garde-fou du pont avec tant de force qu'elle perdit l'équilibre et bascula sans un cri dans les eaux sombres du fleuve. Tessa atteignit le parapet juste à temps pour la voir dispa-raître sous la surface ; pas une bulle ne remonta de l'endroit où elle avait sombré.

Tessa se retourna. Jem agrippait toujours sa canne ; il semblait hors d'haleine et du sang coulait d'une égratignure sur sa joue mais par ailleurs, il semblait indemne. Il baissa les yeux vers le corps du cocher qui se convulsait à ses pieds, la tête tranchée. Une substance noire et huileuse s'écoulait de son cou.

Jem repoussa ses cheveux humides de sueur en étalant le sang sur sa joue. Sa main tremblait.

— Tout va bien ? demanda Tessa en lui touchant mala-droitement le bras.

Il esquissa un pâle sourire.

— C'est moi qui devrais vous poser cette question. (Il frissonna imperceptiblement.) Ces créatures mécaniques me dépassent complètement. Elles…

Il s'interrompit, le regard fixé sur un point derrière elle.

À l'extrémité sud du pont, une demi-douzaine d'automates s'avançaient vers eux à vive allure. Ils avaient déjà parcouru le tiers du pont.

Après avoir rangé la lame dans le fourreau de sa canne, Jem agrippa la main de Tessa.

— Courez !

Ils s'enfuirent à toutes jambes après avoir lancé un dernier regard dans leur dos. Les créatures accéléraient encore l'allure. Elles étaient toutes de sexe masculin, et portaient le même genre de manteau sombre et de chapeau mou que le cocher. Leur visage étincelait au clair de lune.

Parvenu au bout du pont, Jem garda la main de Tessa dans la sienne et, ensemble, ils dévalèrent l'escalier. Les bottines de Tessa glissaient sur la pierre humide, et Jem dut la rattraper pour l'empêcher de tomber ; elle sentit sa poitrine s'abaisser et se soulever contre elle comme s'il manquait d'air. Mais il ne pouvait pas être essoufflé, n'est-ce pas ? C'était un Chasseur d'Ombres. D'après le *Codex*, ils étaient capables de courir pendant des kilomètres. Il s'écarta d'elle, et elle vit que la douleur crispait ses traits. Elle voulut le questionner, mais le temps pressait. Ils entendaient des bruits de pas sur les marches derrière eux. Sans un mot, Jem la saisit par le poignet et l'entraîna.

Ils franchirent le quai éclairé par des réverbères, puis Jem bifurqua brusquement et s'engouffra dans une ruelle en pente bordée d'immeubles. L'air était humide et confiné, les pavés sales et visqueux. Au-dessus d'eux, le linge suspendu aux fenêtres claquait au vent comme autant de fantômes. Tessa avait les pieds meurtris, son cœur tambourinait dans sa poitrine, mais elle ne pouvait pas ralentir.

Elle entendait les créatures derrière elle, le cliquetis de leurs mouvements qui se rapprochait.

La ruelle débouchait sur une rue plus large et tout à coup, la silhouette imposante de l'Institut se dressa devant eux. Ils s'engouffrèrent par la grille et Jem lui lâcha la main pour la verrouiller derrière lui. Les créatures les rejoignirent juste au moment où il poussait le verrou ; elles s'écrasèrent contre la grille dans un bruit assourdissant de ferraille, tels des jouets mécaniques devenus incontrôlables.

Tessa recula, les yeux écarquillés de frayeur. Les automates se pressaient contre les barreaux en tendant les bras à travers. Elle balaya les alentours d'un regard affolé. Jem, à côté d'elle, était blanc comme un linge, les doigts plaqués sur son ventre. Elle voulut lui prendre la main, mais il recula.

— Tessa, dit-il d'une voix tremblante, réfugiez-vous à l'intérieur. Il faut rentrer.

— Jem, vous êtes blessé ?

— Non, répondit-il d'une voix étouffée.

Un bruit en provenance de la grille leur fit lever les yeux. L'un des automates s'acharnait sur la chaîne en fer du verrou. Il tirait si violemment dessus que la peau de ses doigts était partie en lambeaux et qu'on voyait les jointures du métal en-dessous. Manifestement, il avait une force colossale ; à l'évidence, la chaîne ne tiendrait pas très long-temps.

Tessa prit Jem par le bras ; elle sentit sa peau brûlante à travers ses vêtements.

— Venez !

Avec un grognement, il se laissa guider vers la porte de l'église ; il titubait et s'appuyait lourdement sur elle en haletant. Ils gravirent tant bien que mal les marches du perron mais, en atteignant la dernière, Jem tomba à genoux, le corps secoué par une terrible quinte de toux.

La grille s'ouvrit brusquement et les créatures mécaniques se déversèrent dans l'allée, emmenées par celle qui avait arraché la chaîne.

Se souvenant de ce que Will lui avait dit au sujet de la porte, à savoir que seul un Chasseur d'Ombres pouvait la franchir, Tessa agita frénétiquement le cordon de la sonnette, mais ne perçut aucun bruit venu de l'intérieur. Désespérée, elle se tourna vers Jem.

— Jem ! Jem, je vous en prie, il faut ouvrir la porte…

Il leva la tête. Ses yeux écarquillés étaient deux billes entièrement blanches sur lesquelles se reflétait la lune.

— Jem !

Tessa tenta en vain de le relever ; il s'affaissa par terre et du sang coula du coin de ses lèvres. Sa canne avait roulé aux pieds de Tessa.

Les créatures avaient atteint le pied des marches, celle aux mains dépecées toujours en tête. Tessa se jeta contre la porte de l'Institut et tambourina des poings sur le lourd panneau en chêne. Elle entendait le son creux de ses coups se répercuter de l'autre côté, et perdait espoir. L'Institut était immense, et le temps pressait.

Elle finit par renoncer. Se détournant, elle s'aperçut avec horreur que le chef des créatures avait rejoint Jem. Il se penchait vers lui, prêt à lui lacérer la poitrine.

Elle saisit la canne de Jem et la brandit en criant :

— N'approche pas de lui !

La créature se redressa et pour la première fois, Tessa vit nettement son visage sous le clair de lune. Il était parfaitement lisse et dépourvu de nez, avec des fentes à la place des yeux et de la bouche. Il tendit ses mains décharnées vers elle ; elles étaient maculées du sang de Jem, qui gisait immobile par terre, sa chemise en lambeaux, tandis qu'une flaque de sang s'épanouissait autour de lui. Sous le regard épouvanté de Tessa, l'automate agita ses doigts sanglants dans sa direction dans une parodie grotesque de salut, puis dévala les marches en se voûtant telle une énorme araignée. Il franchit la grille et disparut dans la nuit.

Tessa s'approcha de Jem. Aussitôt, les autres automates s'empressèrent de lui barrer la route. Ils avaient le même faciès que leur chef, une armée de guerriers identiques et sans visage, comme si leur créateur n'avait pas eu le temps d'achever son œuvre.

Dans un chœur de cliquetis, leurs mains se tendirent vers elle et, d'un geste aveugle, elle fendit l'air de la canne, qui alla heurter à la tempe l'un des automates. Tessa sentit l'impact du bois sur le métal dans tout son bras. La créature tituba pendant un bref instant avant de se précipiter vers elle à une vitesse prodigieuse. Cette fois, la canne la toucha à l'épaule et elle recula. Mais d'autres mains se tendirent vers Tessa, s'emparèrent de la canne et la lui arrachèrent violemment. Elle se souvint de la force herculéenne de Miranda tandis que l'automate qui avait pris la canne l'abattait sur son genou.

Elle se brisa en deux avec un bruit ignoble. Alors que Tessa prenait ses jambes à son cou, la créature l'agrippa par les épaules et la tira en arrière. Elle se débattit pour se libérer…

Et la porte de l'Institut s'ouvrit en grand. La lumière qui provenait de l'intérieur l'aveugla momentanément, et elle ne distingua que les contours de plusieurs silhouettes qui se précipitaient dans sa direction. Un sifflement retentit, et quelque chose lui frôla la joue. Dans un grincement, l'automate relâcha son étreinte et dégringola les marches en se convulsant.

Tessa leva les yeux. Charlotte se tenait au-dessus d'elle, le visage pâle et résolu, un disque en métal tranchant à la main. Un autre disque parfaitement identique à celui-ci était planté dans la poitrine de l'homme mécanique qui retenait Tessa quelques instants plus tôt. Il se tordait en décrivant des cercles sur le sol tel un jouet endommagé. Des étincelles bleues jaillissaient de sa blessure.

Autour de lui, les autres créatures s'agitaient en tous sens tandis que les Chasseurs d'Ombres convergeaient vers elles. D'un coup de poignard séraphique, Henry ouvrit le torse d'un automate, qui disparut dans l'obscurité en tressautant. Au côté de Henry, Will, armé d'une espèce de faux, taillait en pièces une autre créature avec tant de rage qu'il en faisait jaillir des gerbes d'étincelles bleues. Dévalant les marches, Charlotte lança son second disque ; il alla se ficher dans la tête d'un monstre de métal avec un bruit répugnant. La créature s'affaissa par terre en répandant une substance noire et huileuse autour d'elle.

Les deux automates encore debout, semblant s'apercevoir que la situation était désespérée, battirent en retraite vers le portail. Henry et Charlotte se lancèrent à leur poursuite. Après avoir lâché son arme, Will remonta les marches du perron quatre à quatre.

— Que s'est-il passé ? cria-t-il à Tessa.

Elle le dévisagea sans mot dire, trop sonnée pour répondre.

— Vous êtes blessée ? Où est Jem ? reprit Will d'une voix où la fureur le disputait à la panique.

— Je vais bien, murmura-t-elle. Mais Jem s'est évanoui. Il est là-bas.

Elle montra le corps de Jem affalé dans les ténèbres près de la porte.

Will pâlit. Sans accorder un regard à Tessa, il se précipita vers son ami et tomba à genoux près de lui. Il lui dit quelques mots à voix basse et, comme il n'obtenait pas de réponse, il appela Thomas pour qu'il l'aide à le transporter. Puis il cria autre chose que, dans son vertige, Tessa ne comprit pas. Peut-être s'adressait-il à elle ? Peut-être pensait-il que tout était sa faute ? Si elle ne s'était pas mise en colère, si elle n'avait pas pris la fuite en incitant Jem à la suivre…

Une silhouette se profila sur le seuil éclairé. C'était Thomas, les cheveux ébouriffés et l'air grave, qui vint s'agenouiller près de Will. Tous deux soulevèrent Jem en passant un bras autour de ses épaules et le portèrent précipitamment à l'intérieur.

Étourdie, Tessa balaya la cour du regard. Quelque chose avait changé. C'était sans doute le silence soudain qui régnait après la clameur de la bataille. Des pièces d'automates gisaient çà et là, une substance visqueuse maculait le sol de la cour, le portail était grand ouvert et la lune répandait sur les lieux la même lumière laiteuse que sur le pont, lorsque Jem lui avait affirmé qu'elle était aussi humaine que lui.

15

LA BOUE ÉTRANGÈRE

Ah ! Dieu ! que l'amour fût comme une fleur ou une flamme,
La vie, comme de nommer un nom,
Que la mort ne fût pas plus pitoyable que le désir,
Que toutes ces choses n'en fussent pas une seule et la même !

Algernon Charles Swinburne,
« Laus Veneris »

— Miss Tessa ?

Tessa se retourna et vit la silhouette de Sophie s'encadrer sur le seuil, une lanterne à la main.

— Vous allez bien ?

L'arrivée de Sophie fut un réel soulagement pour Tessa. Elle se sentait si seule en cet instant !

— Je ne suis pas blessée. Henry et Charlotte se sont lancés à la poursuite des créatures…

— Ils vont s'en tirer. (Sophie posa la main sur le bras de Tessa.) Retournez à l'intérieur, mademoiselle. Vous saignez.

— Ah oui ? (Hébétée, Tessa porta la main à son front et observa ses doigts tachés de sang.) J'ai dû me cogner la tête quand je suis tombée sur les marches. Je ne l'ai même pas senti.

— C'est le choc, dit calmement Sophie, et Tessa se demanda combien de fois au cours de son service Sophie avait dû reproduire les mêmes gestes : panser les plaies, nettoyer le sang. Venez, je vais vous donner une compresse pour votre tête.

Tessa lança un ultime regard au chaos qui régnait dans la cour et se laissa emmener à l'intérieur de l'Institut. Elle vécut les instants qui suivirent dans une sorte de brouillard. Sophie l'aida à monter l'escalier et à s'installer dans un fauteuil du salon, s'éloigna en hâte et revint quelques minutes plus tard avec Agatha, qui mit une tasse remplie d'un breuvage chaud entre les mains de Tessa.

Elle reconnut immédiatement l'odeur du brandy. Elle pensa à Nate, hésita un instant. Contre toute attente, après avoir bu quelques gorgées d'alcool, elle retrouva un peu de lucidité. Charlotte et Henry réapparurent en apportant avec eux une odeur de fer et de lutte. Les lèvres pincées, Charlotte déposa ses armes sur la table et appela Will. Ce fut Thomas qui répondit à sa place en se précipitant dans le couloir, les vêtements tachés de sang, pour la prévenir que Will était au chevet de Jem, dont les jours n'étaient pas en danger.

— Les automates l'ont blessé et il a perdu du sang, ajouta Thomas. (Il lança un regard à Sophie et passa la main dans ses cheveux bruns emmêlés.) Mais Will l'a soigné avec une *iratze*…

— Et ses médicaments ? demanda vivement Sophie. Il les a pris ?

Thomas hocha la tête et elle se détendit un peu.

— Merci, Thomas, dit Charlotte. Peut-être devriez-vous aller voir s'il a besoin d'autre chose ?

Thomas acquiesça et ressortit non sans avoir jeté un dernier regard à Sophie par-dessus son épaule. Celle-ci ne parut pas s'en apercevoir. Charlotte se laissa tomber dans une ottomane face à Tessa.

— Tessa, pouvez-vous nous raconter ce qui s'est passé ?

Serrant sa tasse dans ses mains, les doigts glacés malgré la chaleur qui s'en dégageait, Tessa frissonna.

— Avez-vous rattrapé ceux qui se sont enfuis ?

Charlotte secoua tristement la tête.

— Nous les avons poursuivis dans les rues, mais ils ont disparu au niveau du pont de Hungerford. Henry pense qu'il y a de la magie là-dessous.

— Ou un tunnel secret, ajouta Henry. J'ai aussi suggéré un tunnel, ma chère.

Il regarda Tessa. Son visage affable était maculé de sang et d'huile, et il avait déchiré son gilet à rayures de couleurs vives. Il ressemblait à un écolier qui aurait commis une bêtise.

— Vous les avez peut-être vus sortir d'un tunnel, Miss Gray ? poursuivit-il.

— Non, répondit Tessa dans un souffle.

Pour s'éclaircir la voix, elle prit une autre gorgée du breuvage et reposa sa tasse avant de se lancer dans le récit des événements en s'efforçant de n'omettre aucun détail : le pont, le cocher, la poursuite, les mots que les créatures avaient prononcés, la manière dont ils avaient forcé la grille. Charlotte écoutait, le visage pâle et fermé ; même Henry avait un air sinistre. Assise sur une chaise, Sophie suivait l'histoire de Tessa avec l'attention et la gravité d'une petite fille modèle.

— Ils ont dit que c'était une déclaration de guerre, conclut Tessa, et qu'ils avaient bien l'intention de venger De Quincey.

— Et l'automate l'a appelé le Magistère ? s'enquit Charlotte.

Tessa serra les lèvres pour les empêcher de trembler.

— Oui. Il a dit que j'appartenais au Magistère et qu'il les avait envoyés pour me récupérer. Charlotte, c'est ma faute. Sans moi, De Quincey n'aurait pas envoyé ces créatures ce soir, et Jem… (Elle baissa les yeux.) Vous devriez peut-être me livrer au vampire.

Charlotte secoua la tête.

— Tessa, vous avez entendu De Quincey. Il hait les Chasseurs d'Ombres. Il s'en prendrait à l'Enclave avec ou sans vous. En vous livrant à ce monstre, nous mettrions un atout précieux entre ses mains. (Elle se tourna vers Henry.) Je me demande pourquoi il a attendu aussi longtemps. Pourquoi ne pas avoir suivi Tessa quand elle est sortie avec Jessie ? Contrairement aux démons, ces créatures mécaniques peuvent sortir pendant la journée.

— Peut-être, concéda Henry, mais pas sans alerter les foules. Elles ne ressemblent pas assez à des êtres humains ordinaires pour se promener sans éveiller l'attention. (Il tira une pièce en métal de sa poche et la brandit devant lui.) J'ai examiné les restes des automates dans la cour. Ils sont plus sophistiqués que celui qui est entreposé dans la crypte, leur métal est plus solide et leurs articulations plus complexes. Quelqu'un travaillait sur les plans qu'a trouvés Will afin de les améliorer. Ces créatures sont plus rapides, désormais, et plus dangereuses.

« Les améliorer jusqu'à quel point ? » pensa Tessa.

— Il y avait un sortilège noté sur le plan, dit-elle. Magnus l'a déchiffré.

— Le sortilège d'alliance. Il est censé insuffler de l'énergie démoniaque à l'automate. (Charlotte se tourna vers Henry.) Est-ce que De Quincey… ?

— A réussi cette prouesse ? (Henry secoua la tête.) Non. Ces créatures sont seulement configurées pour se conformer à un schéma, un peu comme des boîtes à musique. Mais elles ne sont pas vivantes. Elles n'ont ni intelligence ni volonté propre. Et il n'y a rien de démoniaque chez elles.

Charlotte poussa un soupir de soulagement.

— Nous devons retrouver De Quincey avant qu'il atteigne son objectif. Ces créatures nous donnent suffisamment de fil à retordre comme ça. Dieu seul sait combien il en a fabriqué, ou dans quelle mesure elles seraient difficiles à éliminer si elles possédaient l'intelligence d'un démon.

— Une armée qui ne vient ni du paradis ni de l'enfer, murmura Tessa.

— Exactement, acquiesça Henry. Il faut retrouver De Quincey et l'arrêter avant qu'il ne soit trop tard. Entre-temps, Tessa, vous devrez rester à l'Institut. Non que nous tenions à vous garder prisonnière, mais vous serez plus en sécurité à l'intérieur.

— Mais pour combien de temps… ? demanda Tessa, avant de s'interrompre en voyant l'expression de Sophie changer.

Elle observait quelque chose par-dessus l'épaule de Tessa, les yeux écarquillés de surprise. Tessa tourna la tête.

Will se tenait sur le seuil. Il y avait une traînée de sang qui ressemblait à de la peinture sur sa chemise blanche. Son visage était un masque, et il regardait fixement fixement Tessa. En l'apercevant, elle sentit son cœur bondir dans sa poitrine.

— Il veut vous parler, dit-il.

Il y eut un silence ; tous les yeux s'étaient tournés vers lui. Il y avait quelque chose de menaçant dans l'intensité de son regard et la tension qui perçait sous son air impassible. Sophie avait porté la main à sa gorge, et ses doigts trituraient nerveusement son col.

— Will, dit Charlotte, tu veux parler de Jem ? Il va bien ?

— Il est réveillé. (Will considéra brièvement Sophie qui avait baissé la tête comme pour masquer son émotion.) Et il veut parler à Tessa.

— Mais… (Tessa se tourna vers Charlotte, qui paraissait troublée.) Est-il suffisamment remis ?

L'expression de Will ne changea pas.

— Il veut vous parler, répéta-t-il en détachant chaque syllabe, alors vous allez me faire le plaisir de vous lever et de me suivre. Vous m'avez compris ?

— Will ! s'exclama Charlotte d'un ton indigné.

Tessa s'était déjà levée en lissant sa robe froissée du plat de la main.

Charlotte lui lança un regard inquiet mais ne fit aucun commentaire.

Will garda le silence tandis qu'ils marchaient dans le couloir. Les torches étiraient leurs ombres sur les murs. En plus du sang sur sa chemise, Will avait des taches d'huile sur le visage et les cheveux hirsutes. Elle se demanda s'il avait dormi depuis le moment où elle l'avait laissé dans le grenier. Elle envisagea de le questionner mais tout en lui – son attitude, son silence et jusqu'à la posture de ses épaules – lui soufflait que ses questions ne seraient pas les bienvenues.

Il poussa la porte de la chambre de Jem et s'effaça devant Tessa. La seule lumière de la pièce provenait de la fenêtre et d'une chandelle posée sur la table de nuit. Jem était emmitouflé dans les couvertures du grand lit sculpté. Il était aussi blanc que sa chemise de nuit, et ses paupières closes étaient bleu sombre. Sa canne à pommeau de jade était appuyée au côté du lit. Visiblement, quelqu'un l'avait réparée, et elle semblait comme neuve.

Jem tourna la tête en entendant la porte s'ouvrir, mais garda les yeux fermés.

— Will ?

À l'étonnement de Tessa, Will se força à sourire et répondit d'un ton enjoué :

— Je te l'ai amenée comme tu me l'as demandé.

Jem ouvrit les yeux. Tessa constata avec soulagement qu'ils avaient retrouvé leur couleur initiale.

— Tessa, je suis vraiment désolé.

Tessa lorgna Will dans l'espoir d'obtenir un conseil ou un encouragement. Il regardait obstinément droit devant lui. Manifestement, il ne lui serait d'aucune aide.

Sans plus prêter attention à lui, elle s'avança et s'assit au chevet de Jem.

— Jem, dit-elle à voix basse, vous n'avez pas à vous excuser. C'est plutôt moi qui vous dois des excuses. Vous n'avez rien fait de mal. C'était moi la cible de ces créatures, et non vous. (N'osant pas lui toucher la main, elle tapota doucement la couverture.) Si je n'avais pas été là, vous n'auriez pas été blessé.

— Mais je n'ai pas été blessé, dit-il dans un souffle.

— James, fit Will sur le ton de la mise en garde.

— Il faut qu'elle sache, William, sans quoi elle s'imaginera que tout est sa faute.

— Tu es malade. Ce n'est la faute de personne. (Will observa un silence.) Je crois seulement que tu devrais être prudent. Tu n'es pas encore sur pied. Parler risque de te fatiguer.

— Il y a des choses plus importantes que ma petite santé. (Jem se redressa tant bien que mal et s'adossa aux oreillers ; quand il reprit la parole, il était un peu essoufflé.) Si ça ne te plaît pas, Will, tu n'es pas obligé de rester.

Tessa entendit la porte s'ouvrir et se refermer derrière elle avec un léger clic. Malgré elle, elle éprouva un pincement au cœur, comme chaque fois que Will quittait une pièce.

Jem soupira.

— Ce qu'il peut être têtu !

— Il a raison, objecta Tessa. Du moins sur le fait que rien ne vous oblige à me parler si vous n'en avez pas envie. Je sais que ce n'est pas votre faute.

— Cela n'a rien à voir. Je pense juste que vous devriez savoir la vérité. Cela ne sert à rien de la dissimuler.

Il contempla la porte, comme si cette dernière remarque s'adressait à Will, puis soupira de nouveau en se passant la main dans les cheveux.

— Saviez-vous, reprit-il, que j'ai vécu l'essentiel de ma vie à l'Institut de Shanghai auprès de mes parents ?

— Oui, répondit Tessa en se demandant s'il n'était pas dans un état second. Vous me l'avez raconté sur le pont. Vous m'avez aussi dit qu'un démon avait tué vos parents.

— Yanluo, murmura Jem d'un ton haineux. Ce démon en voulait à ma mère. Elle était responsable de la mort d'une partie de sa progéniture. Ils avaient installé leur repaire dans une petite ville du nom de Lijiang, où ils se nourrissaient d'enfants. Elle avait incendié les lieux et réussi à s'échapper avant que le démon ne la retrouve. Yanluo a rongé son frein pendant des années ; les Démons Supérieurs vivent éternellement. Il n'a jamais oublié. J'avais onze ans quand il a trouvé la faille dans les sortilèges qui protégeaient l'Institut. Une fois qu'il s'est introduit à l'intérieur, il a tué les gardes et pris ma famille en otage. Après nous avoir ligotés à des chaises dans la grande salle, il s'est mis au travail.

« Yanluo m'a torturé devant mes parents, poursuivit Jem d'une voix blanche. Sans relâche, il m'a injecté un poison démoniaque puissant qui mettait au supplice mes veines et mon cerveau. Pendant deux jours, je n'ai pas cessé d'avoir des hallucinations. J'ai vu le monde noyé sous des rivières de sang, et j'ai entendu les hurlements de tous les morts de l'histoire. J'ai vu Londres en flammes, et d'immenses créatures en métal parcourir la ville, telles d'énormes araignées…

Il s'interrompit. Il était très pâle, la sueur plaquait sa chemise de nuit sur son torse, mais il balaya d'un geste les inquiétudes de Tessa.

— De temps à autre, je revenais à moi assez long-temps pour entendre mes parents crier mon nom. Le deuxième jour, en me réveillant, je n'ai discerné que la voix de ma mère. Mon père avait été réduit au silence. Elle avait la voix rauque à force d'avoir crié, mais elle continuait à répéter mon nom. Non pas mon prénom anglais mais celui qu'elle m'a donné à ma naissance : Jian. Je l'entends encore m'appeler, parfois.

Ses mains agrippaient son oreiller si fort que le tissu commençait à se déchirer.

— Jem, murmura Tessa, vous n'êtes pas obligé de tout me raconter maintenant.

— Vous vous souvenez ce que je vous ai dit au sujet de Mortmain ? Qu'il avait probablement fait fortune grâce à la contrebande d'opium ? Les Britanniques importent de l'opium en Chine en quantités industrielles. Nous avons créé une nation entière de drogués. En Chine, on l'appelle la « boue étrangère » ou la « fumée noire ». D'une certaine manière, Shanghai, ma ville natale, a été édifiée sur l'opium. Elle ne serait pas devenue ce qu'elle est sans cette ignominie. Elle regorge de fumeries où des hommes aux yeux hagards se privent de nourriture pour s'acheter toujours plus de drogue. Ils vendraient père et mère pour s'en procurer. Je les méprisais, autrefois. Je ne comprenais pas comment on pouvait être aussi faible.

Il soupira.

— Quand l'Enclave a commencé à s'inquiéter du silence de l'Institut et qu'ils sont venus nous délivrer, mes parents étaient déjà morts. Je ne me rappelle rien. Je délirais. Ils m'ont confié aux Frères Silencieux, qui m'ont soigné du mieux possible. Ce dont ils n'ont pas pu me guérir, en revanche, c'est de ma dépendance à la substance que le démon m'avait injectée. Mon corps la réclamait ; j'étais aussi dépendant qu'un opiomane. Ils ont tenté de me sevrer, mais la privation me causait des souffrances terribles. Bien qu'ils soient parvenus à apaiser la douleur au moyen de sortilèges, ils ont dû se rendre à l'évidence : le manque me tuait à petit feu. Après des semaines d'expérimentations, ils ont conclu qu'il n'y avait plus rien à faire : je ne pouvais pas vivre sans cette drogue. Même si elle causait une mort lente, sans elle mes jours étaient comptés.

— Des semaines d'expérimentations ? répéta Tessa. Alors que vous n'aviez que onze ans ? Cela me semble bien cruel.

— Le bien – le véritable bien – recèle une part de cruauté. Il y a une boîte près de vous, sur la table de nuit. Pouvez-vous me la donner ?

Tessa prit la boîte. Elle était en argent et son couvercle était incrusté d'émail peint représentant une femme mince en robe blanche qui versait l'eau d'un vase dans un ruisseau.

— Qui est-ce ? s'enquit-elle en la tendant à Jem.

— Kwan Yin, la déesse de la miséricorde et de la compassion. Il paraît qu'elle entend toutes les prières, tous les cris de souffrance, et qu'elle fait de son mieux pour y répondre. J'ai pensé que le fait de garder la cause de mes maux dans une boîte à son image allégerait ma douleur.

Il ouvrit la boîte ; elle contenait une substance grise que Tessa prit d'abord pour de la cendre, mais elle brillait avec la même intensité que les yeux gris de Jem.

— Voici la drogue en question, annonça-t-il. Je la tiens d'un sorcier de Limehouse. J'en prends tous les jours. C'est pourquoi j'ai toujours l'air si… maladif. Elle décolore mes yeux, mes cheveux, ma peau. Parfois j'en arrive à me demander si mes parents me reconnaîtraient… (Sa voix se réduisit à un souffle.) Si je dois me battre, j'en prends davantage. Sans elle, je suis faible. Je n'en avais pas pris aujourd'hui avant que nous allions nous promener sur le pont. C'est pourquoi je me suis effondré. Les automates n'y sont pour rien, c'est la drogue qui est responsable. Privé d'elle, mon corps n'a pas pu supporter la fatigue engendrée par l'affrontement sur le pont puis la fuite. Il a épuisé ses dernières forces et je me suis évanoui. (Il referma la boîte d'un coup sec et la tendit à Tessa.) Vous pouvez la remettre à sa place.

— Vous n'en avez pas besoin ?

— Non, j'en ai assez pris aujourd'hui.

— Vous avez dit que la drogue cause une mort lente. Qu'entendez-vous par là ? Qu'elle finira par vous tuer ?

Jem hocha la tête, et des mèches de cheveux argentés retombèrent sur son front. Tessa sentit son cœur se serrer.

— Et quand vous vous battez, vous en prenez davantage ? Alors pourquoi ne pas cesser de vous battre ? Will et les autres…

Jem finit sa phrase pour elle :

— Ils comprendraient, j'en suis certain. Mais il y a plus important que de vouloir rester en vie à tout prix.

Je suis un Chasseur d'Ombres. Cela fait partie de moi. Je ne peux pas vivre autrement.

— Dites plutôt que vous ne voulez pas.

Tessa songea que Will se serait mis en colère si elle lui avait tenu ce langage. Jem, lui, se contenta de l'observer avec insistance.

— C'est vrai, je ne veux pas. Pendant longtemps, j'ai cherché un remède et j'ai fini par renoncer. J'ai demandé à Will comme aux autres d'en faire autant. Je crois que je vaux mieux que cette drogue et l'emprise qu'elle a sur moi. Ma vie vaut mieux que cela, si courte soit-elle.

— Eh bien moi, je ne veux pas que vous mouriez. J'ignore pourquoi cela me peine autant. Après tout, je viens de vous rencontrer. Mais je ne veux pas que vous mouriez.

— Je vous crois. J'ignore pourquoi, je viens de vous rencontrer. Mais je vous crois.

Ses mains n'agrippaient plus l'oreiller ; elles reposaient à plat sur le tissu. Elles étaient fines avec des jointures un peu épaisses et des doigts graciles. Une grosse cicatrice barrait l'intérieur d'un pouce. Tessa avait envie de les serrer fort pour le réconforter.

— Quel touchant tableau !

C'était Will, bien entendu, qui venait d'entrer sans bruit. Il avait changé de chemise et fait une toilette de chat au vu de ses cheveux humides et de son visage propre, bien que l'huile noire se soit insinuée jusque dans ses ongles. Il regarda tour à tour Jem et Tessa en prenant soin de ne trahir aucune émotion.

— J'en déduis que tu lui as dit.

— Oui.

Il n'y avait pas de défi dans la voix de Jem. Quand il regardait Will, ses yeux n'exprimaient rien d'autre que de l'affection, quelles que soient les provocations de son ami.

— C'est fait, reprit-il. Tu n'auras plus besoin de te tracasser à ce propos.

— Je ne suis pas d'accord, répliqua Will en jetant un regard appuyé à Tessa.

Se souvenant qu'il lui avait recommandé de ne pas fatiguer Jem, elle se leva.

— Vous partez ? demanda-t-il, l'air visiblement déçu. J'espérais que vous resteriez à mon chevet pour veiller sur moi. Mais si vous devez vous en aller…

— Moi je reste, annonça Will d'un ton peu amène en se vautrant dans le siège qu'occupait Tessa un instant plus tôt. Je peux veiller sur toi.

— Tu n'es guère convaincant. Et tu n'es pas aussi agréable à regarder que Tessa, lâcha Jem en fermant les yeux.

— Quelle grossièreté ! D'aucuns disent que poser les yeux sur moi revient à contempler le soleil.

Jem garda les paupières closes.

— Si par là ils entendent que tu donnes mal à la tête, ils n'ont pas tort.

— En outre, reprit Will, le regard fixé sur Tessa, ce n'est pas juste d'éloigner Tessa de son frère. Elle n'a pas eu une minute pour lui rendre visite depuis ce matin.

— C'est vrai. (Jem rouvrit les yeux pendant quelques instants ; ils étaient d'un noir tirant sur l'argent, et voilés de sommeil.) Toutes mes excuses, Tessa. J'avais oublié.

Tessa ne répondit rien car elle devait admettre, à sa grande consternation, que Jem n'était pas le seul à avoir oublié son frère. « Ce n'est rien », voulut-elle dire, mais Jem avait déjà refermé les yeux, et elle en déduisit qu'il s'était peut-être endormi. Tandis que Will se penchait pour tirer les couvertures sur lui, elle s'éloigna aussi discrètement que possible.

Les couloirs étaient faiblement éclairés, ou alors c'était la chambre de Jem qui était plus lumineuse. Tessa s'arrêta le temps que ses yeux s'habituent à la pénombre. Tout à coup, elle tressaillit.

— Sophie ?

La silhouette de la jeune fille se détachait, pâle, dans la pénombre. Elle avait à la main sa coiffe blanche, qu'elle tenait par un de ses liens.

— Sophie ? Vous avez un problème ?

— Est-ce qu'il va bien ? demanda-t-elle d'une voix inquiète. Il va s'en sortir ?

Trop surprise pour interpréter le « il » de sa question, Tessa répondit :

— Qui ?

Sophie la dévisagea d'un air hébété en ouvrant de grands yeux tristes.

— Jem.

Pas monsieur Jem ni Mr Carstairs. Jem. Tessa la considéra avec stupéfaction et soudain, ses paroles lui revinrent en mémoire : « Ce n'est pas grave d'aimer quelqu'un qui ne vous aime pas, tant qu'il mérite cet amour. »

« Bien sûr, pensa-t-elle. Quelle idiote je fais ! C'est de Jem qu'elle est amoureuse. »

— Il va bien, répondit-elle avec douceur. Il se repose mais il bavardait il y a encore un instant. Il va vite se remettre, j'en suis certaine. Si vous voulez le voir…

— Oh non ! s'exclama Sophie. Non, ce ne serait pas convenable. (Ses yeux brillèrent.) Merci beaucoup, mademoiselle. Je…

Sans finir sa phrase, elle se détourna et disparut dans le couloir. Troublée et perplexe, Tessa la regarda s'éloigner. Comment avait-elle pu être aussi aveugle ? Elle qui détenait le pouvoir de devenir littéralement quelqu'un d'autre, elle était pourtant incapable de se mettre à la place des gens. Quelle ironie !

La porte de la chambre de Nate était entrouverte. Tessa la poussa sans bruit et passa la tête dans l'embrasure.

Son frère dormait sous un amas de couvertures. La lueur de la chandelle à moitié consumée sur la table de nuit éclairait ses cheveux blonds éparpillés sur son oreiller. Il avait les yeux fermés, et sa poitrine se soulevait et s'abaissait à un rythme régulier.

Jessamine était assise dans un fauteuil près du lit, plongée elle aussi dans un profond sommeil. Des mèches folles s'échappaient de son chignon et tombaient en boucles sur ses épaules. Quelqu'un avait jeté sur elle un plaid en laine, et ses mains l'agrippaient pour le maintenir contre sa poitrine. Qu'elle semblait jeune et vulnérable ! Elle n'évoquait plus du tout la jeune fille qui s'était acharnée sur un gobelin dans le parc.

« La douceur se manifeste parfois de façon étrange chez les gens, songea Tessa. Elle n'est jamais là où on l'attend. » Elle referma la porte aussi discrètement que possible et s'éloigna dans le couloir.

Cette nuit-là, elle eut des assoupissements agités de cauchemars. Dans l'un, des créatures mécaniques venaient la chercher et tendaient leurs mains décharnées pour lui lacérer la peau. Ensuite, elle vit Jem étendu sur un lit. De la poudre d'argent pleuvait sur lui et prenait feu dès qu'elle touchait la courtepointe, si bien que tout le lit s'embrasait, et pourtant Jem continuait à dormir paisiblement malgré les cris terrifiés de Tessa.

Pour finir, elle rêva de Will, debout au sommet du dôme de St. Paul, seul sous un clair de lune laiteux. Il portait une redingote noire et ses Marques ressortaient sur son cou et ses mains. Il contemplait Londres au-dessous de lui, tel un ange maléfique chargé de sauver la ville de ses pires cauchemars tandis qu'elle dormait, ignorante des dangers qui la guettaient.

Tessa fut brutalement tirée de son rêve. Une voix lui criait à l'oreille et on lui secouait vigoureusement l'épaule.

— Mademoiselle ! Miss Gray, réveillez-vous ! C'est votre frère.

Tessa se redressa d'un bond en éparpillant ses oreillers autour d'elle. La lumière de l'après-midi entrant par les fenêtres de la chambre éclairait le visage anxieux de Sophie.

— Nate s'est réveillé ? demanda Tessa. Il va bien ?

— Oui... enfin, non. Je n'en sais rien, mademoiselle. (La voix de Sophie trahissait l'inquiétude.) Voyez-vous, il a disparu.

16

LE SORTILÈGE
D'ALLIANCE

Jeter les dés une ou deux fois
Est un jeu des plus distingués.
Dans la triste Maison de Honte,
Perd qui joue avec le Péché.

Oscar Wilde,
« La Ballade de la geôle de Reading »

— Jessamine ! Jessamine ! Que se passe-t-il ? Où est Nate ?

Jessamine, debout sur le seuil de la chambre de Nate, fit volte-face et aperçut Tessa qui se hâtait vers elle. La jeune Chasseuse d'Ombres avait les yeux rouges et l'air furieux. Des mèches de cheveux blonds s'échappaient de son chignon d'ordinaire impeccable.

— Je ne sais pas ! aboya-t-elle. Je me suis endormie dans un fauteuil près de son lit et, quand je me suis réveillée, il avait disparu… simplement disparu ! (Elle plissa les yeux.) Juste ciel ! Qu'est-ce que c'est que cet accoutrement ?

Tessa n'avait pas pris le temps de mettre une crinoline ni même des chaussures. Elle s'était contentée d'enfiler une robe au hasard et de glisser ses pieds nus dans des pantoufles. Ses cheveux retombaient en désordre sur ses épaules : elle devait ressembler à la folle que Mr Rochester enfermait au grenier dans *Jane Eyre*.

— Dans son état, Nate n'a pas pu aller très loin, dit-elle. Personne ne s'est lancé à sa recherche ?

Jessamine leva les bras au ciel.

— Si, tout le monde s'y est mis ! Will, Charlotte, Henry, Thomas et même Agatha. Vous ne voudriez tout de même pas qu'on tire ce pauvre Jem de son lit pour qu'il prenne part à la fête !

Tessa secoua la tête.

— Honnêtement, Jessamine… (Elle s'interrompit.) Bon, je vais me mettre à sa recherche, moi aussi. Vous pouvez rester ici si vous voulez.

— J'y compte bien !

Tessa s'éloigna d'un pas raide dans le couloir. Les questions se bousculaient dans son esprit. Où diable était passé Nate ? Avait-il de la fièvre au point de délirer ? Se pouvait-il qu'il se soit levé sans savoir où il allait dans l'espoir de la retrouver ? Cette pensée lui serra le cœur. L'Institut était un véritable dédale, songea-t-elle en tournant dans un autre couloir orné de tapisseries. Si elle avait encore du mal à trouver son chemin, comment y parviendrait-il ?

— Miss Gray ?

Tessa se retourna et vit Thomas émerger d'une pièce, en manches de chemise, les cheveux ébouriffés comme à son habitude, et le regard grave. Elle se figea. « Oh non, une mauvaise nouvelle. »

— Oui ?

— J'ai retrouvé votre frère, annonça-t-il à sa stupéfaction.

— Vraiment ? Où était-il ?

— Dans le salon. Il s'était caché derrière les rideaux. (Thomas se lança dans des explications hâtives, la mine penaude.) À la seconde où il m'a vu, il est devenu toqué. Il s'est mis à hurler comme une bête, puis il a tenté de me filer entre les pattes. C'est que j'ai bien failli lui donner un coup sur le museau pour le faire taire, et… (Devant l'air ahuri de Tessa, il se tut puis s'éclaircit la voix.) C'est-à-dire, mademoiselle, que j'ai bien peur de l'avoir effrayé.

Tessa porta la main à sa bouche.

— Oh non ! Mais il va bien, n'est-ce pas ?

Thomas semblait gêné d'avoir trouvé Nate recroquevillé derrière les rideaux de Charlotte, et Tessa ne put s'empêcher de prendre le parti de son frère. Il n'était pas un Chasseur d'Ombres, il n'avait pas appris à tuer et à risquer sa vie. Évidemment qu'il était terrifié. Et pour couronner le tout, la fièvre le faisait probablement délirer.

— Il vaudrait mieux que je m'occupe de lui seule. Je pense qu'il lui faut un visage familier.

Thomas parut soulagé.

— Oui, mademoiselle. Je vais attendre dans le couloir. Vous n'aurez qu'à me dire quand vous voulez que j'appelle les autres.

Tessa acquiesça et poussa la porte du salon. La pièce, uniquement éclairée par le jour gris qui entrait par les hautes fenêtres, était plongée dans la pénombre. Les canapés et les fauteuils évoquaient des bêtes prêtes à bondir. Nate était assis près du feu. Il avait revêtu la chemise et le pantalon tachés de sang qu'il portait chez De Quincey, mais il était pieds nus. Les coudes posés sur les genoux, le visage enfoui dans ses mains, il paraissait désemparé.

— Nate ? fit Tessa à voix basse.

Il leva la tête et s'arracha d'un bond au fauteuil, le visage illuminé de bonheur.

— Tessie !

Avec un cri de joie, Tessa se jeta dans les bras de son frère et le serra fort contre elle. Il poussa un petit gémissement de douleur mais la tint longuement enlacée. Pendant un bref moment, Tessa fut transportée dans la petite cuisine de sa tante à New York. Il lui semblait presque sentir le fumet du dîner et entendre Harriet les gronder gentiment parce qu'ils faisaient trop de bruit.

Nate se dégagea le premier et l'examina de la tête aux pieds.

— Mon Dieu, Tessie, tu as tellement changé…

Tessa frissonna.

— Qu'est-ce que tu veux dire ?

Il lui tapota la joue d'un air absent.

— Tu parais plus âgée. Et tu as minci. Tu étais une petite fille aux joues rondes quand j'ai quitté New York, ou est-ce un souvenir créé de toutes pièces ?

Tessa rassura son frère, elle était toujours sa petite sœur. Cependant, elle ne pouvait s'empêcher de l'observer avec anxiété ; il avait repris des couleurs, mais il était encore un peu pâle et ses bleus ressortaient sur ses joues et sur son cou.

— Nate…

— Ce n'est pas aussi terrible que ça en a l'air, dit-il en voyant son inquiétude.

— Tu devrais être au lit. Qu'est-ce que tu fais ici ?

— Je te cherchais. Je savais que tu étais ici. Je t'ai vue avant que ce type chauve et sans yeux s'en prenne à moi. J'en ai déduit que toi aussi, ils te retenaient prisonnière. Ne crains rien, je vais nous faire sortir d'ici.

— Prisonnière ? Non, Nate, tu n'y es pas. Nous sommes en sécurité ici.

Il la dévisagea avec méfiance.

— Nous sommes à l'Institut, c'est bien cela ? On m'a mis en garde contre cet endroit. D'après De Quincey, il est dirigé par des monstres qui se font appeler les Nephilim. Il paraît qu'ils enferment dans une boîte les âmes de leurs prisonniers…

— Quoi, le Pyxis ? Il contient de l'énergie démoniaque, Nate, pas des âmes humaines ! C'est un objet parfaitement inoffensif. Je te le montrerai plus tard, dans la salle d'armes, si tu ne me crois pas.

Nate ne semblait guère convaincu.

— Il m'a dit que si les Nephilim mettaient la main sur moi, ils me tailleraient en pièces pour avoir enfreint leurs lois.

Un frisson glacé parcourut le dos de Tessa. S'écartant de son frère, elle s'aperçut que l'une des fenêtres du salon était ouverte ; la brise agitait les rideaux. Ce n'était donc pas seulement l'angoisse qui la faisait frissonner.

— C'est toi qui as ouvert cette fenêtre ? Il fait froid, Nate.

— Elle était ouverte quand je suis entré.

Tessa traversa la pièce et la referma.

— Tu vas attraper la mort…

— Ça m'est bien égal, répliqua Nate d'un ton irrité. Tu prétends que ces Chasseurs d'Ombres ne te retiennent pas en otage ?

— Je dis la vérité, Nate. Ce sont des gens singuliers, mais ils ont été gentils avec moi. Je suis ici parce que je le veux bien. Ils ont eu la bonté de me laisser rester.

— Je n'y comprends rien ! s'exclama Nate.

Tessa ressentit une bouffée de colère qui la surprit ; elle s'efforça de se calmer. Ce n'était pas la faute de son frère. Il ignorait tant de choses !

— Que pouvais-je faire d'autre ? dit-elle en lui prenant le bras pour le guider jusqu'à un fauteuil. Assieds-toi. Tu te fatigues pour rien.

Nate obéit docilement et la regarda, une expression lointaine dans les yeux. Tessa connaissait bien ce regard : son frère mijotait un plan insensé ou caressait quelque chimère.

— On pourrait partir loin d'ici, dit-il enfin. Aller à Liverpool et de là, prendre un bateau pour New York.

— Pour quoi faire ? répondit Tessa avec douceur. Il ne nous reste rien là-bas depuis la mort de tante Harriet. J'ai dû vendre tous nos biens pour payer l'enterrement. J'ai rendu l'appartement. Je n'avais plus de quoi payer le loyer. Nous n'avons nulle part où aller à New York, Nate.

— Nous trouverions un endroit. Et nous pourrions commencer une nouvelle vie.

Tessa observa tristement son frère. Elle souffrait de le voir aussi mal en point. Ce visage suppliant avec des bleus qui s'épanouissaient sur ses joues comme d'horribles fleurs, ces cheveux encore poissés de sang…Tante Harriet disait toujours qu'il était différent des autres. Il avait en lui cette belle innocence qui devait être protégée à tout prix.

Or, Tessa avait essayé. Sa tante et elle lui avaient dissimulé ses faiblesses et les conséquences de ses agissements. Elles ne lui avaient jamais parlé des sacrifices qu'avait dû faire tante Harriet pour rembourser l'argent qu'il avait perdu au jeu, et des sarcasmes qu'avait subis Tessa de la part des autres jeunes gens, qui traitaient son frère d'ivrogne et de bon à rien. Elles lui avaient caché tout cela pour lui éviter des souffrances, et pourtant il avait souffert, pensait Tessa. Jem avait peut-être raison. La vérité était probablement toujours la meilleure solution.

Elle le dévisagea longuement.

— C'est impossible, Nate, déclara-t-elle enfin. Du moins pour le moment. Nos ennuis nous suivront où que nous allions. Et si nous décidons de fuir, nous serons seuls quand ils nous rattraperont. Il n'y aura personne pour nous protéger ou nous venir en aide. Nous avons besoin des Nephilim, Nate.

— Tu as peut-être raison. C'est à cause de moi que tu es ici. De Quincey m'a torturé. Il m'a forcé à écrire ces lettres et à t'envoyer ce billet. Il m'a promis qu'il ne te ferait aucun mal quand il aurait mis la main sur toi, mais que je ne pourrais plus te revoir, et j'ai pensé… j'ai pensé… (Il la scruta avec tristesse.) Tu dois me haïr, n'est-ce pas ?

— Comment le pourrais-je ? protesta Tessa avec véhémence. Tu es mon frère. Le même sang coule dans nos veines.

— Crois-tu, quand ce sera fini, que nous pourrons rentrer à la maison et reprendre une vie normale en oubliant tout ce qui s'est passé ?

« Une vie normale » ? Ces mots évoquèrent l'image d'elle et de Nate installés dans un petit appartement baigné de soleil. Nate pourrait trouver un autre travail, le soir elle ferait la cuisine et le ménage. Le week-end, ils iraient se promener dans le parc, ils prendraient le train pour aller faire du manège à Coney Island ou ils monteraient tout en haut de la Iron Tower pour admirer les feux d'artifice au-dessus du Manhattan Beach Hotel. Il y aurait de vrais étés ensoleillés, et non la version grise et pluvieuse que l'on trouvait ici. Tessa pourrait enfin être une jeune fille ordinaire, retrouver ses livres et arpenter les trottoirs familiers de New York.

Puis cette vision idyllique s'effilocha comme une toile d'araignée. Tessa revit les visages de Will, de Jem et de Charlotte, et la voix de Magnus résonna à l'intérieur de son crâne. « Pauvre petite. Maintenant que vous connaissez la vérité, vous ne pourrez plus revenir en arrière. »

— Mais nous ne sommes pas des gens normaux. Moi, je ne suis pas normale et tu le sais, Nate.

— Oui, je sais… C'est donc vrai. De Quincey avait raison. Il prétendait que tu pouvais changer d'apparence, Tessie, et devenir qui tu voulais.

— C'est la vérité, enfin presque, et pourtant moi-même je n'y ai pas cru tout de suite. C'est si étrange…

— J'ai vu des choses plus bizarres encore, dit-il, avant d'ajouter à voix basse : Mon Dieu, si seulement ç'avait été moi.

Tessa fronça les sourcils.

— Qu'est-ce que tu veux dire ?

Mais avant qu'il puisse répondre, la porte s'ouvrit.

— Miss Gray, annonça Thomas d'un air penaud. Mr Will est…

— Mr Will est ici, l'interrompit Will en passant prestement devant lui.

Il portait toujours ses vêtements froissés de la veille, et Tessa le soupçonna d'avoir dormi au chevet de Jem. Il semblait épuisé, mais une lueur de malice ou de soulagement, Tessa n'aurait su dire, dansa dans ses yeux quand il aperçut Nate.

— Nous avons enfin retrouvé notre vagabond. Thomas m'a appris que vous vous cachiez derrière les rideaux.

Nate lui jeta un regard agacé.

— Qui êtes-vous ?

Tessa se chargea des présentations, bien qu'aucun des deux garçons ne parût ravi de rencontrer l'autre. Nate était encore très affaibli, et Will le regardait comme s'il avait affaire à une découverte scientifique peu ragoûtante.

— Alors vous êtes un Chasseur d'Ombres, lâcha Nate. De Quincey vous a décrit comme une bande de monstres.

— Était-ce avant qu'il essaie de vous sucer le sang ? s'enquit Will.

Tessa se leva d'un bond.

— Will, pourrais-je vous dire quelques mots dans le couloir, je vous prie ?

Si elle s'était attendue à de la réticence de sa part, elle n'en rencontra aucune. Après avoir lancé un dernier regard hostile à Nate, Will la suivit sans un mot. Une fois seuls, ils se dévisagèrent avec méfiance, tels deux chats se tournant autour dans une ruelle.

Ce fut Will qui rompit le silence.

— Bon, vous m'avez pour vous seule dans ce couloir...

— Oui, oui, fit Tessa avec impatience. Et il y a sûrement des milliers de femmes dans toute l'Angleterre qui donneraient cher pour un tel privilège. Pourriez-vous m'épargner vos traits d'esprit, pour une fois ? Ce que j'ai à vous dire est important.

— Vous voulez que je vous présente mes excuses pour ce qui s'est passé dans le grenier, c'est ça ?

Tessa cligna des yeux, interdite.

— Le grenier ?

— Vous voulez que je m'excuse de vous avoir embrassée.

Le souvenir de l'épisode resurgit dans la mémoire de Tessa avec une netteté surprenante. Elle sentait encore les doigts de Will dans ses cheveux, sa main sur son gant, ses lèvres sur les siennes... Elle rougit et pria pour qu'il ne s'en aperçoive pas dans la pénombre.

— Hein ? Non !

— Alors vous ne voulez pas de mes regrets, déclara Will avec le petit sourire d'un enfant sur le point de piétiner son château de sable.

— Je n'ai que faire de vos excuses. Ce n'est pas ce dont je voulais vous parler. J'aimerais que vous soyez plus gentil avec mon frère. Il a traversé de rudes épreuves et il n'a pas besoin d'être interrogé comme un criminel.

D'un ton plus calme que Tessa ne l'escomptait, Will répondit :

— Je comprends votre point de vue. Mais s'il cache quelque chose…

— Tout le monde a des choses à cacher ! s'écria Tessa, surprise elle-même de sa réaction. Il a commis des actes dont je sais qu'il a honte, mais il n'y a aucune raison qu'il vous les confesse. Vous-même, vous ne dites pas tout, n'est-ce pas ?

Will la dévisagea d'un air circonspect.

— À quel propos ?

« Et vos parents, Will ? Pourquoi avoir refusé de les voir ? Pourquoi avoir décidé de vous installer ici ? Et pourquoi m'avoir congédiée dans le grenier ? » Mais n'osant pas le questionner à ce sujet, Tessa se contenta de demander :

— Pourquoi ne m'avez-vous pas expliqué ce qui n'allait pas chez Jem ?

— Jem ? répéta Will avec une surprise sincère. Il ne voulait pas que j'en parle. Il considère que ce sont ses affaires, et à juste titre. Vous vous souvenez peut-être que je n'étais même pas d'accord pour qu'il vous en parle lui-même. Il estimait qu'il vous devait une explication. Il se trompait. Jem ne doit rien à personne. Ce qui lui est arrivé n'est pas sa faute, et pourtant il porte le poids de ses actes et il a honte de…

— Il n'y a pas de quoi avoir honte.

— C'est votre point de vue. Il y a des gens qui ne font pas la différence entre sa maladie et une vulgaire dépendance. Ces gens-là lui reprochent d'être faible, comme s'il lui suffisait d'un peu de volonté pour arrêter la drogue. (Will semblait étonnamment amer.) Ils ne se sont parfois pas gênés pour le lui dire. Je n'avais aucune envie de l'entendre de votre bouche.

— Je n'aurais jamais dit une chose pareille.

— En êtes-vous sûre ? Je ne vous connais pas vraiment, Tessa. Et vous ne me connaissez pas non plus.

— Vous avez si peur que l'on vous perce à jour ! s'écria-t-elle. Pour ma part, j'ai renoncé. Mais vous ne me ferez pas croire que Jem est comme vous. Lui préfère peut-être que l'on sache la vérité à son sujet.

Le regard bleu de Will s'assombrit.

— Vous pensez peut-être connaître Jem mieux que moi ?

— Si vous vous souciez autant de lui, pourquoi ne faites-vous rien pour l'aider ? Pourquoi ne cherchez-vous pas de remède ?

— Vous imaginez bien qu'on a essayé ! Charlotte a cherché, Henry a cherché, nous avons engagé des sorciers, payé pour obtenir des renseignements, sollicité des faveurs. Croyez-vous qu'on ait accepté la mort prochaine de Jem sans se battre ?

— Jem m'a dit qu'il vous avait demandé d'arrêter de chercher, répondit calmement Tessa, et que vous aviez fini par accepter. Est-ce la vérité ?

— Il vous a dit ça ?

— Est-ce la vérité ?

— Il n'y a rien à chercher, Tessa. Il n'y a pas de remède.

— Vous n'en savez rien. Vous pourriez continuer à chercher sans le lui dire. Il existe peut-être une chance infime…

Will haussa les sourcils. La lumière vacillante du couloir creusait les cernes sous ses yeux et sculptait ses pommettes saillantes.

— D'après vous, nous devrions aller à l'encontre de sa décision ?

— D'après moi, vous devriez faire tout ce qui est en votre pouvoir, même s'il faut lui mentir. Je ne comprends pas votre résignation.

— Et moi je crois que vous ne comprenez pas que, parfois, c'est la seule alternative à la folie.

Derrière eux, quelqu'un s'éclaircit la voix.

— Qu'est-ce qui se passe ici ?

Tessa et Will étaient si absorbés par leur conversation qu'ils n'avaient pas entendu Jem approcher. Will sursauta et se tourna vers son ami qui les observait tous deux avec intérêt. Bien qu'il fût habillé de pied en cap, on aurait dit qu'il venait de s'éveiller d'un sommeil fiévreux.

Will semblait surpris et plutôt mécontent de le voir.

— Qu'est-ce que tu fais debout ?

— Je suis tombé sur Charlotte dans le couloir. Elle m'a appris que nous nous retrouvions tous dans le salon pour discuter avec le frère de Tessa.

Jem s'exprimait d'un ton détaché et il était impossible de déterminer d'après son expression s'il avait entendu la conversation de Tessa et de Will.

— Je me sens suffisamment bien pour écouter, tout au moins, poursuivit-il.

— Oh, parfait, vous êtes tous là.

Charlotte les rejoignit précipitamment, suivie de Henry, Jessamine et Sophie. Jessie avait revêtu une de ses plus belles tenues, une robe en mousseline bleu vif, et tenait une couverture pliée sous le bras. Sophie portait un plateau chargé d'un service à thé et de sandwichs.

— Le thé et la couverture, c'est pour Nate ? s'étonna Tessa.

Sophie hocha la tête.

— Mrs Branwell a pensé qu'il aurait peut-être faim…

— Et *j'ai* pensé qu'il aurait froid, ajouta Jessamine avec empressement. Hier soir, il tremblait comme une feuille. Peut-on lui apporter tout cela ?

— Oui, il vous attend.

— Merci, Tessa, dit Charlotte avec douceur avant de pénétrer dans le salon avec son escorte.

Alors que Tessa leur emboîtait le pas, une main la retint par l'épaule.

— Accordez-moi un instant, dit Jem.

Elle se tourna vers lui. Un murmure de voix lui parvint de la porte entrouverte ; elle reconnut la voix grave et chaleureuse de Henry, celle, aiguë et impatiente, de Jessamine.

— Qu'y a-t-il ?

Il hésita. Sa main était glacée. La voix anxieuse de Nate s'éleva.

— Mais ma sœur… Elle ne nous rejoint pas ? Où est-elle ?

— Aucune importance. Ce n'est rien.

Jem lâcha Tessa avec un sourire qui se voulait rassurant. Perplexe, elle entra dans le salon, Jem derrière elle.

Agenouillée devant l'âtre, Sophie allumait un feu. Nate était toujours installé dans son fauteuil, la couverture de Jessamine jetée sur ses genoux. Jessamine, assise bien droite sur un tabouret près de lui, souriait avec fierté.

Henry et Charlotte avaient opté pour le canapé en face de lui. Charlotte trépignait d'impatience. Quant à Will, comme à son habitude, il était adossé à un mur, et semblait hésiter entre l'envie de rire et l'agacement.

Tandis que Jem allait le rejoindre, Tessa fixa son attention sur son frère. Il s'était détendu un peu en la voyant, mais n'en paraissait pas moins malheureux. Elle alla s'asseoir dans l'ottomane et résista à l'envie de lui tapoter l'épaule ou de lui ébouriffer les cheveux. Elle sentit les regards converger vers elle. Toutes les personnes présentes les observaient, elle et son frère, et on aurait entendu une mouche voler.

— Nate, dit-elle à mi-voix, je suppose que tout le monde s'est présenté ?

Nate, les doigts agrippés à la couverture, hocha la tête.

— Mr Gray, dit Charlotte, nous avons déjà discuté avec Mr Mortmain. Il nous a raconté beaucoup de choses sur votre compte, et notamment sur votre intérêt pour le jeu et pour le Monde Obscur.

— Charlotte ! protesta Tessa.

— C'est la vérité, Tessie, admit Nate à contrecœur.

— Personne ne blâme votre frère pour ce qui s'est passé, Tessa. (Charlotte se tourna vers Nate et poursuivit d'une voix douce.) Mortmain prétend que vous aviez déjà eu vent de ses pratiques occultes à votre arrivée à Londres. Comment avez-vous appris qu'il était membre du Pandémonium ?

Nate hésita.

— Mr Gray, nous cherchons seulement à comprendre ce qui s'est passé. Je sais que vous n'êtes pas en grande forme, et nous n'avons pas l'intention de vous faire subir un interrogatoire, mais si vous pouviez nous donner quelques informations, vous nous rendriez un service inestimable…

— Je l'ai su en fouillant dans la boîte de couture de tante Harriet, répondit Nate à voix basse.

Tessa cilla.

— Quoi ?

— Notre tante gardait la vieille boîte à bijoux de notre mère sur sa table de nuit. Elle prétendait qu'elle y renfermait son matériel de couture, mais je… (Nate poussa un soupir et regarda Tessa.) J'étais couvert de dettes. J'avais perdu une fortune à la suite de paris imprudents et j'étais en difficulté. Je ne voulais pas que toi ou tante Harriet l'appreniez. Je me souvenais qu'elle avait encore un bracelet en or ayant appartenu à notre mère. Je me suis figuré qu'il était toujours dans cette boîte à bijoux, et que tante Harriet était trop obstinée pour le vendre. Tu sais comment elle est… était. Toujours est-il que je ne parvenais pas à chasser cette idée de mon esprit. Je savais que si je mettais la main sur ce bracelet, j'en tirerais assez d'argent pour me remettre à flot. Un jour que vous étiez sorties, j'ai ouvert la boîte. Le bracelet ne s'y trouvait pas, mais il y avait un double fond. Je n'y ai vu aucun objet digne d'intérêt hormis une liasse de vieux papiers. Je les ai pris en vous entendant monter l'escalier et je les ai cachés dans ma chambre.

Nate se tut. Tous les regards étaient rivés sur lui. Tessa, sur des charbons ardents, s'écria :

— Et ?

— C'étaient des pages arrachées au journal de notre mère. Il en manquait quelques-unes, mais il y en avait assez pour reconstituer une histoire pour le moins étrange. Tout a commencé alors que nos parents vivaient encore à Londres. Père s'absentait souvent pour aller travailler dans les bureaux de Mortmain près des docks, et mère avait tante Harriet pour lui tenir compagnie. Je venais de naître. Tout se passait bien jusqu'à ce que père commence à rentrer tous les soirs dans un état de détresse de plus en plus préoccupant. À cette époque, il avait signalé plusieurs événements curieux au sein de l'usine, des pièces de machinerie sujettes à des défaillances bizarres, des bruits entendus à n'importe quelle heure du jour et de la nuit, sans parler de la disparition du veilleur de nuit. Le bruit courait aussi que Mortmain était impliqué dans toutes sortes de pratiques occultes. D'abord, père a accueilli ces rumeurs d'un haussement d'épaules, puis il a fini par en parler à Mortmain, qui a reconnu les faits. Je suppose qu'il a dédramatisé la situation en mettant cette histoire de sortilèges et de pentagrammes sur le compte d'un vague passe-temps. Après avoir mentionné l'existence du Pandémonium, il a suggéré à père d'assister à une de leurs réunions et d'emmener mère avec lui.

— Emmener mère avec lui ? Il n'aurait jamais accepté une chose pareille...

— Avec l'arrivée d'un premier enfant, il avait tout intérêt à complaire à son employeur. Il a fini par dire oui.

— Il aurait dû alerter la police...

— Un homme aussi riche que Mortmain a forcément la police dans sa poche, intervint Will. Si votre père était allé trouver la police, on lui aurait ri au nez.

402

Nathaniel repoussa ses cheveux de son front ; il transpirait à grosses gouttes, et la sueur plaquait des mèches sur son crâne.

— Un soir, Mortmain leur a dépêché une voiture aux alentours de minuit pour ne pas éveiller les soupçons. Elle les a conduits jusque chez lui. Par la suite, il manquait beaucoup de pages, et je n'ai trouvé aucun détail concernant la soirée. C'était la première fois qu'ils participaient à une réunion, mais pas la dernière. Au cours des mois qui suivirent, il y eut d'autres occasions. Mère détestait y aller, puis un incident s'est produit – j'ignore quoi au juste. J'ai pu conclure des quelques pages qui restaient qu'ils avaient fini par quitter Londres à la faveur de la nuit et qu'il n'avaient informé personne de leur destination. Ils s'étaient tout simplement volatilisés. En revanche, rien dans le journal n'indique pourquoi...

Nathaniel fut interrompu dans son récit par une violente quinte de toux. Jessamine lui mit en toute hâte une tasse de thé dans les mains, non sans avoir jeté un regard sévère à Tessa comme pour lui signifier qu'elle aurait dû y penser la première.

Après s'être calmé, Nate poursuivit son histoire.

— Avec les pages de ce journal, j'ai eu l'impression d'être tombé sur une mine d'or. J'avais déjà entendu parler de Mortmain. Je savais qu'il était riche comme Crésus et un peu dérangé. Je lui ai écrit une lettre dans laquelle je me présentais comme le fils de Richard et d'Elizabeth Gray en précisant que mes parents étaient morts tous les deux, et que j'avais trouvé dans leurs papiers la preuve de ses activités occultes. J'ai ajouté que j'avais très envie de le rencontrer afin de discuter d'une éventuelle embauche, sans omettre que s'il refusait de me recevoir, je connaissais plusieurs organes de presse susceptibles d'être intéressés par le journal de ma mère.

— Quel bel esprit d'initiative ! commenta Will, qui semblait presque impressionné.

Nate sourit. Tessa le foudroya du regard.

— Il n'y a pas de quoi être fier ! Quand Will parle d'esprit d'initiative, il sous-entend que c'était moralement abject.

— Non, je parlais d'esprit d'initiative, protesta Will. Lorsqu'il est question d'entrave à la morale, je dis : « C'est exactement ce que j'aurais fait ! »

— Ça suffit, Will, marmonna Charlotte. Laisse Mr Gray finir son histoire.

— Je pensais qu'il m'enverrait un peu d'argent pour me faire taire, reprit Nate. Au lieu de quoi j'ai reçu un billet en première classe pour Londres et une proposition officielle d'embauche à mon arrivée. Je me croyais sur la bonne voie et pour la première fois de ma vie, j'étais décidé à ne pas tout gâcher.

« En arrivant à Londres, je suis allé directement chez Mortmain. Il m'a reçu chaleureusement en me disant qu'il était ravi de me voir et que je ressemblais trait pour trait à ma chère mère. Puis, après m'avoir fait asseoir, il m'a assuré qu'il aimait beaucoup mes parents et qu'il avait été attristé par leur départ d'Angleterre. Il ignorait qu'ils étaient morts avant de recevoir ma lettre. Même si je décidais de rendre public ce que je savais de lui, il serait heureux de m'offrir un travail en mémoire d'eux.

« J'ai promis à Mortmain de garder son secret s'il m'accompagnait à une réunion du Pandémonium afin de me montrer ce qu'il avait montré à mes parents. À vrai dire, en mentionnant des tables de jeu dans son journal, ma mère avait piqué ma curiosité. Je m'imaginais une assemblée d'hommes assez bêtes pour croire à la magie et aux démons. À mes yeux, ce ne serait pas bien difficile d'extorquer un peu d'argent à ces imbéciles.

« Mortmain a accepté à contrecœur. Je suppose qu'il n'avait pas le choix. Cette nuit-là, la réunion avait lieu chez De Quincey. D'emblée, j'ai compris que c'était moi l'idiot. Je n'avais pas affaire à un groupe d'amateurs intéressés par le spiritisme. Je me trouvais confronté au monde occulte que ma mère mentionnait de façon évasive dans son journal. C'était bel et bien réel. Je ne peux décrire mon état de choc. Des créatures grotesques déambulaient dans la pièce. Les Sœurs Noires étaient là, qui me lorgnaient par-dessus leurs cartes de whist. Des femmes au visage et au décolleté poudrés de blanc me souriaient tandis que du sang gouttait au coin de leur bouche. De petites créatures aux yeux qui changeaient de couleur s'affairaient çà et là. Je n'avais jamais pensé que des choses pareilles puissent exister, et j'ai fait part de ma stupéfaction à Mortmain. "Il y a plus de choses sur la terre et dans le ciel, Nathaniel, que votre philosophie n'en rêve", m'a-t-il dit. C'est grâce à toi, Tessa, que je connais cette citation. J'étais sur le point de conseiller à Mortmain de ne pas se moquer de moi lorsqu'un homme s'est avancé vers nous. J'ai vu Mortmain se statufier ; visiblement, il craignait cet homme. Il m'a présenté comme son nouvel employé et m'a dit le nom du nouveau venu. C'était De Quincey.

« Il a suffi qu'il me sourie pour que je comprenne que je n'avais pas affaire à un être humain. Je n'avais encore jamais vu de vampire, mais avec un teint aussi cadavérique et des dents pareilles, on ne pouvait pas s'y tromper. "Mortmain, vous me faites encore des cachotteries, a-t-il dit. Ce jeune homme n'est pas un employé ordinaire. C'est Nathaniel Gray, le fils d'Elizabeth et de Richard Gray."

« Mortmain a bafouillé quelques mots, l'air perplexe. De Quincey a ri. "J'entends les rumeurs, Axel." Puis il s'est tourné vers moi. "J'ai bien connu votre père. Je l'appréciais beaucoup. Peut-être accepterez-vous de vous joindre à moi pour une partie de cartes ?"

« Mortmain a secoué la tête mais, évidemment, j'avais repéré le salon de jeu dès mon arrivée. J'étais attiré par les tables comme un papillon par la lumière. J'ai joué au faro toute la soirée avec un vampire, deux loups-garous et un sorcier. C'était mon jour de chance : j'ai gagné beaucoup d'argent et bu en grande quantité le breuvage pétillant et coloré qu'on nous servait. À un moment donné, Mortmain a pris congé. Quant à moi, je suis parti à l'aube, euphorique, avec l'impression d'être le roi du monde, après que De Quincey m'eut invité à revenir au club dès qu'il m'en prendrait l'envie.

« Bien sûr, je me fourvoyais. Si j'avais l'impression d'avoir passé un moment formidable, c'était parce qu'on avait versé dans mon verre une potion très puissante. En outre, on m'avait permis de gagner ce soir-là. J'y suis retourné, ai-je besoin de le dire, et sans Mortmain, soir après soir. Dans un premier temps, je gagnais chaque partie, ce qui m'a permis de vous envoyer de l'argent à toi et à tante Harriet, Tessie. Cet argent n'était certainement pas le fruit de mon travail chez Mortmain. J'allais travailler un jour sur deux, et même alors j'avais du mal à me concentrer sur les tâches les plus simples qu'on m'assignait. Je ne pensais qu'à retourner au club pour y boire et y gagner gros.

« C'est alors que j'ai commencé à perdre. Et plus je perdais, plus j'étais obsédé par l'idée de me refaire. De Quincey m'a proposé de jouer à crédit, et j'ai emprunté de fortes sommes ; j'ai cessé définitivement d'aller travailler. Je dormais le jour et jouais la nuit. J'ai tout perdu. (Il poursuivit d'une voix lointaine.) Quand j'ai reçu ta lettre m'apprenant la mort de notre tante, Tessa, j'y ai vu mon châtiment. J'aurais voulu rentrer à New York par le premier bateau, mais je n'avais pas un sou. Désespéré, je me suis rendu au club. Avec ma barbe, mes yeux rouges et mon air pathétique, je devais donner l'impression d'avoir touché le fond car c'est à ce moment que De Quincey m'a fait une proposition. Après m'avoir emmené dans une pièce reculée de la maison, il m'a dit que j'avais perdu plus d'argent au club que je n'en pourrais rembourser. Il semblait s'amuser de toute cette histoire, le scélérat, et me souriait de toutes ses dents. Il m'a demandé ce que j'avais à offrir pour m'acquitter de mes dettes. J'ai répondu : "Tout ce que vous voudrez." C'est alors qu'il m'a dit : "Votre sœur, par exemple ?"

Tessa sentit ses cheveux se dresser sur sa tête, et s'aperçut avec embarras que toutes les personnes présentes avaient les yeux fixés sur elle.

— Je suis tombé des nues, reprit Nate. Je ne me souvenais pas lui avoir parlé de toi. Mais j'avais tant de fois été ivre au club, et nous avions parlé très librement…

407

La tasse qu'il tenait à la main trembla sur sa soucoupe ; d'un geste brusque, il reposa le tout sur la table.

— Je lui ai demandé ce qu'il comptait faire de toi. Apparemment, il avait de bonnes raisons de croire que l'un des enfants de ma mère était… spécial. Il avait d'abord pensé qu'il s'agissait de moi mais, ayant pu m'observer à loisir, il s'était rapidement aperçu que la seule chose inhabituelle chez moi, c'était ma sottise, déclara Nate avec amertume. « Mais votre sœur – ah, votre sœur ! – c'est autre chose, avait-il conclu. Elle détient un grand pouvoir. Je n'ai pas l'intention de lui faire du mal. Elle est bien trop précieuse. » Je l'ai supplié de s'expliquer davantage, mais il n'a pas cédé. Soit je lui livrais ma sœur, soit je mourrais.

Tessa poussa un long soupir.

— C'est De Quincey qui t'a ordonné d'écrire cette lettre. C'est lui qui a payé mon voyage. C'est lui qui t'a obligé à me faire venir ici.

Le regard de Nate se fit implorant.

— Il m'a juré qu'il ne te ferait aucun mal. Tout ce qu'il voulait, c'était t'apprendre à te servir de ton pouvoir. Il m'a dit que tu connaîtrais la richesse et les honneurs au-delà de tout ce que tu pouvais imaginer…

— Dans ce cas, tout va bien, intervint Will. Après tout, ce n'est pas comme s'il existait des choses plus importantes que l'argent.

Ses yeux étincelaient de colère ; Jem ne semblait pas moins indigné que lui.

— Ce n'est pas sa faute ! s'écria Jessamine. Vous l'avez entendu ? De Quincey l'aurait tué. Il savait qui il était, et d'où il venait. Il aurait fini par trouver Tessa de toute manière, et Nate serait mort pour rien.

— C'est donc ton point de vue objectif et moral de la situation, Jess ? répliqua Will. Et je suppose qu'il n'est pas le moins du monde influencé par le fait que tu te pâmes devant lui depuis son arrivée. Comme n'importe quelle Terrestre, je suppose, et au mépris de sa médiocrité…

Laissant échapper un petit cri d'indignation, Jessamine se leva d'un bond. Charlotte dut élever la voix pour calmer les deux jeunes gens qui se couvraient d'injures. Tessa, elle, ne les écoutait plus ; elle avait les yeux fixés sur Nate.

Elle savait depuis longtemps que son frère était faible. Ce que sa tante considérait comme de l'innocence était en réalité un comportement immature et mesquin d'enfant gâté. En tant que garçon et premier-né, et du fait aussi qu'il était beau, Nate avait toujours été le prince de son petit royaume. Et, bien que son devoir de frère aîné fût de protéger Tessa, ç'avait toujours été à elle et à sa tante de le protéger.

Mais il était son frère ; elle l'aimait. Et le vieil instinct de protection refaisait surface, comme toujours, dès qu'il s'agissait de Nate.

— Jessamine a raison, dit-elle en haussant le ton pour couvrir les éclats de voix. Cela ne lui aurait servi à rien de dire non à De Quincey. De toute manière, je ne vois pas l'utilité d'en discuter maintenant. Nous devons encore découvrir quels sont les projets du vampire. Sais-tu quelque chose, Nate ? T'a-t-il dit ce qu'il voulait faire de moi ?

Nate secoua la tête.

— Une fois que j'ai accepté de te faire venir, il m'a emprisonné chez lui après m'avoir contraint à écrire une lettre de démission à Mortmain ; le pauvre homme a dû me trouver bien ingrat. De Quincey n'avait pas l'intention de me lâcher d'une semelle avant d'avoir mis la main sur toi, Tessie ; j'étais sa garantie. Il a donné ma bague aux Sœurs Noires pour te prouver que j'étais en leur pouvoir. Il m'a promis maintes fois qu'il ne te ferait aucun mal, et qu'il avait recours aux sœurs dans le seul but de t'apprendre à te servir de ton pouvoir. Elles le tenaient quotidiennement au courant de tes progrès, je savais donc que tu étais toujours en vie.

« Comme je passais mes journées enfermé chez lui, j'ai pu observer à loisir le fonctionnement du Pandémonium. J'ai vite compris que c'était une organisation hiérarchisée. Au bas de l'échelle, il y avait ceux qui s'accrochaient au basques des puissants tels que De Quincey, lesquels les gardaient parce qu'ils avaient de l'argent, en les appâtant avec un peu de magie et quelques aperçus du monde occulte. Puis il y avait ceux qui, comme les Sœurs Noires, avaient du pouvoir et des responsabilités au sein du club. Ils étaient tous des créatures surnaturelles. Enfin, au sommet de la pyramide, il y avait De Quincey, qu'on surnommait le Magistère.

« Ils organisaient souvent des réunions auxquelles les humains n'étaient pas conviés. C'est à cette occasion que j'ai entendu pour la première fois parler des Chasseurs d'Ombres. De Quincey les méprise, ajouta Nate en se tournant vers Henry et Charlotte. Il a une dent contre eux. Il ne cessait de répéter que le monde se porterait mieux sans les Nephilim. Ainsi, les Créatures Obscures pourraient vivre et commercer en paix…

— Quelles sottises ! s'exclama Henry avec indignation. J'ignore quel genre de paix il s'imagine avoir sans nous.

— Selon lui, il n'existait aucun moyen de vaincre les Chasseurs d'Ombres car leurs armes étaient bien trop puissantes. La légende voulait que Dieu ait créé ces guerriers de race supérieure afin qu'aucune créature vivante ne puisse rivaliser avec eux. Donc, un beau jour, De Quincey s'était dit : « Et qu'en serait-il d'une créature non vivante ? »

— Les automates, dit Charlotte. Une armée de machines.

Nate parut perplexe.

— Vous les avez vus ?

— Quelques-uns d'entre eux ont attaqué votre sœur hier soir, répondit Will. Par chance, ces monstres de Chasseurs d'Ombres étaient là pour la sauver.

— Non qu'elle se débrouille mal toute seule, murmura Jem.

— Savez-vous quelque chose au sujet de ces machines ? demanda Charlotte en se penchant vers Nate. De Quincey en a-t-il parlé devant vous ?

Nate se renfonça dans son fauteuil.

— Oui, mais je n'y entends goutte. Franchement, je n'ai pas l'esprit fait pour ces choses-là…

— C'est simple, dit Henry en prenant le ton de quelqu'un qui essaie de calmer un chat effrayé. Pour l'instant, ces machines de De Quincey fonctionnent grâce à de simples mécanismes. Il faut les remonter comme une pendule. Mais nous avons trouvé dans sa bibliothèque la preuve qu'il essaie de leur donner vie en insufflant de l'énergie démoniaque à leur corps d'automate.

— Oh, ça ! Oui, il en a parlé, répondit Nathaniel comme un enfant ravi de donner la bonne réponse en classe.

Tous les Chasseurs d'Ombres dressèrent l'oreille. Enfin, ils allaient découvrir ce qu'ils désiraient savoir.

— C'est surtout pour cette raison qu'il a engagé les Sœurs Noires, et ensuite seulement parce qu'il voulait leur confier Tessa. Ce sont des sorcières, elles étaient censées trouver comment s'y prendre. Et c'est désormais chose faite.

— Vraiment ? fit Charlotte, l'air alarmé. Dans ce cas, pourquoi De Quincey n'a-t-il pas mis son projet à exécution ? Qu'est-ce qu'il attend ?

Nate regarda tour à tour Charlotte et Tessa, puis le reste de l'assistance.

— Je... je croyais que vous étiez au courant. Il a dit que le sortilège ne peut fonctionner qu'à la pleine lune. Alors seulement, les Sœurs Noires pourront se mettre au travail et ensuite... des dizaines de ces créatures sont entreposées dans sa cachette, et il projette d'en créer beaucoup plus. Des centaines, des milliers, peut-être. Je suppose qu'une fois qu'il leur aura donné vie...

— La pleine lune ? (Charlotte regarda par la fenêtre en se mordant la lèvre.) C'est bientôt, non ? Demain soir, il me semble.

Jem se redressa brusquement.

— Je vais consulter le calendrier lunaire dans la bibliothèque. Je reviens tout de suite.

Il sortit de la pièce. Charlotte se tourna vers Nate.

— Êtes-vous certain de cela ?

Il hocha la tête.

— Quand Tessa s'est échappée de la maison des Sœurs Noires, De Quincey s'en est pris à moi alors que j'ignorais tout de cette évasion. À titre de châtiment, il avait l'intention de me livrer aux Enfants de la Nuit afin qu'ils me vident de mon sang. Dès lors, il ne s'est plus soucié de ce qu'il racontait en ma présence. Pour lui, j'étais condamné. Je l'ai entendu dire que les sœurs avaient réussi à maîtriser le sortilège et qu'avant peu les Nephilim seraient tous anéantis. Ainsi, les membres du Pandémonium pourraient régner sur Londres.

— Avez-vous une idée de l'endroit où De Quincey pourrait se cacher maintenant que sa maison a brûlé ? demanda sèchement Will.

Nate semblait épuisé.

— Il a une cachette à Chelsea. Il y est probablement allé se réfugier avec ceux qui lui sont restés loyaux. Il y a encore une bonne centaine de vampires de son clan qui n'étaient pas chez lui le soir de l'incendie. Je sais précisément où se trouve cet endroit. Je peux vous l'indiquer sur une carte…

Il s'interrompit au moment où Jem faisait irruption dans la pièce, les yeux écarquillés.

— La pleine lune, ce n'est pas demain, annonça-t-il. C'est ce soir.

17

L'ATTAQUE

La tour de la vieille église et le mur du jardin
Sont noircis par les pluies d'automne,
Et la morne plainte du vent prévient
Du retour de l'obscurité.

Emily Brontë,
« La tour de la vieille église »

Pendant que Charlotte se précipitait dans la bibliothèque pour obtenir de l'Enclave que des mesures d'urgence soient prises le soir même, Henry resta au salon avec Nathaniel et les autres. Il fit preuve d'une patience surprenante alors que Nate cherchait péniblement sur une carte de Londres l'endroit où se trouvait – d'après lui – la cachette de De Quincey : une maison dans le quartier de Chelsea, non loin des quais.

— Je ne sais pas laquelle c'est exactement, dit-il enfin, vous devrez donc être prudents.

— Nous sommes toujours prudents, répliqua Henry en ignorant le regard moqueur de Will.

Peu après, il envoya Will et Jem dans la salle d'armes avec Thomas pour préparer un stock de poignards séraphiques. Tessa demeura au salon avec Jessamine et Nate pendant que Henry retournait s'enfermer dans sa crypte pour peaufiner ses plus récentes inventions.

Dès que les autres furent partis, Jessamine se mit à papillonner autour de Nate : elle ranima le feu pour lui, alla chercher une autre couverture pour en envelopper ses épaules et lui proposa de lui faire la lecture, ce qu'il refusa. Si Jessamine espérait gagner le cœur de Nate en s'agitant autour de lui, songea Tessa, elle serait déçue. Nate, qui avait l'habitude que l'on s'occupe de sa petite personne, remarquerait à peine ses attentions particulières.

— Bon, qu'est-ce qui va se passer maintenant ? finit-il par demander, à moitié enseveli sous une montagne de couvertures. Mr et Mrs Branwell…

— Oh, vous pouvez les appeler Henry et Charlotte, comme tout le monde, dit Jessamine.

— Ils vont signaler à l'Enclave, c'est-à-dire les autres Chasseurs d'Ombres résidant à Londres, la cachette de De Quincey afin que l'on puisse planifier une attaque, répondit Tessa. Mais franchement, Nate, tu devrais te reposer au lieu de t'inquiéter.

— Alors il n'y aura plus que nous dans cette grande maison vide ? s'exclama-t-il en fermant les yeux. Bizarre…

— Oh, Will et Jem n'iront pas avec eux, déclara Jessamine. Je les ai entendus en discuter avec Charlotte dans la salle d'armes en allant chercher des couvertures.

Nate rouvrit les yeux.

— Ah bon ? fit-il, étonné. Pourquoi ?

— Ils sont trop jeunes. Les Chasseurs d'Ombres ne sont pas considérés comme des adultes avant l'âge de dix-huit ans et, pour des missions de ce genre – des missions dangereuses qui rassemblent toute l'Enclave –, on préfère laisser les plus jeunes à la maison.

Tessa éprouva un soulagement inattendu, qu'elle s'efforça tant bien que mal de dissimuler.

— Cela n'a pas de sens ! Ils ont permis à Will et à Jem d'aller chez De Quincey…

— C'est pour cette raison qu'ils n'iront pas ce soir. Apparemment, Benedict Lightwood estime que le raid chez De Quincey a mal tourné parce que Will et Jem n'étaient pas suffisamment préparés, bien que je ne voie pas comment cela pourrait être la faute de Jem. Si vous voulez mon avis, il cherche un prétexte pour protéger Gabriel, même s'il a déjà fêté ses dix-huit ans. Il l'infantilise terriblement. D'après ce qu'il aurait raconté à Charlotte, il arrive que des escadrons entiers soient balayés en une seule nuit, et selon lui, les Nephilim ont le devoir de protéger les jeunes générations afin qu'elles reprennent un jour le flambeau.

Tessa sentit son ventre se nouer. Avant qu'elle ait pu ajouter quelque chose, la porte s'ouvrit et Thomas entra en portant une pile de linge plié.

— Ce sont de vieux vêtements de Mr Jem, dit-il à Nate, un peu embarrassé. À vue d'œil, vous faites la même taille et, euh… il faut bien vous habiller. Voulez-vous m'accompagner jusqu'à votre chambre pour qu'on vérifie s'ils vous vont ?

Jessamine leva les yeux au ciel. Tessa se demanda pourquoi. Peut-être Jessie estimait-elle que ces vêtements n'étaient pas assez bien pour Nate.

— Merci, Thomas, répondit celui-ci en se levant. Et je me dois de vous présenter des excuses pour m'être… caché tout à l'heure. Sans doute l'effet de la fièvre, c'est l'unique explication.

Thomas rougit.

— Je ne fais que mon travail, monsieur.

— Tu devrais peut-être dormir un peu, suggéra Tessa en voyant les cernes sous les yeux de son frère. Nous n'aurons pas grand-chose à faire d'ici leur retour.

— En fait, dit Nate en regardant tour à tour Jessamine et Tessa, je crois que je me suis assez reposé. Il faudra bien que je me lève un jour ou l'autre, n'est-ce pas ? Je mangerais bien un morceau, et un peu de compagnie ne me déplairait pas. Si cela ne vous ennuie pas de me retrouver ici une fois que je serai habillé…

— Bien sûr que non ! s'exclama Jessamine d'un air ravi. Je vais demander à Agatha de nous préparer une collation. Et, peut-être, de dénicher un jeu de cartes pour nous occuper après le repas. Des sandwichs et du thé, ce sera parfait !

Elle frappa dans ses mains tandis que Nate et Thomas quittaient la pièce, puis se tourna vers Tessa, les yeux brillant d'excitation.

— Ce sera drôle, n'est-ce pas ?

Tessa, que la suggestion de Jessamine avait laissée sans voix, retrouva l'usage de la parole.

— Vous voulez jouer aux cartes pendant que Henry et Charlotte risquent leur vie ?

— Ce n'est pas en se morfondant que nous les aiderons ! Je suis sûre qu'ils préfèrent nous savoir joyeux et actifs pendant leur absence plutôt que moroses et désœuvrés.

Tessa fronça les sourcils.

— Je ne pense pas que ce soit une bonne idée de proposer des cartes à Nate, Jessamine. Vous savez parfaitement qu'il a un… problème avec le jeu.

— Il n'est pas question de miser de l'argent, objecta Jessamine d'un ton désinvolte. Je suggérais juste une partie de cartes entre amis. Voyons, Tessa, cessez d'être rabat-joie !

— Jessamine, je sais que vous essayez seulement de faire plaisir à Nate. Mais ce n'est pas le meilleur moyen…

— Et je suppose que vous excellez dans l'art de gagner le cœur des hommes ? répliqua Jessamine, les yeux étincelant de colère. Vous croyez peut-être que je ne vous ai pas vue faire des yeux de merlan frit à Will ! Comme s'il était… Oh ! (Elle leva les bras au ciel.) Aucune importance. Vous me fatiguez. Je vais voir Agatha.

Elle se leva d'un bond et se dirigea vers la porte au pas de charge. Sur le seuil, elle s'arrêta pour lancer :

— Et même si je sais que votre apparence est le cadet de vos soucis, Tessa, vous devriez au moins arranger vos cheveux. On dirait que des oiseaux y ont fait leur nid !

Puis elle sortit en claquant la porte.

Si stupide soit-elle, la remarque de Jessamine avait vexé Tessa. Elle retourna dans sa chambre pour s'asperger d'eau le visage et se donner un coup de peigne. En observant sa figure blême dans le miroir, elle ne put s'empêcher de se demander si elle ressemblait toujours à la jeune fille qu'avait connue Nate. Elle ne voulait pas admettre à quel point elle avait changé.

Ses ablutions terminées, elle sortit en courant et faillit s'affaler sur Will qui examinait ses ongles, adossé au mur en face de sa chambre. Fidèle à son mépris pour les convenances, il était en manches de chemise, et portait par-dessus son vêtement une série de lanières en cuir qui se croisaient sur sa poitrine. La poignée d'une longue épée émergeait de son épaule, et plusieurs poignards séraphiques étaient pendus à sa ceinture.

— Je...

La voix de Jessamine résonna dans la tête de Tessa : « Vous croyez peut-être que je ne vous ai pas vue faire des yeux de merlan frit à Will ! » Tessa espéra qu'il faisait suffisamment sombre dans le couloir pour qu'il ne la voie pas rougir.

— Je croyais que vous n'accompagniez pas l'Enclave ce soir, dit-elle enfin.

— C'est toujours d'actualité. J'apporte ces armes à Charlotte et à Henry dans la cour. Benedict Lightwood leur prête sa voiture, qui est plus rapide. Elle devrait arriver d'ici peu. (Dans la pénombre, Tessa crut le voir sourire.) On s'inquiète pour moi ? Ou aviez-vous prévu de m'offrir un objet que je pourrais porter au combat, tel Wilfred dans *Ivanhoé* ?

— Je n'ai jamais aimé ce livre, marmonna Tessa. Rowena est une vraie gourde. Ivanhoé aurait dû choisir Rebecca.

— La brune plutôt que la blonde ? Vraiment ?

À présent elle était sûre qu'il souriait.

— Will… ?

— Oui ?

— Pensez-vous que l'Enclave va réussir à tuer De Quincey ?

— Oui, répondit-il sans hésitation. Le temps des négociations est révolu. Si vous avez déjà vu des terriers lâchés après des rats… Eh bien, je suppose que vous n'avez jamais vu cela, mais c'est exactement ce qui va se passer ce soir : l'Enclave va éliminer ces vampires un par un jusqu'au dernier.

— Vous voulez dire qu'il n'y aura plus de vampires à Londres ?

Will haussa les épaules.

— Il y aura toujours des vampires. Mais le clan de De Quincey n'existera plus.

— Et une fois que ce sera fini… Une fois que le Magistère sera mort, je suppose qu'il n'y aura plus aucune raison pour que Nate et moi séjournions à l'Institut, n'est-ce pas ?

— Je… (Will semblait sincèrement surpris.) Je suppose que… eh bien, oui, en effet. J'imagine que vous préféreriez demeurer dans un lieu moins… violent. Peut-être pourriez-vous enfin visiter les beaux endroits de Londres. Westminster Abbey…

— Je préférerais rentrer chez moi, à New York.

Will ne répondit pas. La lumière du couloir s'était atténuée ; dans l'obscurité, elle ne distinguait plus les traits de son visage.

— À moins que je trouve une raison de rester, poursuivit-elle en se demandant vaguement ce qu'elle entendait par là.

Il lui était plus facile de parler à Will quand elle ne voyait pas son visage et qu'elle sentait juste sa présence tout près d'elle.

Elle ne le vit pas bouger, mais sentit ses doigts effleurer les siens.

— Tessa, murmura-t-il, je vous en prie, ne vous tracassez pas. Bientôt, tout sera terminé.

Le cœur de Tessa bondit dans sa poitrine. Qu'entendait-il par là ?

— Et vous, vous n'avez pas envie de rentrer chez vous ?

— Je ne peux plus rentrer chez moi, répliqua-t-il en caressant sa main.

— Pourquoi ? demanda-t-elle à mi-voix.

Déjà, il s'éloignait d'elle en reculant sa main.

— Je sais que vos parents sont venus vous chercher à l'Institut et que vous avez refusé de les voir. Pourquoi ? Que vous ont-ils fait de si terrible ?

— Rien, fit-il en secouant la tête. Je dois partir. Henry et Charlotte m'attendent.

— Will, lança-t-elle tandis qu'il se dirigeait vers l'escalier. Will, qui est Cecily ?

Mais il avait déjà disparu.

Tessa retrouva Nate et Jessamine dans le salon. Le soleil déclinait déjà. Elle alla à la fenêtre et jeta un coup d'œil au-dehors. Jem, Henry, Charlotte et Will s'étaient rassemblés en bas dans la cour ; leurs ombres s'allongeaient sur les marches de l'Institut. Henry appliquait une *iratze* sur son bras, Charlotte donnait ses dernières instructions à Will et à Jem, lequel hochait la tête, mais même à cette distance Tessa voyait que Will, les bras croisés, l'écoutait de mauvaise grâce. « Il aimerait les accompagner, songea-t-elle. Il n'a pas envie de rester ici. »

— Tessie, tu es sûre que tu ne veux pas jouer ? demanda Nate en se tournant vers sa sœur.

Il s'était réinstallé dans son fauteuil, un plaid déplié sur les jambes, les cartes étalées sur un guéridon entre Jessamine et lui, près d'un service à thé en argent et d'une assiette de sandwichs. Il avait encore les cheveux humides de sa toilette, et portait les vêtements de Jem. Bien qu'il ait perdu du poids, la chemise de Jem était un peu trop étroite pour lui au niveau du col et des manches. En revanche, elle était trop large aux épaules, et Nate flottait un peu dans sa veste.

Tessa regardait toujours par la fenêtre. Une grosse voiture noire ornée sur la portière d'un dessin représentant deux torches enflammées venait de s'arrêter dans la cour, et Charlotte et Henry s'engouffraient à l'intérieur. Quant à Will et Jem, ils avaient disparu.

— Oui, elle en est sûre, lâcha Jessamine avec mépris comme Tessa ne répondait pas. Il n'y a qu'à la regarder pour comprendre qu'elle désapprouve.

Tessa détourna les yeux de la fenêtre.

— Pas du tout. Je trouve simplement déplacé de jouer aux cartes alors que Henry, Charlotte et d'autres risquent leur vie.

— Oui, vous l'avez déjà dit. (Jessamine reposa ses cartes sur la table.) Vous savez, Tessa, ce genre de chose arrive tout le temps. Ils vont se battre et ils reviennent. Il n'y a pas de quoi se mettre dans tous ses états.

Tessa se mordit la lèvre.

— J'aurais dû leur dire au revoir ou bonne chance, mais avec toute cette agitation…

— Ne vous tourmentez pas, dit Jem en entrant dans la pièce, Will sur ses talons. Les Chasseurs d'Ombres ne se disent jamais au revoir avant une bataille. Ni même bonne chance. Ils agissent comme si leur retour était une certitude et non une affaire de hasard.

Will se laissa tomber sur une chaise près de Jessamine, qui lui jeta un regard courroucé.

— Nous n'avons pas besoin de chance. Nous sommes mandatés par le ciel, après tout. Avec Dieu de notre côté, que peut-il arriver ? conclut-il avec amertume.

— Oh, cesse d'être aussi déprimant, Will, grommela Jessamine. Nous sommes en train de jouer aux cartes. Si tu ne veux pas te joindre à nous, tais-toi.

Will leva un sourcil.

— À quoi jouez-vous ?

— À la manille, répondit-elle froidement en distribuant les cartes. J'étais en train d'en expliquer les règles à Mr Gray.

— Miss Lovelace prétend que, pour gagner, il faut se débarrasser de toutes ses cartes. Ce jeu me semble un peu arriéré.

Nate sourit à Jessamine qui lui rendit son sourire en minaudant de façon révoltante. Will tapota la tasse fumante posée à côté de Nathaniel.

— Y a-t-il du thé là-dedans ou juste du brandy ? s'enquit-il.

Nate s'empourpra.

— Le brandy est une boisson fortifiante.

— Oui, dit Jem avec une pointe d'agacement, quand elle ne conduit pas les hommes à l'hospice.

— Franchement, quelle bande d'hypocrites vous faites, tous les deux ! s'écria Jessamine. Comme si Will ne buvait pas ! Quant à toi, Jem… (Elle s'interrompit en se mordant la lèvre.) Vous êtes furieux parce que Henry et Charlotte n'ont pas voulu vous emmener avec eux. Vous êtes trop jeunes, voilà tout. (Elle sourit à Nate.) Pour ma part, je préfère la compagnie des hommes mûrs.

« Nate a deux ans de plus que Will, songea Tessa avec exaspération. Cela ne fait pas une grande différence d'âge. Et même avec un effort d'imagination, on peut difficilement le qualifier d'homme mûr. » Mais avant qu'elle ait pu répliquer, un bruit de cloche résonna dans l'Institut.

Nate haussa les sourcils.

— J'avais cru comprendre que ce n'était pas une véritable église. Je ne savais pas qu'on sonnait les cloches ici.

— C'est la cloche de l'entrée, dit Will en se levant. Nous avons un visiteur. Et puisque Jem et moi sommes les seuls Chasseurs d'Ombres ici…

Il se tourna vers Jessamine, et Tessa comprit qu'il attendait qu'elle le contredise, mais elle souriait à Nate, et il se pencha pour lui glisser quelques mots à l'oreille, sans prêter la moindre attention à ce qui se passait autour d'eux.

Jem lança un regard à Will et secoua la tête. Au moment où ils se dirigeaient vers la porte, Jem se tourna vers Tessa avec un haussement d'épaules imperceptible. « J'aurais aimé que vous soyez une Chasseuse d'Ombres », semblait dire son regard, mais peut-être confondait-elle son désir avec la réalité. Peut-être lui souriait-il aimablement sans arrière-pensée.

Nate versa de l'eau chaude et du brandy dans sa tasse. Jessamine et lui avaient renoncé à faire semblant de jouer aux cartes et, penchés l'un vers l'autre, ils se parlaient à l'oreille. Tessa éprouva une pointe de déception. Elle avait espéré que les récents événements auraient incité son frère à comprendre qu'il existait des choses plus importantes que ses plaisirs. Elle n'attendait guère mieux de Jessamine, mais ce qu'elle trouvait autrefois charmant chez son frère l'agaçait de plus en plus.

Elle se pencha de nouveau par la fenêtre. Il y avait une voiture dans la cour. Debout sur les marches du perron, Will et Jem étaient en grande conversation avec un homme en habit de soirée – redingote noire, haut-de-forme et gilet blanc qui chatoyait à la lumière des torches. On aurait dit un Terrestre, bien qu'à cette distance elle n'aurait pu en jurer. L'homme agita les bras, Will se tourna vers Jem, qui hocha la tête, et Tessa se demanda de quoi ils pouvaient bien parler.

Elle observa ensuite la voiture… et elle se figea. Au lieu des traditionnelles armoiries, le nom d'une société était peint sur la portière : Mortmain et Cie.

Mortmain. L'homme pour lequel avait travaillé son frère, et qu'il avait fait chanter. Le même homme qui l'avait initié au monde occulte. Que faisait-il ici ?

Elle se tourna de nouveau vers Nate, et son instinct protecteur prit le pas sur son agacement. S'il apprenait que Mortmain était ici, il serait sans doute contrarié. Il valait mieux qu'elle découvre avant lui ce qui se tramait. Elle ferma la fenêtre et se dirigea tranquillement vers la porte. Nate, qui était toujours en grande conversation avec Jessamine, sembla à peine remarquer sa sortie.

Tessa retrouva avec une facilité surprenante l'immense escalier en spirale qui s'élevait au cœur de l'Institut. Elle avait enfin réussi à repérer les lieux, songea-t-elle en descendant au rez-de-chaussée. Elle aperçut Thomas dans le vestibule.

La mine solennelle, il tenait une énorme épée pointée vers le sol. Derrière lui, la porte imposante de l'Institut s'ouvrait sur un rectangle de crépuscule éclairé par les torches de la cour. Il parut surpris de voir Tessa.

— Miss Gray ?

— Que se passe-t-il, Thomas ? demanda-t-elle à voix basse.

Il haussa les épaules.

— C'est Mr Mortmain. Il voulait parler à Mr et Mrs Branwell, mais comme ils sont partis…

Tessa voulut se diriger vers la porte, Thomas lui barra la route.

— Miss Gray, je ne crois pas…

— Il faudra vous servir de cette épée pour m'empêcher de sortir, Thomas, répliqua Tessa d'un ton glacial.

Après une hésitation, Thomas s'écarta pour la laisser passer. Tessa craignit d'avoir heurté ses sentiments, mais il semblait surtout étonné.

Elle franchit la porte et s'avança sur le perron où se tenaient Will et Jem. Une rafale de vent lui ébouriffa les cheveux et la fit frissonner. L'homme qu'elle avait vu de la fenêtre était campé au pied de l'escalier. Il était plus petit et plus maigre qu'elle ne l'avait imaginé, avec un visage aimable tanné par le soleil à demi dissimulé sous le bord de son chapeau. Malgré l'élégance de sa tenue, il avait les manières directes et le maintien naturel d'un marin.

— Oui, disait-il, Mr et Mrs Branwell ont eu la gentillesse de me rendre visite la semaine dernière. Et à ce que je vois, ils se sont montrés plus prévenants encore en gardant le secret sur notre entretien.

— Ils n'ont pas révélé à l'Enclave vos expériences occultes, si c'est ce que vous sous-entendez, répliqua Will d'un ton rogue.

Mortmain rougit.

— Oui, ils m'ont fait une bien grande faveur. Et j'ai pensé que je leur devais quelque chose en retour... (Il s'interrompit en voyant Tessa.) Qui est-ce ? Une autre Chasseuse d'Ombres ?

Will et Jem se retournèrent comme un seul homme. Jem parut heureux de la voir ; Will, comme toujours, eut l'air agacé.

— Vous ne pouvez pas vous mêler de vos affaires, pour une fois ? (Il se tourna de nouveau vers Mortmain.) Voici Miss Gray, la sœur de Nathaniel Gray.

— Juste ciel ! s'exclama Mortmain, la mine penaude. J'aurais dû m'en douter. Vous lui ressemblez beaucoup, Miss Gray...

— Moi je ne trouve pas, marmonna Will.

— Vous ne pouvez pas voir Nate, dit Tessa. J'ignore si c'est là l'objet de votre visite, Mr Mortmain, mais il n'est pas encore sur pied. Il doit se remettre de l'épreuve qu'il a subie, et n'a pas besoin qu'on lui rappelle de mauvais souvenirs.

Les rides de Mortmain se creusèrent au coin de ses lèvres.

— Je ne suis pas venu ici pour le voir. Je reconnais que j'ai manqué à mes engagements envers lui. Mrs Branwell a été très claire…

— Vous auriez dû vous mettre à sa recherche. Vous l'avez laissé s'enfoncer sans réagir. (Tessa s'étonnait de sa propre audace, mais elle poursuivit de plus belle.) Quand il vous a annoncé qu'il partait travailler pour De Quincey, vous auriez dû intervenir. Vous saviez quel genre d'homme est De Quincey… si on peut appeler cela un homme.

— C'est vrai. (Le visage de Mortmain avait viré au gris.) C'est pourquoi je suis venu ici. Pour racheter ma faute.

— Comment comptez-vous vous y prendre ? s'enquit Jem d'une voix claire et forte. Et pourquoi maintenant ?

Mortmain se tourna vers Tessa.

— Vos parents étaient des gens bons et généreux. J'ai toujours regretté de les avoir introduits dans le monde occulte. À l'époque, je considérais cela comme un jeu amusant, une petite plaisanterie. J'ai changé d'avis depuis. C'est pour me délester de mes remords que je vais vous révéler ce que je sais, même si cela implique que je devrai fuir l'Angleterre pour échapper au courroux de De Quincey. (Il soupira.) Il y a quelque temps, il m'a commandé un certain nombre de pièces mécaniques. Je ne lui ai pas demandé ce qu'il comptait en faire. On ne pose pas de questions au Magistère. Ce n'est qu'après la visite de vos amis Nephilim que j'ai commencé à le soupçonner de vouloir s'en servir à des fins scélérates. J'ai mené l'enquête, et appris de la bouche de mon informateur au sein du club que de Quincey avait l'intention de lever une armée de monstres mécaniques afin d'anéantir les Chasseurs d'Ombres. (Il secoua la tête.) Si De Quincey et ses sbires détestent vos semblables, ce n'est pas mon cas. Je sais que vous êtes le seul rempart entre moi et un monde dans lequel nous autres humains ne serions que les jouets des démons. Je ne souhaite pas être complice des agissements de De Quincey.

— Tout cela est très bien, lâcha Will avec une pointe d'impatience, mais vous ne nous dites que ce que nous savons déjà.

— Savez-vous aussi qu'il a payé deux sorcières, les Sœurs Noires, pour créer un sortilège capable d'animer ces créatures, non pas grâce à la mécanique, mais au moyen d'énergies démoniaques ?

— Oui, répondit Jem, nous le savons. Toutefois, à ma connaissance, il ne reste qu'une seule des sœurs. Will a tué l'autre.

— Sa sœur lui a rendu la vie grâce à un sortilège de nécromancie, objecta Mortmain, triomphant, comme s'il était soulagé de détenir au moins une information qu'ils n'avaient pas. À l'heure où je vous parle, elles se sont réfugiées dans une maison de Highgate qui appartenait à un sorcier jusqu'à ce que De Quincey le fasse assassiner, et elles travaillent sur le sortilège d'alliance. Si mes sources sont fiables, elles devraient le mettre en œuvre dès ce soir.

Le regard de Will s'assombrit.

— Merci pour cette information, dit-il, mais De Quincey ne sera bientôt plus une menace, et ses monstres mécaniques non plus.

Mortmain ouvrit de grands yeux.

— L'Enclave a donc décidé d'attaquer le Magistère ? Ce soir ?

— Bon sang, fit Will, vous connaissez vraiment tout notre vocabulaire. C'est déconcertant chez un Terrestre, ajouta-t-il en souriant.

— Vous voulez dire que vous ne me répondrez pas, rétorqua Mortmain, déçu. Je m'en doutais. Mais vous devez savoir que De Quincey a des centaines de créatures mécaniques à sa disposition. Une véritable armée. Dès que les sœurs auront achevé le sortilège, elle ira rejoindre De Quincey. Si l'Enclave veut le vaincre, il serait plus sage que cette armée ne voie jamais le jour, sans quoi il sera presque impossible de la battre.

— Connaissez-vous l'endroit précis où se cachent les Sœurs Noires à Highgate ? s'enquit Jem.

Mortmain acquiesça.

— Certainement, répondit-il avant de leur donner un nom et un numéro de rue.

Will hocha la tête.

— Eh bien, nous tiendrons compte de ces précieux conseils, soyez-en sûr. Merci.

— Oui, merci, renchérit Jem. Et bien le bonsoir, Mr Mortmain.

— Mais… (Mortmain sembla pris de court.) Allez-vous faire quelque chose à ce sujet ?

— Je vous ai dit que nous y réfléchirions, répliqua Will. Quant à vous, Mr Mortmain, vous avez visiblement d'autres obligations.

— Hein ? (Mortmain baissa les yeux sur sa tenue et rit.) C'est vrai. Mais… mais si le Magistère apprend que je vous ai raconté tout cela, ma vie pourrait être en danger.

— Alors il est peut-être temps de partir en vacances, suggéra Jem. Il paraît que l'Italie est très agréable à cette époque de l'année.

Mortmain regarda tour à tour Will et Jem, puis baissa les bras. Ses épaules s'affaissèrent et, levant les yeux vers Tessa, il dit :

— Si vous pouviez transmettre mes excuses à votre frère…

— Je ne crois pas, répondit-elle, mais merci, Mr Mortmain.

Après un long silence, il hocha la tête et se détourna. Tous trois le regardèrent remonter dans sa voiture, puis le bruit des sabots résonna sur les pavés de la cour et, après avoir franchi les grilles de l'Institut, elle disparut dans le lointain.

— Qu'allez-vous faire au sujet des Sœurs Noires ? demanda Tessa.

— Aller leur rendre une petite visite, évidemment. (Will avait repris des couleurs et ses yeux étincelaient.) Votre frère nous a déclaré que De Quincey avait des dizaines de créatures à sa disposition ; d'après Mortmain, il y en a des centaines. S'il dit vrai, nous devons retrouver les sœurs avant qu'elles aient achevé le sort ou l'Enclave se fera sans doute massacrer.

— Peut-être vaudrait-il mieux avertir Charlotte, Henry et les autres…

— Comment ? répondit Will d'une voix tranchante. Je suppose que nous pourrions leur envoyer Thomas, mais nous ne sommes pas sûrs qu'il les retrouvera à temps, et si les Sœurs Noires parviennent à lever cette armée d'automates, il risque d'être tué avec les autres. Non, nous devons trouver les sorcières tout seuls. J'en ai déjà tué une ; Jem et moi sommes tout à fait capables de venir à bout de deux.

— Mais Mortmain se trompe peut-être ! Vous n'avez que sa parole ; on lui a peut-être transmis des informations erronées.

— C'est possible, reconnut Jem. Cependant, imaginez : s'il a raison et que nous ignorions sa mise en garde ? Les conséquences seraient désastreuses pour l'Enclave.

— Je pourrais peut-être vous être utile, proposa Tessa, le cœur serré. J'ai déjà combattu les Sœurs Noires à vos côtés. Si je vous accompagnais…

— Non, la coupa Will. C'est hors de question. Nous avons si peu de temps pour nous préparer que nous devrons nous appuyer sur notre expérience au combat. Or, vous n'en avez aucune.

— Je me suis battue contre De Quincey à la soirée…

— J'ai dit non, fit Will d'un ton sans appel.

Tessa chercha du soutien du côté de Jem. Il se contenta de hausser les épaules comme pour laisser entendre qu'il regrettait mais que Will avait raison.

— Et Boudicca ? protesta Tessa.

Pendant un bref moment, elle crut qu'il avait oublié ce qu'il lui avait raconté dans la bibliothèque. Puis un petit sourire étira ses lèvres.

— Vous serez Boudicca un jour, Tessa, mais pas ce soir. (Il se tourna vers Jem.) Demande à Thomas d'atteler la voiture. Highgate, ce n'est pas tout près ; nous ferions mieux de nous mettre en route sans tarder.

Il faisait nuit noire quand Will et Jem s'avancèrent vers la voiture. Tandis que Thomas vérifiait l'attelage, Will appliqua une Marque sur l'avant-bras de Jem. Debout en haut des marches, Tessa les observait, le ventre noué.

Après s'être assuré que les bêtes étaient bien harnachées, Thomas remonta l'escalier quatre à quatre et s'arrêta en voyant Tessa lui faire signe.

— Ils s'en vont ? demanda-t-elle.

Il acquiesça.

— Ils sont prêts, mademoiselle.

Il avait essayé de convaincre Jem et Will de l'emmener, mais Will craignait que Charlotte reproche à Thomas d'avoir participé à leurs exploits, et il avait refusé. « En outre, il nous faut un homme pour protéger l'Institut en notre absence. Nathaniel ne compte pas », avait-il ajouté en jetant un regard en coin à Tessa, qui avait détourné la tête.

Will rabattit la manche de Jem sur la Marque qu'il venait de tracer et rempocha sa stèle ; leur visage était pâle à la lumière des torches. Tessa leva la main pour les saluer, puis se ravisa. Qu'avait dit Jem ? « Les Chasseurs d'Ombres ne se disent jamais au revoir avant une bataille. Ni même bonne chance. Ils agissent comme si leur retour était une certitude et non une affaire de hasard. »

Alertés par son geste, les deux garçons levèrent la tête. Elle crut voir étinceler les yeux bleus de Will dans l'obscurité. Il avait l'expression étrange de quelqu'un qui vient de se réveiller et se demande s'il rêve encore.

Jem finit par s'arracher à son immobilité et grimpa les marches pour la rejoindre. Elle nota qu'il avait les joues roses, les yeux brillants et fiévreux. Quelle quantité de drogue Will l'avait-il autorisé à prendre afin qu'il soit en état de se battre ?

— Tessa…

— Je ne voulais pas dire au revoir, déclara-t-elle précipitamment. Mais… cela me faisait drôle de vous laisser partir sans un mot.

Il la dévisagea avec curiosité et, à sa surprise, prit sa main dans la sienne. Elle baissa les yeux vers ses ongles rongés et les égratignures qui achevaient de cicatriser sur ses doigts.

Il effleura le dos de sa main d'un baiser, et ses cheveux soyeux effleurèrent son poignet au moment où il baissait la tête. Elle frissonna et, muette, le regarda se redresser, un sourire au coin des lèvres.

— *Mitspa*, dit-il.

— Quoi ?

— C'est une façon de dire au revoir sans vraiment le dire, une référence à un passage de la Bible : « Et Mitspa, parce qu'il dit : Que l'Éternel veille entre moi et toi, quand nous serons cachés l'un à l'autre. »

434

Sans lui laisser le temps de répondre, il dévala l'escalier pour retrouver Will qui l'attendait, immobile comme une statue, les poings serrés, ou du moins c'est l'impression qu'elle eut, car, quand Jem lui toucha l'épaule, il se tourna vers lui en riant, puis se hissa sur le siège du cocher, bientôt imité par Jem. Il fit claquer son fouet, et la voiture franchit la grille qui se referma derrière elle, comme poussée par des mains invisibles. Tessa entendit le verrou s'enclencher et les cloches d'une église sonner quelque part en ville.

Elle aperçut Sophie et Agatha dans le vestibule ; Agatha disait quelque chose à Sophie, mais celle-ci ne semblait pas l'écouter. Elle regardait Tessa et, pendant une fraction de seconde, elle crut lire sur son visage la même expression que celle de Will quelques instants plus tôt dans la cour. Mais c'était ridicule ; il n'y avait pas deux personnes au monde qui soient plus différentes que Will et Sophie.

Tessa s'écarta le temps qu'Agatha ferme la lourde porte à deux battants. Elle venait de la pousser à grand-peine, et haletait un peu, quand la poignée se mit à tourner.

Sophie fronça les sourcils.

— Ils ne peuvent pas déjà être rentrés, si ?

Agatha, perplexe, examina la poignée, les paumes toujours appuyées au montant… et fit un bond de côté au moment où la porte s'ouvrait à la volée.

Une silhouette s'encadra sur le seuil, éclairée par la lumière du dehors. D'abord, Tessa ne distingua qu'une forme de haute taille vêtue d'une veste usée. Agatha regarda l'inconnu et dit d'une voix étranglée :

— Oh, mon D…

La silhouette s'avança. Un objet en métal étincela dans la pénombre. Agatha poussa un cri et recula d'un pas.

— Dieu du ciel, chuchota Sophie. Qu'est-ce que c'est que ça ?

Le temps parut s'arrêter et la scène se figea devant les yeux de Tessa comme si elle observait un tableau : la porte ouverte, l'automate aux mains décharnées qui portait la même veste élimée. Il avait toujours le sang de Jem sur les mains, des taches rouge sombre sur sa chair grise, et on distinguait les reflets du cuivre à l'endroit où la peau avait été arrachée.

D'une main, il saisit le poignet d'Agatha ; dans l'autre il tenait un grand couteau à lame fine. Tessa fit un pas dans sa direction, mais il était trop tard. Rapide comme l'éclair, il avait déjà plongé son couteau dans la poitrine d'Agatha.

Un cri s'étrangla dans sa gorge, et ses doigts agrippèrent le manche du couteau. Immobile et terrifiante, la créature la regarda faire puis, avec une rapidité prodigieuse, elle arracha le couteau de sa poitrine. Agatha s'affaissa sur le sol et, sans lui accorder un regard, l'automate fit demi-tour, puis franchit la porte.

— Agatha ! cria Sophie en tombant à genoux près d'elle.

Tessa courut jusqu'à la porte. La créature descendait les marches du perron pour regagner la cour déserte. Elle la suivit des yeux. Pourquoi était-elle venue, et pourquoi faisait-elle demi-tour ? Mais le moment était mal choisi pour s'appesantir sur ces questions. Tessa sonna la cloche de l'entrée, qui résonna dans tout le bâtiment, referma la porte, poussa le verrou et s'empressa d'aller prêter main-forte à Sophie.

Ensemble, elles réussirent à soulever Agatha et à la traîner jusqu'à l'autre bout du vestibule. Sophie déchira des lambeaux de tissu dans son tablier blanc pour les appliquer sur la plaie.

— Je ne comprends pas, mademoiselle ! s'exclama-t-elle d'une voix affolée. Personne ne peut franchir cette porte, hormis ceux qui ont du sang de Chasseur d'Ombres dans les veines.

« Mais il avait du sang de Chasseur d'Ombres sur les mains », songea Tessa, horrifiée. Le sang de Jem. Était-ce pour cela qu'il l'avait attaqué cette nuit-là avant de s'enfuir ? Se pouvait-il que dorénavant, il puisse revenir quand il voulait ?

Alors qu'elle se faisait cette réflexion, la barre qui protégeait la porte émit un craquement semblable à un coup de feu, et se brisa en deux. Sophie lâcha un cri. La porte s'ouvrit sur la nuit noire.

Les marches du perron résonnaient à présent de dizaines de pas. Les monstres mécaniques déferlaient sur l'Institut avec des mouvements saccadés. Ils étaient différents de ceux que Tessa avait vus auparavant : on aurait dit qu'ils avaient été assemblés à la va-vite car leur visage n'était qu'un ovale lisse en métal recouvert par endroits de lambeaux de peau humaine. Certains avaient en guise de jambes et de bras des tiges en fer articulées, parfois une faux, ou une scie, qui dépassaient d'une manche de chemise.

Tessa se jeta de toutes ses forces contre la porte. Elle était lourde, et il lui sembla qu'elle mettait un temps infini à se refermer. Derrière elle, Sophie poussait des cris de désespoir ; Agatha s'était tue. Avec un gémissement étranglé, Tessa s'appuya une dernière fois de tout son poids contre la porte…

Et recula d'un bond au moment où on l'arrachait de ses gonds comme une poignée de mauvaises herbes. Après l'avoir jetée de côté, l'automate s'avança vers Tessa les bras tendus, suivi par une demi-douzaine d'autres.

Will et Jem s'arrêtèrent devant la maison de Highgate ; la lune se levait. Le quartier, construit sur une colline au nord de Londres, offrait une vue imprenable de la ville en contrebas, blanche sous le clair de lune qui nimbait d'argent le brouillard et la fumée de charbon. « Une ville de rêve, songea Will, suspendue entre terre et ciel. » Cela lui évoqua un poème, mais il ne put s'en rappeler les vers.

La maison était une grande bâtisse géorgienne édifiée au milieu d'un terrain arboré que ceignait un haut mur de brique. De la rue, on ne distinguait qu'un toit noir et pentu. Un frisson parcourut le dos de Will. Ils se trouvaient aux confins de la ville, à proximité d'un bois où avaient été ensevelis des milliers de corps à l'époque de la Grande Peste. Leurs fantômes privés de sépulture hantaient encore le voisinage, et Will avait été dépêché plus d'une fois sur les lieux pour enquêter sur leurs activités nocturnes.

Une grille en fer forgé protégeait la demeure des intrus, mais, grâce à une rune, Jem vint facilement à bout de la serrure. Après avoir abandonné la voiture à l'intérieur du domaine, les deux Chasseurs d'Ombres s'engagèrent dans une allée sinueuse envahie par les mauvaises herbes et qui se confondait avec le jardin où se dressaient quelques dépendances en ruine et des souches noircies d'arbres morts.

Jem se tourna vers Will, le regard fiévreux.

— Finissons-en !

Will tira un poignard séraphique de sa ceinture, murmura « Israfel », et la lame s'illumina comme la foudre. La lumière de ces poignards était si vive que Will s'était souvent demandé pourquoi ils ne dégageaient pas de chaleur. Il se rappela que, d'après Tessa, l'enfer était glacé, et réprima un sourire à ce souvenir. Ils essayaient de sauver leur peau, elle aurait dû être terrifiée mais elle lui parlait de *L'Enfer* de Dante avec son accent américain à couper au couteau.

Après avoir gravi les marches du perron, ils inspectèrent la porte. À leur stupéfaction, elle n'était pas verrouillée, et s'ouvrit d'une simple poussée avec un grincement sonore. Jem et Will se glissèrent à l'intérieur en s'éclairant avec leur poignard séraphique.

Ils se trouvaient dans un vaste vestibule. Derrière eux, les fenêtres voûtées, probablement magnifiques autrefois et désormais cassées, offraient une vue du jardin mal entretenu. Des touffes d'herbe sèche poussaient dans les fissures du sol en marbre. Un grand escalier incurvé menait au premier étage plongé dans les ténèbres.

— Ça ne peut pas être ici, chuchota Jem. On dirait que personne n'a mis les pieds dans cette maison depuis un demi-siècle.

À peine avait-il prononcé ces mots qu'un chant s'éleva, et Will sentit ses cheveux se dresser sur sa nuque.

La voix qui chantait atteignait des octaves impossibles à reproduire pour un être humain. Les pendeloques du lustre se mirent à tinter comme des flûtes en cristal sous des doigts invisibles.

Sans échanger une parole, les deux garçons se mirent dos à dos, Jem face à la porte ouverte, Will à la cage d'escalier.

Une silhouette apparut au sommet des marches. D'abord, Will ne distingua qu'une forme noire et blanche aux contours indistincts. Plus elle se rapprochait, plus son chant s'amplifiait, et plus Will avait la chair de poule. De la sueur plaquait ses cheveux sur ses tempes et coulait dans son dos malgré le froid glacial.

Elle avait descendu la moitié des degrés quand il la reconnut enfin. C'était Mrs Dark. Son long corps osseux disparaissait sous une robe noire informe qui lui tombait jusqu'aux pieds. Elle balançait dans sa main griffue une lanterne éteinte, et elle était seule… « Enfin, pas tout à fait », pensa Will, tandis qu'elle s'arrêtait au bas des marches : la chose qu'elle tenait à la main n'était pas une lanterne, en fin de compte. C'était la tête tranchée de sa sœur.

— Par l'Ange ! murmura Will. Jem, regarde !

Jem poussa un juron. La tête de Mrs Black pendait au bout d'une tresse de cheveux gris, à laquelle s'agrippait Mrs Dark comme s'il s'agissait d'un objet précieux. Les yeux du cadavre, grands ouverts et d'un blanc immaculé, avaient l'aspect de deux petits œufs durs. Au coin de sa bouche béante, un filet de sang noir avait séché.

Mrs Dark cessa de chanter et se mit à glousser comme une petite fille.

— Vilains, vilains ! s'exclama-t-elle. Ce n'est pas bien d'entrer chez moi sans ma permission. Vilains petits Chasseurs d'Ombres !

— Je croyais que l'autre sœur était vivante, dit Jem dans sa barbe.

— Peut-être qu'elle l'a ramenée à la vie pour lui trancher de nouveau la tête ? marmonna Will.

— Assassin ! rugit Mrs Dark en posant les yeux sur lui. Ça ne te suffit pas d'avoir tué ma sœur ? Il faut que tu reviennes pour m'empêcher de lui rendre la vie ? Tu ne sais pas ce qu'est la solitude !

— Oh si, plus que tu l'imagines, sorcière ! grommela Will.

En voyant le regard interloqué de Jem, il pensa : « Quel idiot ! J'aurais mieux fait de tenir ma langue ! »

— Tu es mortel, protesta Mrs Dark. Ta solitude ne durera qu'un temps, elle ne représente qu'une fraction de seconde à l'échelle de l'univers. Moi, je resterai seule pour l'éternité. (Elle serra la tête contre elle.) Quelle différence cela ferait pour toi ? Il y a sûrement des crimes plus graves et des problèmes plus urgents à régler pour vous autres Chasseurs d'Ombres que mes pauvres efforts pour ressusciter ma sœur.

Will se tourna vers Jem, qui haussa les épaules. Manifestement, il était aussi déconcerté que lui.

— Il est vrai que la nécromancie est punie par la Loi, déclara Jem, mais il est également interdit de manipuler des énergies démoniaques. Et ça, c'est une affaire urgente à régler.

Mrs Dark le considéra d'un air interdit.

— Quelles énergies démoniaques ?

— Inutile de nier. Nous connaissons précisément vos projets, dit Will. Nous sommes au courant pour les automates, le sortilège d'alliance, vos agissements pour le compte du Magistère que le reste de l'Enclave traque en ce moment même dans sa cachette. D'ici quelques heures, nous l'aurons éliminé. Vous n'aurez personne vers qui vous tourner et nulle part où aller.

À ces mots, Mrs Dark blêmit.

— Le Magistère ? murmura-t-elle. Vous avez trouvé le Magistère ? Mais comment...

— C'est exact, répondit Will. De Quincey nous a échappé une fois, mais son compte est bon. Nous savons où il se cache et...

Ses paroles furent noyées sous un éclat de rire. Penchée par-dessus la balustrade, Mrs Dark se tordait d'hilarité. Will et Jem échangèrent un regard interloqué. Quand elle se redressa, son visage était inondé de larmes noires.

— De Quincey, le Magistère ? s'écria-t-elle. Ce vampire maniéré et arrogant ! Oh, laissez-moi rire ! Imbéciles, petits crétins !

18

TRENTE PIÈCES
D'ARGENT

Rayez son nom, alors, comptez une autre âme perdue,
Une autre tâche déclinée, un autre chemin non parcouru,
Un autre triomphe du diable, et des larmes pour les anges,
Un autre tort infligé à l'homme,
Une autre insulte adressée à Dieu !

Robert Browning, « Le chef perdu »

Tessa recula. Derrière elle, Sophie, à genoux près d'Agatha, les mains plaquées sur la poitrine de la blessée, s'était figée d'épouvante. Du sang coulait à travers le bandage pitoyable qu'elle pressait sous ses doigts ; le visage d'Agatha avait pris une teinte grise, et elle émettait des bruits semblables au gargouillis d'une bouilloire. En voyant les automates, ses yeux s'agrandirent d'horreur, et elle tenta de repousser Sophie qui l'agrippa de plus belle.

— Sophie !

Un bruit de pas résonna dans l'escalier et Thomas fit irruption dans le vestibule en brandissant la grande épée qu'il avait dénichée avant le départ de Will et Jem. Jessamine l'accompagnait, son ombrelle à la main. Nathaniel, terrifié, les suivait.

— Qu'est-ce qui se passe… ?

Thomas s'interrompit en regardant tour à tour Tessa Sophie, Agatha et la porte. Les automates attendaient, debout en rang sur le seuil, aussi immobiles que des marionnettes dont on aurait lâché les fils. Leurs visages lisses étaient tournés vers les nouveaux arrivants.

— Agatha ! gémit Sophie.

La cuisinière avait cessé de bouger, ses yeux grands ouverts fixaient le vide, et ses mains pendaient mollement le long de son corps.

Bien qu'elle eût peur de tourner le dos aux créatures, Tessa se pencha pour poser la main sur l'épaule de Sophie, qui se dégagea d'un geste brusque en poussant de petits gémissements étouffés. Tessa risqua un regard derrière elle. Les automates n'avaient toujours pas bougé.

— Sophie, s'il vous plaît ! s'exclama-t-elle.

Nate respirait par à-coups, les yeux fixés sur la porte, le visage blanc comme un linge. Visiblement, il cherchait le moyen de prendre ses jambes à son cou. Jessamine lui jeta un regard à la fois surpris et dédaigneux, avant de se tourner vers Thomas.

— Relevez-la. Vous, elle vous écoutera.

Après avoir lancé un coup d'œil perplexe à Jessamine, Thomas se pencha et, avec des gestes tendres mais fermes, prit les mains de Sophie et l'aida à se remettre debout. Elle se cramponna à lui ; ses mains, ses bras et son tablier à présent déchiré étaient couverts de sang ; on aurait dit qu'elle sortait d'un abattoir.

— Miss Lovelace, murmura-t-il, emmenez Sophie et Miss Gray dans le Sanctuaire…

— Non, fit une voix nonchalante dans le dos de Tessa. Ou plutôt, emmenez la servante où vous voudrez. Mais Miss Gray et son frère resteront ici.

Cette voix douloureusement familière… Lentement, Tessa se retourna.

Il venait d'apparaître comme par magie au milieu des automates. Tessa lui trouva l'air aussi ordinaire qu'à leur première rencontre. Il avait ôté son chapeau et ses cheveux grisonnants luisaient sous la lumière de sort.

Mortmain.

Son sourire, qui n'avait plus rien d'affable ni de chaleureux, éclairait son visage d'une joie mauvaise.

— Mes félicitations, Nathaniel Gray. Je dois avouer que ma confiance en toi avait été ébranlée, mais tu t'es racheté de façon admirable. Je suis fier de toi.

Tessa regarda son frère. Il semblait avoir oublié sa présence. Il n'avait d'yeux que pour Mortmain, et une expression étrange, mélange de peur et de dévotion, se peignait sur ses traits. Il s'avança vers lui en bousculant Tessa ; quand elle tenta de le retenir, il repoussa sa main d'un geste agacé.

Il tomba à genoux devant Mortmain et joignit les mains.

— Mon seul désir est de vous servir, Magistère.

Mrs Dark pleurait encore de rire.

— Mais qu'y a-t-il ? demanda Jem, médusé, en élevant la voix pour couvrir ses gloussements. Qu'est-ce que vous insinuez ?

Malgré son apparence pitoyable, Mrs Dark arborait un air triomphant.

— De Quincey n'est pas le Magistère, déclara-t-elle d'un ton méprisant. Ce n'est qu'un suceur de sang stupide qui ne vaut pas mieux que les autres. Le fait que vous ayez été si facilement fourvoyés prouve à quel point vous ignorez à qui vous avez affaire. Vous êtes morts, petits Chasseurs d'Ombres. Des morts en sursis, voilà ce que vous êtes.

Avec un rugissement de fureur, Will s'élança vers les marches en brandissant son poignard séraphique. Jem tenta en vain de s'interposer. Les lèvres retroussées, Mrs Dark montra les dents et jeta sur Will la tête tranchée de sa sœur en sifflant tel un cobra furieux. Comme il s'écartait avec un cri de dégoût, elle en profita pour dévaler les dernières marches, passa en courant devant lui et franchit la porte voûtée qui menait à l'aile ouest de la maison, laquelle était plongée dans l'obscurité.

Entre-temps, la tête de Mrs Black, après avoir rebondi sur plusieurs marches, atterrit mollement aux pieds de Will. Il la considéra avec une grimace. Une des paupières était fermée, et sa langue pendait, grise et caoutchouteuse, hors de sa bouche, en manière d'ultime provocation.

— Je crois que je vais être malade, maugréa-t-il.

— Tu n'en as pas le temps, s'écria Jem en s'élançant à la poursuite de Mrs Dark. Viens !

Après avoir repoussé la tête de Mrs Black du bout de sa botte, Will suivit son ami.

— Le Magistère ? répéta Tessa d'une voix blanche.

« Mais c'est impossible. C'est De Quincey, le Magistère. Les créatures sur le pont prétendaient le servir. Nate a dit… » Elle regarda son frère.

— Nate ?

Mortmain la dévisagea en souriant.

— Emparez-vous de la métamorphe, ordonna-t-il aux automates. Ne la laissez pas s'échapper.

— Nate ! cria Tessa.

Son frère ne lui accorda pas même un regard, et les créatures, soudain revenues à la vie, s'avancèrent vers elle dans un bruit de ferraille.

L'une d'elles encercla sa poitrine de ses bras et la broya comme un étau.

— Ne soyez pas trop dure avec votre frère, Miss Gray, reprit Mortmain sans cesser de sourire. Il est plus intelligent que je ne le croyais. C'était son idée d'éloigner les jeunes Herondale et Carstairs de l'Institut avec un conte à dormir debout, afin que je puisse entrer sans être inquiété.

— Que se passe-t-il ? demanda Jessamine d'une voix tremblante. Expliquez-moi. Qui est cet homme, Nate ? Pourquoi vous agenouillez-vous devant lui ?

— C'est le Magistère, répondit Nate. Si vous aviez un grain de bon sens, vous en feriez autant.

Jessamine le dévisagea d'un air incrédule.

— C'est De Quincey ?

— De Quincey n'est qu'un pion. Il obéit aux ordres du Magistère. Peu d'entre nous connaissent sa véritable identité ; je fais partie des élus, des favoris.

Jessamine ricana.

— Et qu'y gagnez-vous ? Le droit de ramper par terre ?

Les yeux de Nate étincelèrent. Après s'être relevé mala-droitement, il injuria Jessamine. Tessa ne l'écoutait plus. La créature en métal avait resserré son étreinte autour d'elle si bien qu'elle pouvait à peine respirer et que des taches sombres commençaient à flotter devant ses yeux. Elle entendit vaguement Mortmain ordonner à l'auto-mate de la relâcher, mais il n'obéit pas. Les doigts de Tessa agrippés à son bras faiblissaient, et elle sentait quelque chose palpiter sur sa gorge. La chaîne autour de son cou vibrait sur sa peau. Elle baissa les yeux et s'aperçut avec stupéfaction que le petit ange de métal avait émergé de son col ; soudain, il s'envola avec la chaîne qui le retenait. Tandis qu'il s'élevait, Tessa crut voir ses yeux briller. Pour la première fois, il avait les ailes déployées, et elle remarqua que leur bord scintillant était aussi tranchant qu'un rasoir. Sous son regard médusé, il plongea tel un frelon vers la tête de la créature et trancha dans le cuivre et le fer en pro-jetant une pluie d'étincelles rouges.

Les étincelles retombèrent en picotant le cou de Tessa comme de la cendre brûlante, mais elle ne sentit rien ; la créature relâcha son étreinte, et elle put respirer à nouveau. Quant à l'automate, il s'était mis à tourner sur lui-même en agitant les bras. Malgré elle, Tessa repensa à une illus-tration représentant un gentleman se débattant au milieu d'un essaim d'abeilles lors d'une garden-party. Mortmain, ayant compris avec un temps de retard ce qui se passait, distribua des ordres aux autres créatures qui se mirent en mouvement. Tessa jeta un regard affolé autour d'elle. L'ange mécanique semblait avoir disparu.

— Tessa ! Écartez-vous !

Une petite main froide se referma sur son poignet, et Jessamine, déterminée, la tira en arrière au moment où Thomas se précipitait vers les créatures. Elle la poussa vers l'escalier au fond du vestibule en faisant écran de son ombrelle. Ce fut Thomas qui porta le premier coup. De son épée, il frappa en pleine poitrine un automate qui fondait sur lui. La créature recula en titubant, émit un vrombissement tonitruant, et des étincelles rouges jaillirent de son torse comme une gerbe de sang. Jessamine éclata de rire et s'élança à son tour en faisant voler son ombrelle. Ses bords tranchants sectionnèrent les jambes de deux créatures qui perdirent l'équilibre et tombèrent lourdement sur le sol.

— Oh, pour l'amour du ciel ! s'exclama Mortmain, vexé. Toi…

Il claqua des doigts à l'intention d'un automate dont le bras était terminé par une espèce de tube en métal.

— Débarrasse-moi de la Chasseuse d'Ombres.

La créature leva son bras avec des gestes saccadés, et des flammes rouges fusèrent du tube en métal. Elles atteignirent Jessamine au cœur. Lâchant son ombrelle, elle tomba en arrière, les yeux vitreux.

Nathaniel, qui s'était réfugié près de Mortmain à l'écart de la mêlée, rit à gorge déployée.

Un sentiment de haine irrépressible assaillit Tessa ; elle voulut se jeter sur Nate pour lui lacérer les joues de ses ongles, mais les créatures, débarrassées de Jessamine, s'avançaient déjà vers elle. Thomas, les cheveux plaqués par la sueur et la chemise ensanglantée, s'interposa entre elle et les automates. Il maniait adroitement son épée en fendant l'air avec de grands gestes du bras. Comment n'avait-il pas encore taillé en pièces ses assaillants ? Il est vrai que ceux-ci faisaient preuve d'une agilité surprenante. Tout en évitant ses coups, ils continuaient à surgir devant lui, les yeux fixés sur Tessa. Thomas lui lança un regard affolé.

— Miss Gray ! Emmenez Sophie !

Tessa hésita. Elle ne voulait pas fuir devant l'ennemi. Cependant, derrière elle, Sophie semblait clouée sur place, et elle ouvrait de grands yeux terrifiés.

— Sophie ! cria Thomas, et en entendant sa voix, Tessa comprit qu'elle ne s'était pas trompée sur ses sentiments pour la domestique. Le Sanctuaire !

— Non ! rugit Mortmain en se tournant vers la créature qui s'en était prise à Jessamine.

Au moment où elle se mettait en branle, Tessa saisit le poignet de Sophie pour l'entraîner vers l'escalier. Un jet de flammes écarlates lécha le mur près d'elles. Tessa poussa un cri mais ne ralentit pas son allure. Elle poussa Sophie dans l'escalier en colimaçon, poursuivie par une odeur âcre de fumée et de mort.

Will s'arrêta net derrière Jem, qui balaya les lieux d'un regard stupéfait. Il n'y avait pas d'autre issue que la porte qu'ils venaient de franchir, et pourtant Mrs Dark avait disparu.

La pièce dans laquelle ils se trouvaient avait jadis été une salle à manger. D'immenses portraits lacérés jusqu'à en être méconnaissables ornaient les murs. Un grand lustre en cristal pendait du plafond ; il était couvert de toiles d'araignée qu'un courant d'air agitait comme de vieux rideaux en dentelle. S'il avait sans doute éclairé autrefois une table gigantesque, à présent il surplombait un dallage de marbre où était peinte une étoile à cinq branches enfermée dans un cercle. Au centre du pentagramme se dressait l'horrible statue d'un démon cornu aux membres disloqués et aux doigts crochus.

Des éléments de magie noire – ossements, plumes, lambeaux de peau, flaques de sang – jonchaient le sol. Il y avait aussi des cages vides renversées et une table basse sur laquelle était posé un assortiment de couteaux tachés de sang et des bols remplis d'un liquide sombre.

Entre chaque branche du pentagramme, des runes avaient été griffonnées à la hâte. Elles agressaient les yeux de Will, parce qu'elles s'opposaient aux runes du Grimoire qui célébraient la paix et la gloire divine. Celles-ci, en revanche, étaient des symboles qui parlaient de ruine et de mort.

— Jem, dit Will, ça ne ressemble pas aux préparatifs d'un sortilège d'alliance. C'est de la nécromancie.

— Elle essayait de ramener sa sœur à la vie, c'est bien ce qu'elle a dit ?

Un soupçon terrible effleura Will.

— Oui, et elle ne faisait rien d'autre.

Le regard de Jem fut attiré vers un coin de la pièce.

— Il y a un chat, murmura-t-il.

Will suivit le regard de son ami. En effet, un chat gris au poil hérissé était pelotonné dans l'une des cages alignées contre le mur.

— Et alors ?

— Il est encore vivant.

— C'est un chat, James. Nous avons des problèmes plus importants à…

Mais Jem se dirigeait déjà vers la cage, qu'il souleva dans ses bras à hauteur d'yeux. À première vue, l'animal était un persan à la face aplatie et aux yeux d'ambre qui fixaient Jem d'un air malveillant. Soudain, il fit le gros dos et siffla, le regard posé sur le pentagramme. Jem regarda… et resta bouche bée.

Au centre du pentagramme, la statue avait bougé. Soudain, ses yeux brillèrent d'un éclat jaune, et ce n'est qu'en voyant sourire sa triple rangée de bouches que Will comprit : ce n'était pas une statue mais une créature vivante à la peau grise comme de la pierre. Un démon.

Will recula d'un pas et lança Israfel sans espérer atteindre sa cible. En approchant du pentagramme, le poignard rebondit sur un mur invisible et tomba sur le sol. Le démon ricana.

— Quand bien même tu ferais venir toute une armée céleste, elle ne pourrait rien contre moi ! s'exclama-t-il d'une voix aiguë. Aucun pouvoir angélique ne peut pénétrer dans ce cercle !

— Mrs Dark, dit Will entre ses dents.

— Alors, tu me reconnais, maintenant ? Vous autres Chasseurs d'Ombres, vous n'avez pas la réputation d'être très malins. (Le démon découvrit ses crocs verdâtres.) En t'apparaissant sous ma forme véritable, je te fais une bien mauvaise surprise, je suppose.

— Je vous trouve mieux ainsi, lâcha Will. Vous n'étiez déjà pas une beauté, et au moins les cornes apportent une touche théâtrale à l'ensemble.

— Qui êtes-vous, à la fin ? demanda Jem en reposant la cage à ses pieds. Je croyais que votre sœur et vous étiez des sorcières.

— Ma sœur en était une, siffla la créature. Moi je suis un Eidolon, un démon capable de changer de forme, comme votre précieuse Tessa. Sauf que, contrairement à elle, je ne peux pas devenir celui dont je prends l'apparence. Je ne sais pas entrer en contact avec l'esprit des morts ou des vivants. C'est pourquoi le Magistère ne voulait pas de moi. (La voix de la créature trahissait une légère amertume.) Il nous a chargées, ma sœur et moi, de former sa petite protégée car nous connaissons tous les secrets de la transformation. Nous les lui avons inculqués bon gré mal gré. Mais cette idiote ne nous a jamais remerciées.

— Vous vous êtes sans doute sentie blessée à l'idée que Tessa obtienne ce que vous désiriez sans savoir l'apprécier, observa Jem d'une voix conciliante.

— Elle ne mesurait ni l'honneur qu'on lui faisait ni la gloire qu'elle en aurait retirée, cracha Mrs Dark. (Ses yeux jaunes étincelèrent.) Quand elle s'est enfuie, le Magistère a déchaîné sa colère sur moi. Je l'avais déçu ; j'avais signé ma perte.

Jem feignit l'étonnement.

— Vous voulez dire que De Quincey vous a condamnée à mort ?

— Combien de fois faut-il que je te répète que De Quincey n'est pas le Magistère. C'est... (Le démon s'interrompit avec un grognement.) Tu essaies de m'entourlouper, petit Chasseur d'Ombres, mais ta ruse ne marche pas.

Jem haussa les épaules.

— Vous ne pourrez pas rester éternellement à l'intérieur de ce pentagramme, Mrs Dark. Le reste de l'Enclave sera là sous peu. Nous vous affamerons. Vous finirez par vous rendre, et vous connaissez le sort que l'Enclave réserve à ceux de votre espèce.

— Il m'a peut-être abandonnée, mais je crains plus le Magistère que ton Enclave.

Elle aurait pourtant dû avoir peur, songea Will. Jem n'avait pas menti. Elle aurait dû avoir peur, or elle demeurait impavide. D'après l'expérience de Will, ce genre d'attitude était rarement une preuve de courage. D'ordinaire, cela signifiait que la personne concernée en savait plus long que son interlocuteur.

— Si vous ne voulez pas nous dire qui est le Magistère, déclara-t-il, peut-être pouvez-vous répondre à cette simple question. Est-ce que c'est Axel Mortmain ?

Le démon laissa échapper un gémissement, plaqua sa main osseuse sur sa bouche et se ratatina.

— Il croira que c'est moi qui vous l'ai dit. Je n'obtiendrai jamais son pardon…

— Mortmain ? fit Jem. Mais c'est lui qui nous a mis en garde… Ah. (Il se tut.) Je vois.

Il était devenu très pâle. Will savait que ses pensées suivaient le même fil que les siennes.

— Mortmain nous a menti au sujet des Sœurs Noires et du sortilège d'alliance, songea Will tout haut. En fait, c'est lui qui, le premier, a laissé entendre à Charlotte que c'était De Quincey le Magistère. Sans son témoignage, nous n'aurions jamais soupçonné le vampire. Mais pourquoi ?

— De Quincey est une bête méprisable, grogna Mrs Dark, qui semblait avoir rendu les armes. Il a maintes fois désobéi à Mortmain parce qu'il voulait sa place. Il fallait le punir.

Will et Jem échangèrent un regard et comprirent qu'ils pensaient à la même chose.

— Mortmain a saisi l'occasion de faire porter les soupçons sur son rival, dit Jem. C'est pour cela qu'il a choisi De Quincey.

— Il a très bien pu cacher ses plans dans sa bibliothèque, ajouta Will. Après tout, De Quincey n'a jamais avoué que c'étaient les siens, et il n'a pas eu l'air de les reconnaître quand Charlotte les lui a montrés. Par ailleurs, Mortmain a dû ordonner à ses automates de dire qu'ils travaillaient pour De Quincey. En fait, il a dû graver le sceau du vampire dans la poitrine de la femme mécanique et la laisser dans la maison des sœurs pour que nous la trouvions. Tout cela dans un unique but : détourner les soupçons de lui.

— Mais Mortmain n'est pas le seul à avoir pointé du doigt De Quincey, reprit Jem d'un air sombre. Nathaniel Gray, Will. Le frère de Tessa. Quand deux personnes racontent le même mensonge…

— C'est qu'elles sont de mèche, conclut Will avec une certaine satisfaction qui se dissipa bien vite.

Depuis le début, il éprouvait de l'hostilité pour Nate Gray. Il détestait l'attitude de Tessa vis-à-vis de son frère, qu'elle traitait comme s'il était incapable de mal agir, et d'un autre côté il s'en voulait d'être jaloux. Certes, il avait bien cerné la personnalité de Nate, mais en fin de compte il aurait préféré s'être trompé.

Mrs Dark ricana.

— Nate Gray, cracha-t-elle. Le caniche du Magistère. Il a vendu sa sœur à Mortmain, vous savez. Et cela pour une poignée de pièces en argent. Je n'aurais jamais trahi ma sœur de la sorte. Et après, vous prétendez qu'il faut protéger les humains de nous !

Will l'ignora ; les pensées se bousculaient dans sa tête. Bien sûr, Nathaniel avait inventé une histoire de toutes pièces pour envoyer l'Enclave sur une mauvaise piste. Pourquoi Mortmain s'était-il présenté à l'Institut juste après le départ de Charlotte et de Henry ? « Pour se débarrasser de Jem et de moi, pensa Will avec amertume. Nate ignorait que nous n'irions pas avec eux. En l'apprenant, il a dû improviser un plan. D'où la venue de Mortmain et cette dernière supercherie. » Nate était le complice de Mortmain depuis le début.

« Et en ce moment même, il est à l'Institut avec Tessa. » Will en avait la nausée. Il se tourna vers Mrs Dark.

— Qu'est-ce qu'il manigance ? Que trouvera l'Enclave en arrivant à Carleton Square ? Répondez ! (La peur faisait trembler sa voix.) Ou, par l'Ange, je veillerai à ce qu'on vous torture sans relâche.

Les yeux jaunes de Mrs Dark étincelèrent.

— Qu'est-ce qui intéresse le Magistère ? Qu'est-ce qu'il convoite depuis toujours ?

— Tessa, répondit Jem. Mais elle est en sécurité. Même Mortmain et sa maudite armée d'automates ne peuvent pas entrer dans l'Institut.

— Un jour, à l'époque où j'étais encore dans la confidence du Magistère, il m'a parlé de son intention d'envahir l'Institut, dit Mrs Dark d'une voix suave. Il avait découvert un moyen d'ouvrir la porte : barbouiller les mains de ses créatures avec le sang d'un Chasseur d'Ombres.

— Le sang d'un Chasseur d'Ombres ? répéta Will. Mais…

— Will !

Jem toucha l'endroit sur sa poitrine où la créature avait lacéré sa peau cette nuit-là, sur les marches de l'Institut.

— Mon sang.

Will se figea, les yeux fixés sur son ami. Puis, sans un mot, il se détourna et courut vers la porte ; après avoir pris la cage du chat, Jem lui emboîta le pas. Au moment de franchir la porte, elle se referma brusquement. Will s'arrêta net et se retourna pour lancer un regard à Jem, qui semblait désemparé.

À l'intérieur de son pentagramme, Mrs Dark hurlait de rire.

— Imbéciles de Nephilim ! Où est votre Ange à présent ?

Soudain, d'immenses flammes verdâtres montèrent à l'assaut des murs et vinrent lécher les rideaux des fenêtres. Elles répandaient une odeur forte et nauséabonde… une odeur de démon. À l'intérieur de sa cage, le chat devenait fou et se jetait contre ses barreaux en miaulant.

Will dégaina un second poignard séraphique en criant : « Anael ! » Sa lame s'illumina, mais Mrs Dark se contenta de ricaner.

— Quand le Magistère verra vos corps calcinés, il acceptera de me pardonner ! s'écria-t-elle. Et il me reprendra avec lui !

À ces mots, elle éclata d'un rire horrible, suraigu. La pièce était déjà envahie par la fumée. En se protégeant la bouche de sa manche, Jem dit à Will d'une voix étranglée :

— Il faut la tuer pour que le feu s'éteigne.

Will, qui serrait toujours Anael dans sa main, grommela :

— Tu ne crois pas que ce serait déjà fait si je pouvais franchir ce pentagramme ?

— Je sais, fit Jem en regardant son ami avec insistance. Will, coupe la corde.

Parce que c'était Jem, Will comprit immédiatement de quoi il parlait, sans qu'il eût besoin d'être explicite. Après s'être posté face au pentagramme, il lança Anael en direction de la chaîne épaisse qui soutenait l'énorme lustre. Le poignard sectionna la chaîne comme s'il s'agissait d'un bout de papier ; le démon poussa un cri et le lustre s'abattit sur lui dans un fracas de verre et de métal. Will se couvrit les yeux pour se protéger des débris. Le sol trembla, puis le silence revint.

Il rouvrit les yeux. Le lustre gisait par terre comme l'épave d'un gros navire échoué au fond d'un océan. De la poussière s'élevait du tas de gravats, et un filet de sang noir ruisselait sur le marbre…

Jem avait vu juste. Le feu s'était éteint. La main toujours agrippée à la poignée de la cage, il contemplait les restes du lustre, l'air un peu sonné. De la poussière de plâtre lui blanchissait les cheveux, et il avait de la cendre sur les joues.

— Bien joué, William.

Will ne prit pas le temps de répondre. Poussant la porte, qui cette fois obéit à une simple pression de ses doigts, il sortit en trombe de la pièce.

Tessa et Sophie gravirent quatre à quatre les marches et, sur les indications de Sophie, Tessa ouvrit une porte qui donnait sur un long couloir. Sophie lâcha sa main pour la claquer derrière elles et pousser le verrou. Elle s'adossa au panneau, hors d'haleine, le visage inondé de larmes.

— Miss Jessamine, murmura-t-elle. Vous croyez…

— Je n'en sais rien, répondit Tessa. Mais vous avez entendu Thomas. Il faut se réfugier dans le Sanctuaire, Sophie. C'est le seul endroit sûr. Vous allez devoir me montrer le chemin, j'ignore où il se trouve.

Sophie hocha tristement la tête et, sans un mot, après avoir décroché une torche sur le mur, elle guida Tessa dans un dédale de couloirs jusqu'à la grande porte en fer. Là, elle se figea, la main plaquée sur la bouche.

— La clé ! murmura-t-elle. J'ai oublié cette foutue clé… pardonnez mon langage, mademoiselle.

Tessa ravala sa colère. Sophie avait vu son amie mourir dans ses bras, on pouvait difficilement lui en vouloir d'avoir oublié une clé.

— Mais vous savez où Charlotte la cache, n'est-ce pas ?

Sophie acquiesça.

— Je vais la chercher. Attendez-moi ici, mademoiselle.

Elle s'éloigna en hâte dans le couloir. Tessa la suivit des yeux jusqu'à ce que sa coiffe et ses poignets blancs se fondent dans l'obscurité. Seul un rai de lumière filtrant sous la porte du Sanctuaire perçait les ténèbres. Tessa se colla contre un mur comme pour faire corps avec lui. Elle ne cessait de revoir par la pensée le sang s'écoulant de la poitrine d'Agatha ; elle entendait encore Nate ricaner en voyant Jessamine s'effondrer…

Le même rire sec et cruel retentit dans l'obscurité derrière elle.

Croyant que son imagination lui jouait des tours, Tessa tourna la tête. Là où un instant plus tôt il n'y avait personne se tenait un jeune homme blond au sourire crispé avec un long couteau à la main.

Nate.

— Ma Tessie, susurra-t-il, c'était très impressionnant. Je ne te savais pas capable de courir aussi vite. (Il retourna le couteau entre ses doigts.) Malheureusement pour toi, mon maître m'a doté de certains... pouvoirs. Je peux désormais courir très vite, moi aussi. (Il sourit d'un air narquois.) Cela dépasse probablement ton imagination, étant donné le temps qu'il t'a fallu pour comprendre ce qui se passait en bas.

— Nate, dit Tessa d'une voix tremblante, il n'est pas trop tard. Tu peux encore faire marche arrière.

— Et renoncer à des pouvoirs phénoménaux ? répliqua Nate en la regardant droit dans les yeux pour la première fois depuis qu'il avait montré son vrai visage. J'ai les faveurs de l'homme le plus puissant de Londres. Je serais bien bête de t'écouter, petite sœur.

— Quelles faveurs ? Où était-il quand De Quincey voulait te vider de ton sang ?

— Je l'avais déçu. Tu l'as déçu, toi aussi. Tu t'es enfuie de chez les sœurs alors que tu savais parfaitement ce que cela me coûterait. Ton sens de la famille laisse à désirer, Tessie.

— J'ai laissé les Sœurs Noires me torturer parce que je craignais pour ta vie, Nate. J'ai tout sacrifié pour toi. Et... et tu m'as fait croire que De Quincey était le Magistère. Mais c'est Mortmain, n'est-ce pas ? C'est lui qui m'a fait venir ici. C'est lui qui employait les Sœurs Noires. Tous ces mensonges sur la prétendue cachette du vampire ne servaient qu'un seul objectif : éloigner l'Enclave de l'Institut.

Nate sourit.

— Comme disait tante Harriet, mieux vaut tard que jamais.

— Et que trouvera l'Enclave à l'adresse où elle est censée débusquer De Quincey ? Une maison vide ?

Tessa recula de quelques pas et sentit le contact froid de la porte en fer dans son dos. Nate se rapprocha d'elle ; ses yeux brillaient comme la lame de son couteau.

— Grands dieux, non ! Là, j'ai dit la vérité. Il ne fallait pas que l'Enclave découvre trop vite qu'on l'avait trompée. Il valait mieux les tenir occupés et, crois-moi, s'ils veulent nettoyer la cachette de De Quincey, ils auront du pain sur la planche. (Il haussa les épaules.) C'est toi qui m'as donné l'idée de lui faire porter le chapeau. De toute façon, après ce qui s'est passé l'autre soir, il est condamné. Les Nephilim l'ont dans le collimateur, il devient donc inutile. En envoyant l'Enclave le débarrasser de lui et tes deux amis éliminer cette sorcière nuisible, mon maître fait d'une pierre deux coups. Mon plan était très ingénieux, si je peux me permettre.

Tessa l'écoutait fanfaronner ; « Tu es fier de toi ? » songeait-elle avec dégoût. Elle n'avait qu'une envie, lui cracher à la figure, mais elle devait le faire parler pour se donner le temps de réfléchir à un moyen de s'échapper.

— Tu nous as bien menés en bateau, admit-elle à contrecœur. Quelle était la part de vérité dans ton histoire ?

— Une bonne partie est vraie, si tu tiens vraiment à le savoir. Les meilleurs mensonges sont toujours basés sur la vérité. Je suis venu à Londres avec l'idée de faire chanter Mortmain sur ses liens avec le monde occulte. Le fait est qu'il se moquait complètement de ce que je pouvais raconter sur lui. Il a tenu à m'observer pendant quelque temps car il ignorait si j'étais l'aîné ou le second de la fratrie. Il pensait que j'étais toi. (Nate sourit.) Imagine sa joie quand il s'est aperçu que je n'étais pas celui qu'il cherchait. Lui, il voulait une fille.

— Mais pourquoi ? Que veut-il de moi ?

Nate haussa les épaules.

— Je l'ignore et je m'en moque. Il m'a promis, si je te faisais venir et que tu te montrais à la hauteur de ses espoirs, de me prendre pour disciple. Après ton évasion, il m'a livré à De Quincey pour se venger. Quand j'ai atterri ici, dans les quartiers généraux des Nephilim, j'y ai vu une seconde chance de rendre au Magistère le bien qu'il avait perdu.

— Tu l'as contacté ? s'exclama Tessa avec horreur.

Elle se souvint de la fenêtre ouverte dans le salon et du visage rouge de Nate. D'une manière ou d'une autre, il avait réussi à envoyer un message à Mortmain.

— Tu lui as fait savoir que tu étais là ? Mais tu aurais pu rester à l'Institut ! Tu y étais en sécurité !

— En sécurité, peut-être, mais sans le moindre pouvoir. Ici, je suis un être humain ordinaire, faible et méprisable. En revanche, en choisissant le camp de Mortmain, je serai son bras droit quand il prendra la tête de l'Empire britannique.

— Tu es fou ! Ce projet est ridicule.

— Je t'assure que c'est très sérieux. L'année prochaine, à la même heure, Mortmain aura pris ses quartiers dans le palais de Buckingham, et l'Empire britannique obéira à sa loi.

— Mais toi, tu seras écarté. Je le vois bien à sa façon de te regarder. Tu n'es pas son disciple, tu n'es qu'un pion. Quand il aura obtenu ce qu'il veut, il se débarrassera de toi.

La main de Nate se resserra autour du manche du couteau.

— Tu te trompes.

— C'est la vérité. Tante Harriet avait l'habitude de dire que tu étais trop crédule. C'est pour cela que tu perds constamment au jeu, Nate. Tu n'as pas ton pareil pour mentir, mais tu ne vois jamais quand on te ment. Tante Harriet…

— Tante Harriet. (Nate rit tout bas.) Quelle triste fin ! Tu n'as pas trouvé bizarre que je vous envoie une boîte de chocolats ? Ah, je savais que, contrairement à elle, tu ne risquais pas d'y toucher !

Prise de nausée, Tessa s'écria :

— Nate… tu n'aurais jamais pu… tante Harriet t'aimait !

— Tu n'as pas idée de ce dont je suis capable, Tessie. (Il parlait à toute allure, presque fiévreusement.) Tu m'as toujours pris pour un idiot. J'étais ton imbécile de frère qu'il fallait protéger du monde entier. Il était si facile de me duper et de profiter de moi ! Je vous ai entendues, tante Harriet et toi. Vous pensiez que je n'arriverais jamais à rien, que vous n'auriez jamais l'occasion d'être fières de moi. Et pourtant regarde. Regarde ! rugit-il.

— Tu es un assassin. Et tu crois que je devrais être fière ? J'ai honte d'être ta sœur.

— Ma sœur ? Tu es un monstre. Nous n'avons rien en commun. Dès l'instant où Mortmain m'a révélé ta véritable nature, tu étais morte pour moi. Je n'ai plus de sœur.

— Alors pourquoi persistes-tu à m'appeler Tessie ? demanda Tessa dans un souffle.

Sa question le laissa sans voix. En levant les yeux vers lui – elle songeait alors qu'il était tout ce qui lui restait au monde – elle vit quelque chose bouger dans son dos. Elle crut d'abord que son imagination lui jouait des tours.

— Je ne t'ai pas appelée Tessie, dit-il, perplexe.

Une immense tristesse étreignit Tessa.

— Tu es et tu seras toujours mon frère, Nate.

Il plissa les yeux. L'espace d'un instant, elle crut qu'il l'avait entendue. Et s'il changeait d'avis ?

— Une fois que tu seras à Mortmain, dit-il enfin, je serai lié à lui pour toujours, car c'est moi qui ai rendu tout cela possible.

Le cœur de Tessa se serra. Une ombre bougea de nouveau derrière Nate et, cette fois, elle comprit que ce n'était pas le fruit de son imagination. Une silhouette se rapprochait d'eux. « Sophie », pensa-t-elle. Elle espéra qu'elle aurait la présence d'esprit de fuir avant que Nate l'attaque avec son couteau.

— Viens, dit-il à Tessa. Tu n'as rien à craindre. Le Magistère n'a pas l'intention de te faire du mal...

— Comment peux-tu en être aussi sûr ? répliqua Tessa tandis que la silhouette se rapprochait de Nate.

Elle tenait un objet étincelant. Tessa s'efforça de garder les yeux fixés sur le visage de son frère.

— J'en donnerais ma main à couper, répliqua-t-il avec impatience. Je ne suis pas un idiot, Tessa…

Soudain, la silhouette s'élança et abattit l'objet sur la tête de Nate. Il s'affaissa en laissant échapper son couteau, s'immobilisa, et un filet de sang s'écoula de ses cheveux blonds.

Dans la pénombre, Tessa reconnut Jessamine, la mine furieuse, qui étreignait les restes d'une lampe.

— Peut-être, dit-elle en repoussant de la pointe du pied le corps étendu du garçon, mais ce n'est pas non plus ton moment de gloire.

Tessa ouvrit de grands yeux.

— Jessamine ?

Jessamine se tourna vers elle. Le décolleté de sa robe était déchiré, elle avait les cheveux en bataille et un bleu sur la joue. Elle jeta la lampe cassée, qui faillit heurter une fois de plus la tête de Nate.

— Je suis à peu près indemne, si là est la raison de votre air ébahi. Ce n'est pas moi qu'ils voulaient, en fin de compte.

— Miss Gray ! Miss Lovelace !

Sophie s'avança vers elles, essoufflée d'avoir couru dans les escaliers. Elle brandissait la clé du Sanctuaire. En atteignant le bout du couloir, elle vit Nate et resta bouche bée.

— Il va bien ?

— Oh, on s'en moque ! rétorqua Jessamine en se baissant pour ramasser le couteau de Nate. Après toutes les sornettes qu'il a racontées ! Il m'a menti, à moi ! Je pensais vraiment… (Elle s'empourpra.) Bah, ça n'a plus d'importance. (Se tournant vers Sophie, elle releva le menton.) Ne restez pas les bras ballants, Sophie ! Faites-nous entrer dans le Sanctuaire avant que Dieu sait quoi nous tombe dessus.

Will sortit en courant de la demeure et dévala les marches du perron, suivi de Jem. Ils trouvèrent leur voiture dans l'allée, à l'endroit où ils l'avaient laissée : Jem fut soulagé que les chevaux n'aient pas pris la fuite, même s'il soupçonnait Balios et Xanthos d'avoir vu bien pire.

— Will, dit-il à son ami en s'efforçant de cacher sa fatigue, il faut rentrer à l'Institut le plus vite possible.

— Je suis bien de ton avis, répondit Will en lui jetant un regard perçant.

Jem se demanda si son visage était aussi rouge et fiévreux qu'il le craignait. Les effets de la drogue qu'il avait prise en grande quantité avant de quitter l'Institut se dissipaient plus vite que prévu ; en d'autres circonstances, il s'en serait inquiété. Là, il repoussa cette pensée.

— Mortmain espérait que nous tuerions Mrs Dark, à ton avis ? demanda-t-il, moins par intérêt pour la réponse que pour reprendre son souffle avant de monter en voiture.

Will fourrageait dans une poche à l'intérieur de sa veste.

— J'imagine que oui, répondit-il d'un air absent, ou il espérait peut-être que l'on s'entretuerait, ce qui aurait été l'idéal pour lui. Manifestement, il veut aussi la mort de De Quincey, et il a décidé de faire des Nephilim sa bande d'assassins personnels. (Will tira de sa poche un canif qu'il contempla avec satisfaction.) Un cheval va beaucoup plus vite qu'une voiture, observa-t-il.

Jem serra la poignée de la cage. À l'intérieur, le persan regardait autour de lui d'un air intrigué.

— Tu n'y penses pas, Will ?

Will ouvrit le canif et s'avança à grands pas dans l'allée.

— Nous n'avons pas de temps à perdre, James, et Xanthos peut tirer la voiture sans aide si tu es seul à l'intérieur.

Jem s'élança pour le rattraper, mais le poids de la cage ajouté à sa fatigue ralentissait sa progression.

— Qu'est-ce que tu comptes faire avec ce couteau ? Massacrer les chevaux ?

— Bien sûr que non ! répondit Will en s'attaquant au harnais qui retenait Balios – son préféré – à la voiture.

— Ah, fit Jem. Je vois. Tu veux, tel Dick Turpin[1], t'enfuir à cheval en me laissant seul ici. Tu as perdu la tête, ma parole !

— Il faut bien que quelqu'un s'occupe du chat.

Le harnais céda et Will enfourcha Balios.

— Mais…

À présent très inquiet, Jem posa la cage par terre.

— Will, tu ne peux pas…

Mais Will enfonçait déjà les talons dans les flancs de Balios. Le cheval se cabra en hennissant, mais Will tint bon : Jem aurait juré l'avoir vu esquisser un sourire triomphant. Et soudain, le cavalier et sa monture filèrent vers la grille. Un instant plus tard, ils avaient disparu.

---

1. Bandit de grand chemin du XVIIIe siècle pendu à York pour avoir volé des chevaux et devenu une figure du folklore anglais moderne. (*N.d.T.*)

19

BOUDICCA

Ils me l'avaient destinée dès son premier souffle,
à moi, à moi de droit, de la naissance à la mort,
à moi, à moi ; nos pères l'ont juré.

Lord Alfred Tennyson, « Maud »

Au moment où la porte du Sanctuaire se refermait derrière elle, Tessa parcourut les lieux d'un regard plein d'appréhension. La pièce était plus sombre que le jour de sa rencontre avec Camille. Il n'y avait pas de bougies dans les grands candélabres ; seule brillait la lumière de sort émanant des torches suspendues aux murs. La statue de l'ange versait toujours ses larmes intarissables dans la vasque de la fontaine. L'air était glacial, et Tessa frissonna.

Sophie semblait aussi nerveuse qu'elle.

— Et voilà, dit-elle en rempochant la clé. Il fait atrocement froid ici.

— Bah, nous ne resterons pas longtemps, j'en suis certaine, déclara Jessamine. Quelqu'un finira forcément par venir nous secourir…

— Et il s'apercevra que l'Institut grouille de monstres mécaniques, lui rappela Tessa. Sans oublier Mortmain. Je ne suis pas sûre que ce soit aussi simple que vous l'escomptez.

Jessamine lui jeta un regard glacial.

— À vous entendre, on croirait que c'est ma faute. Sans vous, on n'en serait pas là.

Sophie, qui était allée s'adosser à une des colonnes massives, semblait soudain minuscule. Sa voix se répercuta sur les murs de pierre.

— Ce n'est pas très gentil, mademoiselle.

Jessamine s'assit au bord de la fontaine, puis se redressa en fronçant les sourcils pour essuyer le dos de sa robe.

— Peut-être, mais c'est la vérité. Si le Magistère est ici, c'est à cause de Tessa.

— J'ai déjà prévenu Charlotte que tout était ma faute, protesta calmement Tessa. Je l'ai conjurée de me renvoyer. Elle a refusé.

Jessamine releva la tête.

— Charlotte a trop bon cœur, et Henry ne vaut guère mieux. Quant à Will… Will se prend pour Galaad. Il a pour ambition de sauver le monde. Jem est comme lui. Ils n'ont pas l'esprit pratique.

— Je suppose que si vous aviez eu à prendre cette décision…

— Je vous aurais mise à la porte en moins de temps qu'il n'en faut pour le dire, répliqua Jessamine avec dédain. (Devant le regard de Sophie, elle ajouta :) Oh, voyons, Sophie, épargnez-moi vos airs scandalisés. Agatha et Thomas seraient toujours en vie si c'était moi qui dirigeais cet Institut…

Sophie pâlit et sa cicatrice ressortit sur sa joue comme la marque d'une gifle.

— Thomas est mort ?

— Je ne voulais pas dire cela, répondit Jessamine, consciente d'avoir commis une bévue.

Tessa lui lança un regard sévère.

— Que s'est-il passé, Jessamine ? Nous vous avons vue tomber…

— Et vous n'avez pas levé le petit doigt, répliqua Jessamine en se rasseyant brusquement sur le bord de la fontaine sans s'inquiéter de l'état de sa robe. Je me suis évanouie… En revenant à moi, je me suis aperçue que tout le monde était parti sauf Thomas. Mortmain avait disparu, lui aussi. Les créatures, elles, étaient toujours là. L'une d'elles s'en est prise à moi, et j'ai cherché des yeux mon ombrelle, mais elle avait été réduite en pièces. Thomas était cerné par les automates. J'ai voulu lui prêter main-forte, il m'a ordonné de fuir et…

Elle releva la tête avec défi. Les yeux de Sophie étincelèrent.

— Vous l'avez laissé là-bas tout seul ?

D'un geste furieux, Jessamine posa le couteau sur la margelle de la fontaine.

— Je suis une dame, Sophie. Les hommes sont censés sacrifier leur vie pour sauver la nôtre.

— Balivernes ! s'écria Sophie en serrant les poings. Vous êtes une Chasseuse d'Ombres et Thomas n'est qu'un Terrestre ! Vous auriez pu l'aider. Mais vous avez préféré tourner les talons… parce que vous n'êtes qu'une sale égoïste ! Et… et méchante comme une teigne, avec ça !

Jessamine ouvrit de grands yeux.

— Comment osez-vous me parler...

Elle s'interrompit au moment où des coups résonnaient contre la porte du Sanctuaire, puis une voix familière s'éleva :

— Tessa ! Sophie ! C'est Will !

— Oh, Dieu merci ! s'exclama Jessamine qui, visiblement aussi soulagée de devoir couper court à sa conversation avec Sophie que d'être secourue, se précipita vers la porte. Will ! C'est Jessamine. Je suis là, moi aussi !

— Vous allez bien, toutes les trois ? Que s'est-il passé ? En rentrant de Highgate, j'ai trouvé la porte de l'Institut ouverte. Comment diable Mortmain est-il entré ?

— Il a réussi à franchir les boucliers, répondit Jessamine avec amertume en se penchant vers la poignée. J'ignore comment.

— Cela n'a plus d'importance. Il est mort. Les créatures mécaniques ont toutes été mises hors d'état de nuire.

Le ton de Will se voulait rassurant... alors pourquoi Tessa n'était-elle pas rassurée ? Elle se tourna vers Sophie qui regardait la porte, les sourcils froncés, en remuant les lèvres. Tessa se souvint alors qu'elle avait le don de Seconde Vue. Son malaise redoubla.

— Jessamine, dit-elle, Jessamine, n'ouvrez pas cette porte...

Mais il était trop tard. La porte s'ouvrit à la volée et Mortmain, flanqué de ses monstres mécaniques, s'avança sur le seuil.

« Heureusement que les charmes existent », songea Will. La vue d'un garçon montant à cru un cheval noir lancé au galop dans Farringdon Road avait de quoi surprendre, même dans une métropole aussi blasée que Londres. Mais personne ne se retourna sur le passage de Balios, qui soulevait pourtant de gros nuages de poussière.

Une huitaine de kilomètres séparait Highgate de l'Institut ; il leur avait fallu trois quarts d'heure pour couvrir la distance en voiture. Will et Balios ne mirent que vingt minutes pour effectuer le trajet du retour, mais le cheval haletait et luisait de sueur quand Will franchit les grilles de l'Institut.

Quand il s'arrêta au pied des marches, il sentit son cœur s'emballer. La porte était grande ouverte, ce que la Loi interdisait formellement. Will ne s'était pas trompé : il était bel et bien arrivé quelque chose.

Il sauta à bas de sa monture en faisant claquer ses bottes sur les pavés et chercha un moyen de l'attacher, mais comme il avait tranché son harnais, il n'en avait aucun et Balios semblait décidé à le mordre. Avec un haussement d'épaules, il gravit les marches quatre à quatre.

Jessamine poussa un hoquet de frayeur et recula brusquement tandis que Mortmain s'avançait dans le Sanctuaire. Sophie se réfugia derrière une colonne en hurlant. Quant à Tessa, elle était trop stupéfaite pour esquisser un geste. Les quatre automates qui escortaient Mortmain regardaient droit devant eux, leurs visages aussi polis que des masques en métal.

Nate entra derrière Mortmain. Un bandage de fortune taché de sang lui enveloppait le crâne. Le bas de sa chemise – la chemise de Jem – avait été déchiré. Il lorgna Jessamine d'un œil torve.

— Espèce de garce ! rugit-il en se précipitant vers elle.

— Nathaniel !

La voix de Mortmain claqua comme un fouet, et Nate se figea.

— Nous ne sommes pas dans une arène et ce n'est pas le moment de régler tes comptes. J'ai une dernière tâche à te confier. Tu sais de quoi il s'agit. Va me le chercher.

Nate hésita. Il observait Jessamine tel un chat prêt à bondir sur une souris.

— Nathaniel. La salle d'armes. Va.

Nate détourna le regard et, avec un dernier coup d'œil narquois vers Tessa, il tourna les talons ; deux des créatures qui escortaient Mortmain lui emboîtèrent le pas.

Une fois que la porte se fut refermée sur eux, Mortmain sourit aimablement.

— Vous deux, dit-il en considérant tour à tour Jessamine et Sophie, sortez.

— Non, répondit Sophie d'une voix fluette mais déterminée et, à la surprise de Tessa, Jessamine ne fit pas mine d'obéir, elle non plus. Pas sans Tessa.

Mortmain haussa les épaules.

— Très bien, fit-il en se tournant vers les deux automates restés dans la pièce. Les deux filles. La Chasseuse d'Ombres et la domestique. Tuez-les.

Il claqua des doigts et les créatures mécaniques se mirent en branle. Elles se mouvaient avec la même rapidité grotesque que des rats. Jessamine s'élança pour fuir mais elle n'avait pas fait deux pas que l'une des créatures la saisit par les bras et la souleva de terre. Sophie courut entre les colonnes telle Blanche-Neige s'enfuyant dans la forêt, mais elle n'eut guère plus de succès que Jessamine. La seconde créature la rattrapa rapidement et la plaqua sur le sol en lui arrachant un cri. Jessamine, elle, avait été réduite au silence : l'automate qui la retenait prisonnière lui bâillonnait la bouche d'une main en lui enserrant la taille de l'autre. Ses pieds s'agitaient désespérément dans le vide.

Quand Tessa prit la parole, il lui sembla entendre la voix d'une étrangère.

— Arrêtez ! Je vous en prie, arrêtez !

— Cela ne dépend que de vous, Miss Gray, rétorqua Mortmain. Donnez-moi votre parole que vous ne tenterez plus de fuir, et je les laisserai partir.

L'automate avait toujours la main collée sur la bouche de Jessamine, qui fixait Tessa d'un air suppliant.

— D'accord. Vous avez ma parole. Maintenant, relâchez-les.

Il y eut un long silence, puis :

— Vous l'avez entendue, dit Mortmain à ses monstres mécaniques. Emmenez les filles au rez-de-chaussée. Ne leur faites aucun mal. (Il esquissa un sourire rusé.) Laissez-moi seul avec Miss Gray.

Avant même qu'il ait franchi la porte, Will sentit qu'un événement terrible s'était produit. La première fois qu'il avait éprouvé cette sensation, c'était à l'âge de douze ans, alors qu'il tenait dans ses mains cette maudite boîte…

474

Il vit le cadavre d'Agatha au moment même où il franchissait le seuil. Elle gisait sur le dos, ses yeux vitreux contemplaient le plafond, et le devant de sa robe était imbibé de sang. Un accès de rage submergea Will, à tel point qu'il en eut le tournis. Se mordant la lèvre, il se pencha pour fermer les yeux de la morte et se redressa en regardant autour de lui.

Chaque recoin du vestibule portait les stigmates de la mêlée : des débris de métal et de rouages ainsi que des flaques de sang ou d'huile jonchaient le sol. En se dirigeant vers l'escalier, Will buta sur les restes de l'ombrelle de Jessamine et, serrant les dents, il gravit les premières marches.

C'est là qu'il trouva Thomas, affalé sur l'une d'elles, les paupières closes, baignant dans une mare de sang. Une épée gisait près de lui, à quelques centimètres de sa main. Le tranchant de la lame était émoussé comme s'il s'en était servi sur des blocs de pierre. Un gros fragment de métal dépassait de sa poitrine. On aurait dit une dent de scie ou, songea-t-il en s'agenouillant près de Thomas, la pointe acérée de quelque mécanisme.

La gorge de Will se noua. Il sentit dans sa bouche un goût de métal et de rage. Il s'abandonnait rarement à ses émotions pendant une bataille. Depuis l'âge de douze ans, il se cachait derrière une carapace d'indifférence. Et pourtant, là, il était triste à en mourir.

— Adieu, Thomas, dit-il en abaissant les paupières du garçon. *Ave…*

Soudain, une main lui agrippa le poignet. Will se figea, médusé, et vit se tourner vers lui les yeux vitreux de Thomas, d'un brun pâle à travers le voile blanchâtre de la mort.

— Je ne suis… pas un Chasseur d'Ombres, souffla-t-il au prix d'un effort surhumain.

— Tu as défendu l'Institut. Tu t'en es aussi bien sorti que n'importe lequel d'entre nous.

— Non.

Thomas ferma les yeux, épuisé. Sa poitrine se souleva péniblement ; sa chemise était noire de sang séché.

— Vous, vous les auriez repoussés, monsieur Will, vous le savez bien.

— Thomas, murmura Will.

« Tiens-toi tranquille, et tout ira bien, voulait-il dire. Les autres ne vont pas tarder. » Mais manifestement, Thomas ne tiendrait pas jusque-là. Du fait qu'il était un être humain, les runes de guérison ne pouvaient rien pour lui. Will regrettait que Jem ne soit pas là. Lui aurait su trouver les mots. Il savait prodiguer du réconfort alors que Will avait souvent l'impression que sa présence ne faisait qu'empirer la situation.

— Elle est en vie, dit Thomas sans ouvrir les yeux.

— Qui ça ? demanda Will, pris au dépourvu.

— Celle pour qui vous êtes revenu. Tessa. Elle est avec Sophie.

Il toussa, et un flot de sang jaillit de sa bouche.

— Prenez soin de Sophie, Will, reprit-il. Sophie est…

Mais Will ne sut jamais ce qu'il voulait dire, car sa main retomba, inerte.

— Repose en paix, bon et fidèle serviteur des Nephilim, dit-il sans trop savoir d'où lui venaient ces mots. Merci à toi.

Cela ne suffisait guère, il le savait, mais c'était tout ce qui lui venait à l'esprit. Après s'être relevé à grand-peine, il s'élança dans l'escalier.

À présent que la porte s'était refermée sur les deux dernières créatures, le silence s'était abattu sur le Sanctuaire. Tessa entendait seulement le murmure de la fontaine derrière elle.

Mortmain l'observait tranquillement. « Il n'a rien d'effrayant », songea-t-elle. Ce n'était qu'un petit homme ordinaire aux cheveux grisonnants sur les tempes et aux yeux clairs, dans lesquels brillait une lueur étrange.

— Miss Gray, dit-il, j'avais espéré que notre premier tête-à-tête serait une expérience plus agréable pour nous deux.

Les yeux de Tessa étincelèrent.

— Qu'êtes-vous donc ? Un sorcier ?

Il sourit.

— Je ne suis qu'un être humain, Miss Gray.

— Mais vous connaissez la magie. Vous avez imité la voix de Will…

— N'importe qui peut imiter une voix avec un peu de pratique. Un simple tour de passe-passe. Les Chasseurs d'Ombres sont toujours les premiers surpris. Ils s'imaginent que les humains sont des bons à rien.

— Non, murmura Tessa. Ce n'est pas vrai.

Mortmain fit la grimace.

— Il ne vous aura pas fallu beaucoup de temps pour vous enticher d'eux alors qu'ils sont vos ennemis naturels. Nous vous débarrasserons bien vite de cette mauvaise habitude. (Il fit un pas vers Tessa, qui recula.) Je ne vais pas vous faire de mal, poursuivit-il. Je veux seulement vous montrer quelque chose.

Il fouilla dans la poche de son manteau et en sortit une magnifique montre en or suspendue à une chaîne épaisse.

— Prenez-la, s'il vous plaît, Miss Gray, dit Mortmain en la lui tendant.

Elle le considéra d'un air interdit.

— Je n'en veux pas.

Comme il faisait un autre pas vers elle, elle recula de nouveau et sentit sa robe frôler la vasque de la fontaine.

— Prenez cette montre, Miss Gray.

Tessa secoua la tête.

— Ne m'obligez pas à rappeler mes serviteurs mécaniques pour qu'ils broient la gorge de vos deux amies. Il me suffit d'élever la voix. À vous de voir.

Tessa, un goût de bile dans la gorge, examina la montre qui se balançait au bout de sa chaîne en or. À l'évidence, elle ne fonctionnait plus. Les aiguilles du cadran étaient immobiles, et le temps semblait s'être arrêté à minuit. Les initiales J.T.S. étaient gravées sur le boîtier en lettres raffinées.

— Pourquoi ? murmura-t-elle. Pourquoi voulez-vous que je la prenne ?

— Parce que je veux que vous vous transformiez.

Tessa leva brusquement la tête et lui jeta un regard incrédule.

— Cette montre appartenait à quelqu'un que j'ai très envie de revoir, poursuivit-il d'un ton égal, mais une fièvre, une impatience perçait dans sa voix, laquelle terrifia Tessa bien plus que de la fureur. Je sais ce que les Sœurs Noires vous ont enseigné. Je sais que vous maîtrisez votre pouvoir. Vous êtes la seule personne au monde capable d'accomplir un tel prodige. Je le sais car je suis votre créateur.

— Quoi ? fit Tessa, éberluée. Vous n'insinuez pas… vous ne pouvez pas être mon père…

— Votre père ? (Mortmain partit d'un rire bref.) Je suis un être humain et non une Créature Obscure. Je n'ai aucune ascendance démoniaque et je ne fraye pas avec les démons. Nous n'avons pas le même sang, Miss Gray. Et pourtant, sans moi vous n'existeriez pas.

— Je ne comprends pas, murmura Tessa.

— Vous n'avez pas besoin de comprendre, répliqua Mortmain qui, visiblement, commençait à perdre patience. Contentez-vous de m'obéir. Et je vous ordonne de vous transformer sur-le-champ.

Tessa avait l'impression de se tenir de nouveau devant les Sœurs Noires, les sens en alerte, le cœur battant, alors qu'on lui ordonnait d'accéder à une part d'elle-même qui la terrifiait, de s'enfoncer dans ces ténèbres, ce néant entre soi et autrui.

En baissant les yeux pour se dérober au regard dur de Mortmain, elle vit quelque chose étinceler sur le bord de la fontaine derrière elle. Elle pensa d'abord que c'était un reflet de l'eau, puis s'aperçut de son erreur.

— Non.

Elle avait répondu presque malgré elle. Mortmain plissa les yeux.

— Pardon ?

— J'ai dit non.

Tessa avait soudain l'impression d'avoir quitté son corps et de se regarder en train de défier Mortmain, comme si elle observait une étrangère.

— Je refuse, à moins que vous m'expliquiez ce que vous vouliez dire avec cette histoire de créateur. Pourquoi suis-je ainsi ? Pourquoi avez-vous autant besoin de mon pouvoir ? Qu'est-ce que vous manigancez ? Vous n'avez pas pour unique projet de créer une armée de monstres. Je le vois bien. Je ne suis pas aussi bête que mon frère.

Mortmain remit la montre dans sa poche. La rage déformait ses traits.

— En effet, vous n'êtes pas aussi bête que lui. C'est un idiot et un lâche. Vous êtes dix fois plus courageuse, mais cela ne vous rendra pas service, et ce sont vos amis qui en pâtiront sous vos yeux.

Il se dirigea vers la porte et Tessa en profita pour s'emparer du couteau que Jessamine avait laissé sur le bord de la fontaine.

— Arrêtez ! cria-t-elle. Mr Mortmain ! Arrêtez !

Il se retourna et, en voyant le couteau dans sa main, il sourit d'un air dédaigneux.

— Voyons, Miss Gray, pensez-vous sincèrement pouvoir me blesser avec ce joujou ? Croyez-vous donc que je sois venu ici sans armes ?

Il entrouvrit sa veste et Tessa distingua la crosse d'un pistolet pendu à sa ceinture.

— Non, répondit-elle. Non, je n'espérais pas vous blesser. (Tournant la lame du couteau vers elle, elle ajouta :) Mais si vous faites un pas de plus vers cette porte, je vous jure que je me tue.

Il fallut un certain temps à Jem pour réparer les dégâts que Will avait causés aux harnais et, à sa consternation, la lune était haute dans le ciel quand il franchit les grilles de l'Institut.

Quand il arrêta l'attelage au pied des marches, il aperçut Balios près d'un pilastre, l'air épuisé. Visiblement, Will ne l'avait pas ménagé, mais au moins il était arrivé à bon port. C'était un maigre réconfort car la porte de l'Institut était grande ouverte ; Jem eut un frisson d'horreur. La vue de cette porte béante lui semblait aussi peu naturelle qu'un ciel sans étoiles ou un visage sans yeux.

— Will ? appela-t-il. Will, tu m'entends ?

Comme il n'obtenait pas de réponse, il sauta de la voiture et prit sa canne qu'il tint devant lui en la balançant dans sa main. Il commençait à avoir mal aux poignets, ce qui l'inquiétait beaucoup. En temps normal, quand l'effet de la poudre démoniaque se dissipait, ses articulations le faisaient souffrir, et bientôt la douleur se propageait à tout son corps jusqu'à devenir intolérable. Toutefois, il ne pouvait pas s'offrir le luxe d'avoir mal. Il devait avant tout penser à Will et à Tessa. Il ne parvenait pas à chasser l'image de la jeune fille debout sur les marches, les yeux fixés sur lui. Elle avait semblé si soucieuse en cet instant, et l'idée qu'elle puisse s'inquiéter à son sujet lui avait procuré une joie inattendue.

Il se tourna vers les marches et se figea. Quelqu'un venait à sa rencontre. Non, pas une personne... un groupe éclairé de derrière par la lumière de l'Institut, si bien que pendant quelques instants, il ne distingua que des silhouettes.

— Jem ! cria une voix aiguë, familière, désespérée.

Jessamine.

Jem gravit quelques marches en courant et s'arrêta. Nathaniel Gray se tenait devant lui, la mine lugubre, ses vêtements déchirés et maculés de sang. Un bandage ensanglanté lui ceignait la tête.

Il était flanqué de deux automates qui l'escortaient comme deux serviteurs dociles. Deux autres créatures les suivaient ; l'une d'elles portait Jessamine qui se débattait, l'autre Sophie, qui semblait inconsciente.

— Jem ! cria Jessamine. Nate est un menteur. Pendant tout ce temps, il était de mèche avec Mortmain… C'est Mortmain le Magistère, et pas De Quincey…

Nathaniel se tourna brusquement vers elle.

— Fais-la taire ! aboya-t-il à l'intention de la créature qui s'occupait d'elle.

Les bras de métal du monstre se resserrèrent autour de Jessamine qui poussa un gémissement étranglé. Ses yeux se posèrent sur l'automate à la droite de Nate. Suivant son regard, Jem s'aperçut qu'il tenait dans ses mains le Pyxis.

En voyant l'expression de son visage, Nate sourit.

— Seul un Chasseur d'Ombres peut le toucher. Enfin, je veux parler de créatures vivantes, évidemment. Or, les automates n'entrent pas dans cette catégorie.

— C'est donc ça ? Le Pyxis ? demanda Jem, surpris. À quoi cela pourrait-il bien vous servir ?

— Si mon maître veut de l'énergie démoniaque, alors il en aura, déclara Nate d'un ton sentencieux. Et il se souviendra que c'est moi qui la lui ai procurée.

Jem secoua la tête.

— Et que vous donnera-t-il en échange ? Que vous a-t-il promis pour vous convaincre de trahir votre sœur ? Trente pièces d'argent ?

La colère déforma les traits de Jem et, pendant une seconde, Jem entrevit ce qui se cachait derrière le masque de ce beau visage affable : un être vil et répugnant.

— Cette chose n'est pas ma sœur, lâcha-t-il.

— En effet, j'ai du mal à croire que Tessa et vous puissiez avoir quelque chose en commun, sans parler du même sang, répliqua Jem sans chercher à masquer son mépris. Vous ne lui arrivez pas à la cheville.

Les yeux de Nathaniel lancèrent des éclairs.

— Elle ne m'intéresse pas. Elle appartient désormais à Mortmain.

— J'ignore ce qu'il vous a promis. Quant à moi, je peux vous jurer que si vous touchez à un cheveu de Jessamine ou de Sophie – et que vous faites sortir le Pyxis de l'Institut –, l'Enclave vous pourchassera sans répit. Ils finiront par vous débusquer. Et ils vous tueront.

Nathaniel secoua la tête.

— Vous ne comprenez pas. Tout ce que vous avez à m'offrir, c'est la vie sauve. Le Magistère, lui, peut m'offrir la vie éternelle. Tue-le ! ordonna-t-il à la créature à sa gauche.

L'automate se jeta sur Jem. Il était bien plus rapide que ceux qu'il avait dû affronter sur le pont. Il eut à peine le temps d'actionner le mécanisme libérant la lame à l'intérieur de sa canne. La créature poussa un cri semblable au grincement d'un train qui freine quand Jem lui planta son arme en pleine poitrine, puis s'éloigna en tournant sur elle-même et en projetant des gerbes d'étincelles rouges.

Nate glapit de douleur et secoua ses vêtements embrasés par les étincelles. Jem en profita pour gravir deux marches et lui frapper le dos du plat de sa lame. Nate tomba à genoux et chercha des yeux son protecteur, qui titubait dans l'escalier tandis que des étincelles continuaient à jaillir de sa poitrine ; manifestement, Jem avait endommagé un de ses principaux mécanismes. L'automate qui tenait le Pyxis dans ses mains restait figé comme une statue ; à l'évidence, Nate n'était pas sa priorité.

— Lâchez-les ! cria Nate aux deux créatures qui retenaient prisonnières Sophie et Jessamine. Tuez le Chasseur d'Ombres ! Tuez-le, vous m'entendez !

Une fois libres, Jessamine et Sophie s'affaissèrent sur les marches en reprenant leur souffle. Le soulagement de Jem fut de courte durée, cependant – les deux automates s'élançaient déjà vers lui à une vitesse incroyable. Il abattit sa canne sur l'un d'eux, qui esquiva le coup tandis que l'autre brandissait, en guise de main, un bloc de métal aux arêtes dentelées comme le tranchant d'une scie…

Un cri s'éleva derrière Jem, et Henry passa près de lui à toute allure en brandissant un énorme glaive. La main de la créature vola dans les airs puis roula sur les pavés de la cour avant de s'embraser.

— Jem ! cria Charlotte.

Jem se retourna et vit l'autre automate fondre sur lui. Il lui planta sa canne dans la gorge ; l'arme trancha les tubes en cuivre qui se trouvaient à l'intérieur tandis que Charlotte visait ses genoux de son fouet. Avec un gémissement aigu, la créature s'effondra, les jambes sectionnées. Le visage fermé, Charlotte fit de nouveau claquer son fouet. Derrière Jem, Henry, les cheveux plaqués sur son front par la sueur, donna le coup de grâce à l'automate qu'il avait attaqué, lequel se réduisait à présent à un tas de ferraille recroquevillé sur le sol.

Des pièces mécaniques étaient disséminées dans toute la cour, et certaines brûlaient encore. Jessamine et Sophie se cramponnaient l'une à l'autre en haut des marches. La gorge de Sophie était couverte d'ecchymoses. Jem croisa le regard de Jessamine et songea que, pour la première fois de sa vie, elle semblait contente de le voir.

— Nathaniel a disparu avec une des créatures… et le Pyxis, dit-elle.

— Je ne comprends pas. (Le visage éclaboussé de sang de Charlotte exprimait le choc.) Le frère de Tessa…

— Il nous a menti, déclara Jessamine. S'il vous a envoyés débusquer les vampires, c'était pour faire diversion.

— Seigneur ! s'exclama Charlotte. Alors De Quincey nous disait la vérité… (Elle secoua la tête comme pour s'éclaircir les idées.) Nous l'avons bel et bien trouvé dans sa maison de Chelsea avec une poignée d'autres vampires. Ils n'étaient pas plus de six ou sept… rien à voir, donc, avec l'armée contre laquelle Nathaniel nous avait mis en garde, et pas une seule créature mécanique à l'horizon. Benedict a tué De Quincey, mais il a eu le temps de se moquer de nous parce que nous l'appelions « Magistère ». Il prétendait que Mortmain nous avait dupés. Mortmain ! Moi qui croyais que ce n'était qu'un… qu'un Terrestre.

Henry se laissa tomber sur la dernière marche.

— C'est un désastre !

— Will, dit Charlotte d'un air hébété, comme si elle émergeait d'un rêve, Tessa… Où sont-ils ?

— Tessa est dans le Sanctuaire avec Mortmain. Quant à Will… (Jessamine secoua la tête.) Je ne savais même pas qu'il était ici.

Jem se souvint de son rêve : l'Institut en flammes, le nuage de fumée au-dessus de Londres, et les créatures mécaniques arpentant les rues comme de monstrueuses araignées.

— Il a dû partir à la recherche de Tessa, conclut-il.

Mortmain avait blêmi.

— Qu'est-ce que vous faites ? s'exclama-t-il en revenant vers elle à grandes enjambées.

Tessa appuya la pointe du couteau contre son cœur. Une vive douleur l'assaillit, et du sang s'épanouit sur sa robe comme une rose.

— N'approchez pas ! siffla-t-elle.

Mortmain s'arrêta net, les traits déformés par la fureur.

— Qu'est-ce qui vous fait croire que votre vie compte pour moi, Miss Gray ?

— Comme vous l'avez dit vous-même, vous êtes mon créateur. Pour une raison obscure, vous souhaitiez que j'existe. Vous m'accordiez assez de valeur pour interdire aux Sœurs Noires de me faire du mal. Donc, d'une certaine manière, je compte pour vous. Oh, ce n'est pas ma petite personne qui vous intéresse, évidemment. C'est mon pouvoir.

Elle sentit un filet de sang tiède couler sur sa peau, mais la douleur n'était rien comparée à sa satisfaction de lire de la peur sur le visage de Mortmain.

— Qu'attendez-vous de moi ? dit-il entre ses dents.

— Vous, qu'attendez-vous de moi ? Expliquez-moi pourquoi vous m'avez créée. Dites-moi qui sont mes vrais parents. Qui était ma mère ? Qui était mon père ?

Mortmain grimaça un sourire.

— Vous ne posez pas les bonnes questions, Miss Gray.

— Pourquoi suis-je… ce que je suis alors que Nate est normal ? Pourquoi n'est-il pas comme moi ?

— Nathaniel n'est que votre demi-frère. C'est un être humain, et pas de la meilleure espèce. Vous ne devriez pas regretter de ne pas lui ressembler davantage.

— Alors… (Tessa s'interrompit ; son cœur battait à tout rompre.) Ma mère ne pouvait pas être un démon, reprit-elle plus calmement, ni un autre être surnaturel car tante Harriet était sa sœur, et elle était humaine. C'est donc du côté de mon père que je dois chercher. Était-il un démon ?

Mortmain eut un sourire mauvais.

— Reposez ce couteau et je vous répondrai. Nous pourrions même invoquer la créature qui vous a engendrée, si vous désirez la connaître.

— Alors je suis une sorcière, déclara Tessa, la gorge serrée. C'est ce que vous insinuez.

Les yeux clairs de Mortmain étaient pleins de mépris.

— Si vous insistez, je suppose que c'est le terme qui convient le mieux.

Les paroles de Magnus Bane ressurgirent dans la mémoire de Tessa : « Oh, vous êtes une sorcière, soyez-en sûre », avait-il dit. Et pourtant...

— Je ne vous crois pas, cracha-t-elle. Ma mère n'aurait jamais... avec un démon.

— Elle ignorait qu'elle était infidèle à votre père, expliqua Mortmain d'un ton presque compatissant.

Tessa eut un haut-le-cœur. Jamais elle n'aurait cru possible une chose pareille. Et pourtant, à présent qu'elle l'entendait de la bouche de Mortmain, la vérité prenait corps.

— Si l'homme que je prenais pour mon père n'est pas du même sang que moi, et que mon véritable géniteur était un démon, alors pourquoi je n'en porte pas la marque comme tous les autres sorciers ?

Les yeux de Mortmain étincelèrent de malveillance.

— En effet, pourquoi ? Peut-être parce que votre mère ignorait, tout comme vous, sa vraie nature.

— Que voulez-vous dire ? Ma mère était humaine !

Mortmain secoua la tête.

— Miss Gray, vous persistez à poser les mauvaises questions. Vous devez comprendre que votre naissance a été en grande partie planifiée. Ce projet a été initié bien avant que j'existe, et je me suis contenté de le mener à bien en sachant que je supervisais une création unique au monde, qui m'appartiendrait un jour. Je savais que je vous épouserais et que vous seriez à moi pour l'éternité.

Tessa le dévisagea d'un air horrifié.

— Mais pourquoi ? Vous ne m'aimez pas. Vous ne me connaissez pas. Vous ne saviez même pas à quoi je ressemblais ! J'aurais pu être hideuse !

— Cela n'aurait eu aucune importance. Vous pouvez être belle ou laide au gré de vos envies. Votre visage actuel n'est qu'un visage possible parmi des milliers d'autres. Quand comprendrez-vous qu'il n'y a pas de véritable Tessa Gray ?

— Sortez !

Mortmain la considéra longuement.

— Qu'est-ce que vous venez de dire ?

— Sortez. Quittez l'Institut. Emmenez vos monstres avec vous. Ou je me poignarderai en plein cœur.

Les poings serrés le long du corps, il hésita. Était-ce donc à cela qu'il ressemblait quand il devait prendre une décision immédiate concernant la bonne marche de ses affaires ? Acheter ou vendre ? Investir ou se développer ? Il était homme à évaluer une situation en un clin d'œil, songea Tessa. Et elle n'était qu'une jeune fille. Quelle chance avait-elle de manœuvrer plus habilement que lui ?

Il secoua la tête.

— Je ne vous en crois pas capable. Vous êtes une sorcière, mais vous n'en êtes pas moins une jeune fille délicate. (Il fit un pas vers elle.) La violence n'est pas dans votre nature.

Tessa resserra sa main autour du manche du couteau. Ses sensations étaient exacerbées, et son cœur battait la chamade.

— N'approchez pas, répéta-t-elle d'une voix tremblante, ou je mettrai ma menace à exécution.

Le tremblement de sa voix sembla conforter Mortmain dans ses certitudes, et il s'avança vers elle d'un pas confiant.

— Non, vous n'en êtes pas capable.

Les paroles de Will résonnèrent dans la tête de Tessa :
« Elle a préféré absorber du poison plutôt que de se laisser
capturer par les Romains. Elle était plus courageuse que
n'importe quel homme. »

— Oh que si, murmura-t-elle.

L'expression de son visage avait dû changer, car
l'arrogance de Mortmain disparut et il se précipita, les
bras tendus vers elle. Tessa lui tourna le dos, et la dernière chose qu'elle vit au moment où elle plongeait le
couteau dans sa poitrine fut les reflets d'argent de l'eau
dans la vasque de la fontaine.

Will était hors d'haleine lorsqu'il atteignit la porte du
Sanctuaire. Il avait livré bataille à deux automates dans la
cage d'escalier, croyant sa dernière heure venue, jusqu'à
ce que l'un d'eux commence à dysfonctionner et pousse
son compagnon par la fenêtre avant de rouler dans l'escalier dans un grand bruit de ferraille en projetant des étincelles autour de lui.

Will, qui s'était entaillé les bras et les mains sur la carapace des créatures, ne prit pas le temps d'appliquer une
iratze sur ses plaies. Sans ralentir, il sortit sa stèle de sa
poche, s'arrêta net devant la porte et griffonna sur l'un
des battants la rune de descellement la plus rapide de
l'histoire.

Le verrou de la porte céda. Will échangea sa stèle
contre un des poignards séraphiques pendus à sa ceinture.

— Jerahmeel, chuchota-t-il.

Au moment où la lame du poignard s'éclairait, il
ouvrit la porte du Sanctuaire d'un coup de pied... et se
figea d'horreur. Tessa gisait près de la fontaine, dont l'eau

était rougie de sang. Le devant de sa robe était couvert de taches écarlates, et une flaque vermeille s'épanouissait sous elle. Près de sa main droite inerte, il aperçut un couteau.

Mortmain était agenouillé près d'elle, la main sur son épaule. Il se releva maladroitement et recula de quelques pas. Il avait du sang sur les mains et sur ses vêtements.

— Je…

— Vous l'avez tuée, dit Will d'une voix blanche qui lui parut très lointaine.

Il revit dans un recoin de son esprit la bibliothèque de la maison qu'il occupait avec sa famille étant enfant, et ses mains fébriles se débattant avec le fermoir de la boîte. La route de Londres sous le clair de lune argenté. Les mots qu'il se répétait sans cesse en marchant, alors qu'il renonçait à jamais à tout ce qu'il avait toujours connu : « J'ai tout perdu. Tout. »

— Non, répondit Mortmain en secouant la tête. (Il tripotait fébrilement le jonc d'argent qui ornait son annulaire droit.) Je ne l'ai pas touchée. C'est elle qui a fait cela.

Will s'avança vers lui.

— Vous mentez !

Le contact familier du poignard séraphique au creux de sa paume était son unique réconfort dans un monde qui semblait changer autour de lui comme un paysage onirique.

— Vous savez ce qui se passe quand un de ces poignards s'enfonce dans la chair humaine ? Il la brûle. Vous mourrez dans d'atroces souffrances, en vous consumant de l'intérieur.

491

— Croyez-vous que vous serez le seul à porter son deuil, Will Herondale ? s'exclama Mortmain. Votre peine n'est rien comparée à la mienne. Des années de travail... tous mes rêves... au-delà de ce que vous pouvez imaginer... tout a été détruit.

— Alors rassurez-vous car vos tourments seront de courte durée, cracha Will avant de se jeter sur lui.

La lame de son poignard frôla la veste de Mortmain... puis plus rien. Il perdit l'équilibre, se redressa in extremis et ouvrit des yeux ronds. Un objet tomba par terre en tintant sur le sol ; un bouton de cuivre qu'il avait dû arracher à la veste de Mortmain et qui semblait le narguer.

Décontenancé, il lâcha son poignard. Mortmain s'était volatilisé ; seul un sorcier avec des années de pratique en était capable. Pour un humain, même disposant d'un grand savoir en matière de sciences occultes, accomplir un tel prodige...

Mais quelle importance ? Will n'avait qu'une pensée à l'esprit, Tessa. Tiraillé entre l'angoisse et l'espoir, il alla s'agenouiller près d'elle et la souleva dans ses bras tandis que la fontaine murmurait toujours sa chanson apaisante et dérisoire...

Jusqu'alors, la seule fois où il l'avait tenue dans ses bras, c'était dans le grenier, la nuit où ils avaient incendié la demeure de De Quincey. Depuis, ce souvenir s'était souvent invité dans sa mémoire. À présent, il le torturait. La robe de Tessa, sa figure, ses cheveux, étaient ensanglantés. Will avait vu assez de blessés au cours de sa courte existence pour savoir que personne ne pouvait survivre à une telle hémorragie.

— Tessa, murmura-t-il en la serrant contre lui.

Il enfouit le visage au creux de son cou ; ses cheveux poissés de sang frôlèrent sa joue, et il sentit son pouls battre dans sa gorge.

Il se figea. Son pouls ? Son cœur fit un bond ; se redressant pour la déposer à terre, il s'aperçut qu'elle le fixait de ses beaux yeux gris.

— Will, souffla-t-elle. Est-ce vraiment vous, Will ?

Un soulagement immense le submergea, bientôt remplacé par une terreur glacée. Thomas était mort sous ses yeux, et maintenant cela ? À moins qu'on puisse encore la sauver ? Mais sans runes ? Comment soignait-on une Créature Obscure ? Seuls les Frères Silencieux pouvaient répondre à cette question.

— Des bandages, dit Will comme pour lui-même. Il me faut des bandages.

Elle se cramponna à lui.

— Will, soyez prudent. Mortmain... c'est lui, le Magistère. Il était ici...

— Chut. Économisez vos forces. Mortmain est parti. Je dois aller chercher de l'aide...

— Non, fit-elle en resserrant son étreinte. Non, c'est inutile, Will. Ce n'est pas mon sang.

— Quoi ? fit-il, stupéfait.

Elle délirait peut-être, et cependant elle semblait très alerte pour quelqu'un qui devait être à l'agonie.

— Quoi qu'il ait pu vous faire, Tessa...

— Il ne m'a rien fait, c'est moi, répliqua-t-elle. C'était le seul moyen pour qu'il me laisse en paix. Je me suis transformée au moment où je me poignardais. C'est Mortmain lui-même qui m'en a donné l'idée... Un simple tour de passe-passe, pour reprendre ses termes.

— Et le sang ?

Elle hocha la tête, et son petit minois s'éclaira de plaisir à l'idée de lui relater l'entourloupette dont le Magistère avait fait les frais.

— Un jour, les Sœurs Noires m'ont contrainte à prendre l'apparence d'une femme tuée par balle, et quand je me suis transformée, son sang a coulé sur ma robe. Je ne vous l'ai jamais raconté ? Je m'en suis souvenue, et j'ai pris sa forme pendant un bref moment. Alors le sang est apparu comme cette fois-là. Après m'être détournée de Mortmain pour qu'il ne me voie pas, je me suis effondrée par terre comme si le couteau avait réellement rempli son office. Et, à vrai dire, la violence du choc, le fait de me transformer si vite m'ont fait tourner de l'œil. Tout s'est obscurci autour de moi, et j'ai entendu Mortmain m'appeler par mon nom. Bien qu'étant revenue à moi, j'ai compris que je devais feindre d'être morte. Il aurait sûrement découvert la supercherie sans tarder si vous n'étiez pas arrivé.

Elle baissa les yeux, et Will crut déceler une pointe d'orgueil dans sa voix tandis qu'elle poursuivait :

— J'ai dupé le Magistère, Will ! Je n'aurais jamais cru cela possible… Il semblait si sûr de sa supériorité sur moi. Et je me suis rappelé ce que vous m'aviez raconté au sujet de Boudicca. Sans vous, Will…

Elle lui sourit, et son sourire anéantit ses dernières résistances. Il avait tombé le masque alors qu'il la croyait morte, et il était trop tard pour reprendre la comédie. Il l'enlaça et elle se nicha, chaude et bien vivante, dans ses bras en frôlant sa joue de ses mèches brunes. Le monde avait retrouvé ses couleurs ; il respirait à nouveau et, pendant ces quelques instants, il s'enivra de cette odeur qui n'appartenait qu'à elle, mêlée à celle du sang, du sel et des larmes.

Lorsqu'elle se dégagea, ses yeux brillaient.

— J'ai cru, en entendant votre voix, que c'était un rêve. Mais vous êtes bien réel. (Elle scruta son visage et, l'air satisfait de ce qu'elle y voyait, elle sourit.) Oui, vous êtes bien réel.

Il ouvrit la bouche pour répondre, quand une terreur soudaine s'empara de lui, l'épouvante de quelqu'un qui, errant dans la brume, s'arrête à temps pour s'apercevoir qu'il se trouve au bord d'un abîme insondable. Il devina qu'elle le lisait dans son regard. Ce devait être inscrit en toutes lettres dans ses yeux, tels des mots sur la page d'un livre. Il n'avait ni le temps ni le pouvoir de le cacher.

— Will, murmura-t-elle. Dites quelque chose, Will.

Qu'y avait-il à dire ? Il n'éprouvait que cette sensation de vide, si familière bien avant qu'elle ne fasse irruption dans sa vie. Ce vide qui demeurerait à jamais.

« J'ai tout perdu, songea-t-il. Tout. »

20

UN HORRIBLE MIRACLE

Pourtant chacun tue ce qu'il aime,
Salut à tout bon entendeur.
Certains le tuent d'un œil amer,
Certains avec un mot flatteur,
Le lâche se sert d'un baiser,
Et d'une épée l'homme d'honneur.

Oscar Wilde,
« La Ballade de la geôle de Reading »

Chez les Chasseurs d'Ombres, les Marques du deuil étaient rouges, le blanc symbolisait la mort.

Tessa l'ignorait, n'ayant rien lu dans le *Codex* qui fasse référence aux cérémonies funéraires ; aussi fut-elle surprise en voyant d'une fenêtre de la bibliothèque les cinq Chasseurs d'Ombres de l'Institut se diriger vers la voiture en tenue blanche comme pour assister à un mariage. Plusieurs membres de l'Enclave avaient été tués lors du raid chez De Quincey. Officiellement, ces funérailles étaient les leurs, bien que l'on incinérât aussi Thomas et Agatha.

Charlotte avait expliqué à Tessa que ce genre de cérémonie était généralement réservée aux Nephilim, mais
qu'il pouvait y avoir des exceptions pour ceux qui avaient
perdu la vie au service de l'Enclave.

Cependant, Sophie et Tessa n'avaient pas le droit d'accompagner les Chasseurs d'Ombres. Sophie avait confié
à Tessa que c'était mieux ainsi, qu'elle n'avait pas envie
de voir brûler le corps de Thomas avant que ses cendres
soient dispersées dans la Cité Silencieuse.

— Je préfère garder un souvenir de lui vivant, avait-
elle déclaré. Même chose pour Agatha.

L'Enclave avait posté des sentinelles pour surveiller
l'Institut. « Les poules auront des dents, songea Tessa,
avant qu'ils le laissent de nouveau sans surveillance. »

Afin de tuer le temps, elle s'était installée pour lire dans
une alcôve entre deux fenêtres. Lasse des récits de Chasseurs d'Ombres, de démons ou de Créatures Obscures,
elle s'était plongée dans *Un conte de deux villes*, qu'elle
avait trouvé sur l'étagère que Charlotte consacrait aux
romans de Dickens. Elle s'était efforcée de ne pas penser
à Mortmain, à ce qu'il lui avait révélé dans le Sanctuaire,
à Thomas et à Agatha, et surtout, à Nathaniel, qui n'avait
pas refait surface. Il lui suffisait de penser à son frère pour
que les larmes lui montent aux yeux.

Encore qu'elle eût d'autres soucis en tête. Deux jours
plus tôt, elle avait dû se présenter devant l'Enclave, dans la
bibliothèque de l'Institut. Un homme qu'on appelait l'Inquisiteur l'avait questionnée sans relâche sur sa confronta-
tion avec Mortmain en relevant la moindre variante dans
son récit. Il l'avait aussi interrogée au sujet de la montre
que le Magistère avait voulu lui donner. Savait-elle à

qui elle avait appartenu ? Et, selon elle, à quoi correspondaient les initiales J.T.S. ? Tessa ne connaissait pas les réponses à ces questions, et comme Mortmain avait emporté la montre, avait-elle cru bon de souligner, cela ne risquait pas de changer. Will avait lui aussi subi un interrogatoire en règle : l'Inquisiteur voulait savoir ce que lui avait dit Mortmain avant de disparaître. Il avait accueilli ses questions avec maussaderie et impatience avant d'être congédié avec les sanctions de rigueur pour son impolitesse et son insubordination.

L'Inquisiteur avait même exigé que Tessa se déshabille afin de déceler sur son corps une éventuelle marque de sorcier, mais Charlotte s'était empressée d'intervenir. Lorsque Tessa avait enfin été autorisée à partir, elle avait tenté en vain de rattraper Will dans le couloir. Deux jours s'étaient écoulés depuis ; dans l'intervalle, elle l'avait à peine croisé et ils n'avaient guère échangé que des politesses devant les autres. Quand elle le regardait, il détournait les yeux ; chaque fois qu'elle quittait une pièce en espérant qu'il la suivrait, ses espoirs étaient chaque fois déçus. Son attitude la rendait folle.

Elle ne pouvait s'empêcher de se demander si elle était la seule à penser qu'il s'était passé quelque chose entre eux dans le Sanctuaire. En émergeant de ténèbres plus épaisses que toutes celles qu'elle avait connues jusque-là au cours d'une transformation, elle avait trouvé Will en train de la regarder avec une expression de profonde détresse sur le visage. Et la façon dont il avait prononcé son nom : cela, elle n'avait pas pu l'imaginer ?

Non. Elle n'avait pas rêvé. Will avait des sentiments pour elle, elle en était sûre. Certes, il s'était montré grossier avec elle dès leur première rencontre, mais cela se produisait tout le temps dans les romans. Il suffisait de voir comment, dans *Orgueil et Préjugés*, Darcy avait traité Elizabeth Bennet avant de lui demander sa main et, dans *Les Hauts de Hurlevent*, Heathcliff s'était toujours montré désagréable avec Cathy. Bien qu'elle dût admettre que dans *Un conte de deux villes*, Sydney Carton et Charles Darnay étaient très gentils avec Lucie Manette. « Et cependant j'ai la faiblesse de vouloir que vous sachiez avec quelle puissance vous m'avez transformé tout à coup, moi, pauvre tas de cendres, en un feu ardent… »

Le fait troublant était que, depuis cette nuit-là dans le Sanctuaire, Will ne lui avait pas accordé un regard. Elle croyait en connaître la raison, elle l'avait deviné à la manière dont Charlotte l'observait et au silence qui se faisait autour d'elle. Cela crevait les yeux : les Chasseurs d'Ombres avaient décidé de la renvoyer de l'Institut.

Et pourquoi pas ? L'Institut était réservé aux Nephilim et non aux Créatures Obscures. Elle avait semé la mort et la destruction en ces lieux pendant la brève période où elle y avait séjourné. Dieu seul savait ce qui se produirait encore si elle restait. Si elle n'avait nulle part où aller, ce n'était pas leur problème. La Loi était la Loi ; on ne pouvait ni la modifier ni la transgresser. Elle finirait peut-être par s'installer avec Jessamine à Belgravia. Il y avait pire comme destin.

Le fracas des roues d'une voiture sur les pavés de la cour l'arracha à ses mornes réflexions : les Chasseurs d'Ombres étaient rentrés de la Cité Silencieuse. Sophie se précipita dans l'escalier pour les accueillir tandis que, le nez collé à la fenêtre, Tessa les regardait descendre de voiture un par un.

Henry avait un bras autour de Charlotte, qui s'appuyait contre lui. Puis vint Jessamine, qui avait glissé des fleurs blanches dans ses cheveux blonds. Tessa l'aurait volontiers complimentée sur sa mise si elle ne la soupçonnait pas d'aimer en secret les funérailles parce que le blanc lui allait à merveille. Puis ce fut au tour de Jem et de Will de descendre de voiture. On aurait dit deux pièces d'un jeu d'échecs ; les cheveux argentés de Jem et les boucles noires ébouriffées de Will ressortaient sur la blancheur de leurs vêtements. « Le chevalier noir et le chevalier blanc », pensa Tessa en les regardant monter les marches avant de disparaître à l'intérieur de l'Institut.

Elle venait de reposer son livre quand Charlotte entra dans la bibliothèque en ôtant ses gants. Elle s'était débarrassée de son chapeau, et l'humidité faisait frisoter ses cheveux bruns.

— J'aurais dû me douter que je vous trouverais ici, lança-t-elle en se laissant choir dans un fauteuil en face de Tessa.

Elle poussa un soupir.

— C'était si… ? commença Tessa.

— Horrible ? Oui. Je hais les funérailles, or Dieu sait que je suis allée à des dizaines. (Charlotte se mordit la lèvre.) On croirait entendre Jessamine. Oubliez ce que je viens de dire, Tessa. Le sacrifice et la mort font partie de notre vie de Chasseurs d'Ombres, j'ai depuis longtemps accepté ce fait.

Le silence retomba. Tessa croyait entendre battre son cœur comme le tic-tac d'une vieille horloge dans une grande pièce vide.

— Tessa… reprit Charlotte.

— Je sais déjà ce que vous allez dire, Charlotte, et je suis tout à fait d'accord.

Charlotte cilla.

— Vraiment ?…Vous acceptez ?

— Vous souhaitez que je parte. Je sais que vous deviez rencontrer l'Enclave avant les funérailles. C'est Jem qui me l'a dit. Je ne vois pas pourquoi ils m'autoriseraient à rester. Après toutes les catastrophes que j'ai fait pleuvoir sur vous ! Nate. Thomas et Agatha…

— L'Enclave n'a que faire de Thomas et d'Agatha.

— Et le Pyxis, alors ?

— C'est vrai, admit Charlotte avec lenteur. Mais vous vous méprenez, Tessa. Je ne suis pas venue ici pour vous demander de partir. Au contraire, je voudrais que vous restiez.

— Rester ? répéta Tessa, abasourdie. Mais l'Enclave… Ils doivent être furieux…

— Ils sont furieux, en effet. Mais contre Henry et moi. Mortmain nous a roulés. Il s'est servi de nous, et nous l'avons aidé. J'étais si fière de la manière dont je l'avais mis au pas que je n'ai pas pensé un instant que c'était lui qui nous menait en bateau. Je n'ai pas songé un instant qu'il était le seul avec votre frère à avoir affirmé que De Quincey était le Magistère.

Charlotte émit un grognement d'amertume.

— Tout n'était que mise en scène d'une pièce que Mortmain a montée pour nous. Savez-vous que, malgré tous nos efforts, nous n'avons pas pu trouver le moindre renseignement sur les autres Créatures Obscures qui contrôlaient le Pandémonium ? Les membres terrestres du club n'ont pas la moindre idée sur la question, et depuis que nous avons anéanti le clan de De Quincey, les Créatures Obscures se méfient encore plus de nous.

— Mais cela ne fait que quelques jours. Il a fallu six semaines à Will pour remonter jusqu'aux Sœurs Noires. Si vous continuez à chercher…

— Nous n'avons pas beaucoup de temps. Si Nathaniel a dit la vérité à Jem, et que Mortmain projette de se servir de l'énergie démoniaque à l'intérieur du Pyxis pour donner vie à ses créatures mécaniques, nous ne pourrons compter que sur le temps qu'il lui faudra pour ouvrir la boîte. (Elle haussa imperceptiblement les épaules.) Bien sûr, l'Enclave pense que c'est impossible. Le Pyxis ne peut s'ouvrir qu'avec des runes, et seul un Chasseur d'Ombres peut les tracer. Mais là encore, seul un Chasseur d'Ombres était censé pouvoir pénétrer dans l'Institut.

— Mortmain est un homme très intelligent.

— En effet, dit Charlotte en croisant les mains sur ses genoux. Saviez-vous que c'est Henry qui a parlé à Mortmain du Pyxis ?

— Non…

— C'est normal. Personne n'est au courant, hormis Henry et moi. Il voulait que j'en parle à l'Enclave et j'ai refusé. Ils le traitent déjà comme un moins que rien, et je… (La voix de Charlotte s'était mise à trembler, mais son petit visage restait déterminé.) L'Enclave va convoquer un tribunal afin d'examiner ma conduite et celle de Henry. Il se peut que nous perdions l'Institut.

— Mais vous êtes des directeurs formidables ! se récria Tessa, scandalisée. Il n'y a qu'à voir la façon dont tout est organisé.

Les yeux de Charlotte s'embuèrent de larmes.

— Merci, Tessa. Le fait est que Benedict Lightwood a toujours convoité le poste de directeur de l'Institut, pour lui ou pour son fils. Les Lightwood cultivent une forte fierté familiale et ils détestent recevoir des ordres. Si le consul Wayland ne nous avait pas nommés en personne, mon époux et moi, à la succession de mon père, je suis certaine que Benedict serait à ma place. J'ai toujours voulu diriger l'Institut, Tessa, et je ferai tout pour le garder. Si vous acceptez de m'aider…

— Moi ? Mais que puis-je faire ? J'ignore tout de votre politique.

— Les alliances que nous forgeons avec les Créatures Obscures figurent parmi nos plus grands atouts, Tessa. Si j'occupe encore mes fonctions, c'est en partie grâce à mes relations avec des sorciers tels que Magnus Bane et des vampires comme Camille Belcourt. Quant à vous, vous êtes un bien précieux. Grâce à votre pouvoir, vous avez déjà rendu service à l'Enclave par le passé ; à l'avenir, vous pourriez nous offrir une aide inestimable. Et si on vous considère comme mon alliée, cela m'aidera beaucoup.

Tessa retint son souffle. Dans son esprit s'imprima le visage de Will tel qu'il lui était apparu dans le Sanctuaire mais, à sa surprise, s'y ajoutèrent ceux de Jem – sa gentillesse, sa douceur –, de Henry, qui la faisait rire avec ses vêtements bizarres et ses inventions amusantes, et même de Jessamine avec ses manières brusques et, à l'occasion, sa bravoure surprenante.

— Mais la Loi… dit-elle d'une petite voix.

— Il n'y a aucune loi qui vous interdise de rester ici à titre d'invitée, déclara Charlotte. J'ai fouillé les archives et je n'ai rien trouvé qui vous empêche de vous établir à l'Institut si vous le souhaitez. Alors, Tessa, le voulez-vous ?

Tessa gravit à toute allure les marches du grenier ; pour la première fois depuis une éternité, elle avait le cœur presque léger. Le grenier était tel que dans son souvenir ; les derniers rayons d'un soleil timide entraient par les lucarnes. Un seau renversé traînait encore par terre ; elle le contourna pour gagner les quelques marches étroites permettant d'accéder au toit.

« Il se réfugie souvent là-haut quand il est contrarié, avait dit Charlotte. Et je l'ai rarement vu aussi perturbé. La perte de Thomas et d'Agatha est pour lui plus difficile à surmonter que je ne l'aurais cru. »

Tessa souleva la trappe et se hissa sur le toit.

Après s'être redressée, elle regarda autour d'elle. Elle se tenait sur la partie centrale et plate, que ceignait un garde-corps en fer forgé, dont les barreaux étaient terminés par des fleurs de lys pointues. À l'autre bout, Will était adossé au garde-corps. Il ne se retourna pas, même quand la trappe claqua derrière Tessa. Elle fit un pas vers lui en frottant ses paumes égratignées sur sa robe.

— Will ?

Il ne bougea pas. Le soleil sombrait peu à peu derrière l'horizon dans un déluge de feu. De l'autre côté de la Tamise, les cheminées des usines crachaient des rubans de fumées pareils à des traces de doigts sales sur le ciel rougeoyant. Will s'appuyait au garde-corps comme s'il avait l'intention de se jeter dans le vide. Il ne réagit pas quand Tessa vint s'accouder près de lui. De là où elle était, elle voyait la pente raide du toit et les pavés de la cour en contrebas.

— Will, répéta-t-elle, qu'est-ce que vous faites ?

Il garda les yeux fixés sur la ville qui se découpait, noire sur le ciel cramoisi. Le dôme de St. Paul brillait dans l'air humide, et la Tamise se déroulait comme un flot de thé noir, enjambée çà et là par un pont. Des ombres se mouvaient sur les berges : on distinguait à peine les gamins des rues fouillant parmi les déchets rejetés par les flots dans l'espoir d'y trouver quelque objet de valeur qu'ils pourraient revendre.

— Je me souviens maintenant de ce que j'essayais de me rappeler l'autre jour, dit Will sans la regarder. « Et j'aperçois Londres, un horrible miracle créé par l'homme. » (Il contempla le paysage qui s'étendait au-dessous de lui.) Milton croyait que l'enfer était une ville, le saviez-vous ? Je pense qu'il avait en partie raison. Londres est peut-être la porte de l'enfer, et ainsi nous serions des âmes damnées qui refusent de la franchir par crainte de trouver de l'autre côté une horreur pire que celle que nous connaissons déjà.

— Will, fit Tessa, stupéfaite, Will, qu'y a-t-il ? Qu'est-ce qui ne va pas ?

Il agrippa le garde-corps à deux mains ; elles étaient couvertes d'égratignures. Il avait des bleus sur le visage qui assombrissaient les contours de sa mâchoire et de ses yeux. Sa lèvre inférieure était fendue et enflée. Visiblement, il n'avait pas cherché à se soigner.

— J'aurais dû me douter que c'était une ruse, répondit-il, et que Mortmain mentait. Charlotte a si souvent vanté mes qualités tactiques, mais un bon tacticien ne fait pas aussi facilement confiance. J'ai été stupide.

— Charlotte pense que c'est sa faute. Henry pense que c'est sa faute. Je pense que c'est ma faute, répliqua Tessa avec impatience. On ne peut pas tous s'offrir le luxe de se sentir coupables !

— Pourquoi serait-ce votre faute ? demanda Will, perplexe. Parce que Mortmain est obsédé par vous ? Cela ne me semble pas très…

— Parce que j'ai amené Nathaniel ici. (Le simple fait de le dire tout haut lui serrait le cœur.) Parce que je vous ai poussés à lui faire confiance.

— Vous l'aimiez. C'était votre frère.

— Il l'est toujours. Et je l'aime encore. Mais je sais qui il est. Je crois que je l'ai toujours su. Seulement, je ne voulais pas le croire. Je suppose qu'on a tous besoin de se mentir à soi-même, parfois.

— Oui, fit Will d'une voix lointaine. J'imagine que vous avez raison.

— Si je suis venue vous trouver, c'est parce que j'ai de bonnes nouvelles, Will. Voulez-vous les entendre ?

— Je vous écoute, répondit-il d'un ton morne.

— Charlotte m'a annoncé que je pouvais rester à l'Institut.

Will ne fit aucun commentaire.

— D'après elle, aucune loi ne l'interdit, continua Tessa, un peu décontenancée. Je ne suis pas obligée de m'en aller.

— Charlotte ne vous aurait jamais jetée dehors, Tessa. Elle ne supporterait même pas d'abandonner une mouche sur une toile d'araignée.

La voix de Will ne laissait rien transparaître. Il se contentait d'énoncer un fait.

— Je croyais… (l'enthousiasme de Tessa retomba brusquement) … que cela vous ferait plaisir. Je pensais que nous étions devenus amis. (Elle vit les mains de Will se crisper sur le garde-corps.) En tant qu'amie, justement, poursuivit-elle d'une voix désabusée, j'en suis venue à vous admirer, Will. Et à m'attacher à vous.

Elle voulut le toucher, puis retira sa main, surprise par la tension qui se dégageait de lui. Les Marques rouges du deuil se détachaient, rouge sur sa peau pâle, comme si on les avait gravées au couteau.

— Je pensais que peut-être…

Will se tourna enfin vers elle. Bouleversée par son expression grave, elle attendit, les yeux fixés sur lui, dans l'espoir qu'il prononce les mêmes paroles qu'un héros de roman : « Tessa, mes sentiments pour vous vont au-delà d'un simple amitié. Ils sont bien plus rares et bien plus précieux… »

— Approchez, dit-il d'un ton peu engageant.

Tessa obéit avec appréhension. Il se pencha vers elle et, d'un geste délicat, repoussa une mèche rebelle de sa joue.

Elle plongea son regard dans le sien. Ses yeux étaient de la couleur du ciel traversé de fumée ; même couvert de bleus, son visage demeurait beau. Elle avait un besoin instinctif de le toucher, qu'elle ne pouvait ni s'expliquer ni contrôler. Quand il l'embrassa, elle n'eut pas la force de lutter. Ses lèvres avaient un goût de sel. La prenant par les épaules, il l'attira contre lui en agrippant le tissu de sa robe. Plus encore que l'autre soir dans le grenier, elle se sentait prise dans le tumulte d'une énorme vague qui menaçait de l'emporter, de la balayer, de l'écraser, de la polir comme la mer polit un galet.

Alors qu'elle allait poser les mains sur ses épaules, il recula, les yeux rivés à elle, le souffle court.

— Peut-être devrions-nous passer un accord, déclara-t-il.

Tessa, qui se sentait toujours étourdie par leur étreinte, murmura :

— Un accord ?

— Si vous avez l'intention de rester, nous avons intérêt à nous montrer discrets. Il vaut peut-être mieux s'en tenir à votre chambre, étant donné que Jem entre et sort de la mienne comme s'il y était chez lui. Il s'étonnerait peut-être qu'elle soit verrouillée. D'un autre côté, votre chambre…

— Ma chambre ? répéta-t-elle. Mais pour quoi faire ?

Will sourit. Tessa, qui s'émerveillait de la forme de ses lèvres, mit un moment à s'apercevoir avec un vague étonnement qu'il se moquait d'elle.

— Ne faites pas l'ignorante… Je pense que vous en savez plus que vous ne le laissez paraître, avec un frère tel que le vôtre.

Malgré l'air estival, Tessa frissonna : elle avait l'impression que la chaleur dans son corps refluait.

— Je ne suis pas comme mon frère.

— Vous avez des sentiments pour moi, non ? lâcha-t-il d'un ton désinvolte et sûr de lui. Et vous savez que j'ai de l'admiration pour vous ; les femmes savent toujours quand un homme les admire. Vous venez ici vous offrir à moi. Je vous donne ce que vous me demandez, non ?

— Vous ne pensez pas ce que vous dites.

— Qu'imaginiez-vous de plus ? Un Chasseur d'Ombres n'a aucun avenir avec une sorcière. Il peut se lier d'amitié avec elle, l'employer, mais certainement pas…

— L'épouser ?

Tessa avait en tête une image nette de l'océan qui se retirait en laissant sur le rivage de petits poissons agonisant et battant des nageoires sur le sable humide.

— Comme vous allez vite en besogne !

Will lui sourit d'un air narquois. Tessa éprouva une brusque envie de le gifler.

— Qu'espériez-vous donc, Tessa ?

— Pas que vous m'insultiez, en tout cas, répliqua-t-elle en s'efforçant de maîtriser sa voix.

— Ce ne sont pas les conséquences involontaires d'un batifolage qui vous inquiètent, reprit Will, songeur. Puisque les sorcières ne peuvent pas avoir d'enfant…

— Quoi ?

Tessa recula comme s'il l'avait poussée et sentit le sol se dérober sous ses pieds.

Le soleil avait presque entièrement disparu à l'horizon. Dans la pénombre, le visage de Will semblait plus anguleux et un pli amer crispait sa bouche. Ce fut pourtant d'un ton égal qu'il répondit :

— Vous l'ignoriez ? Je croyais qu'on vous avait prévenue.

— Non, murmura Tessa. Personne ne m'a rien dit.

— Si mon offre ne vous intéresse pas…

— Taisez-vous ! Jem prétend que vous aimez vous montrer sous un jour défavorable. Et peut-être qu'il dit vrai, à moins qu'il n'ait besoin de se rassurer sur votre compte. Mais votre cruauté n'a aucune excuse.

Pendant un bref instant, il parut désarçonné, mais il retrouva bien vite une contenance.

— Je crois que je n'ai rien à ajouter, dit-il.

Sans un mot, elle tourna les talons. Il la regarda s'éloigner, silhouette noire et immobile se détachant sur les dernières braises du ciel.

Les Enfants de Lilith, également connus sous le nom de sorciers, sont stériles à l'instar des mules et de toutes les créatures hybrides. Aucune exception n'a été recensée à ce jour…

Tessa leva les yeux du *Codex* et regarda par la fenêtre, bien qu'il fît trop sombre au-dehors pour discerner quoi que ce fût. Comme elle n'avait pas envie de retourner dans sa chambre, où elle risquait d'être dérangée par Sophie, ou pire, par Charlotte, elle avait trouvé refuge dans la salle de musique. La fine couche de poussière qui recouvrait chaque objet la confortait dans l'idée qu'on ne viendrait pas la chercher ici.

Comment ce détail avait-il pu lui échapper ? Il fallait cependant reconnaître qu'il ne figurait pas dans le chapitre du *Codex* consacré aux sorciers mais dans la dernière section dédiée aux créatures hybrides du Monde Obscur, telles que les demi-fées et les demi-loups-garous. Apparemment, il n'y avait pas de demi-sorciers. Ceux-ci ne pouvaient pas avoir d'enfants. Will n'avait pas menti pour la blesser ; il avait dit la vérité. C'était bien là le plus horrible. Il devait se douter que ses paroles n'étaient pas une petite pique facile à reléguer dans l'oubli.

Il avait peut-être raison : qu'avait-elle espéré, au juste ? Will restait Will, et elle n'aurait pas dû attendre de lui qu'il change. Sophie l'avait mise en garde, et elle ne l'avait pas écoutée. Elle n'avait aucun mal à deviner ce que pensait tante Harriet des jeunes filles qui n'écoutaient pas les bons conseils.

Un léger bruissement l'arracha à ses réflexions. Elle se retourna et, dans un premier temps, ne remarqua rien d'anormal. La seule lumière dans la pièce, d'origine surnaturelle, émanait d'une applique sur le mur. Sa clarté vacillante jouait sur la surface lisse du piano et sur les courbes de la harpe recouverte d'une housse. Soudain, deux points lumineux d'un vert tirant sur le jaune s'allumèrent au ras du sol et se rapprochèrent d'elle tels deux feux follets dans l'obscurité.

Tessa étouffa un hoquet de surprise et, comprenant soudain, se pencha vers le nouveau venu.

— Minou ! appela-t-elle d'une voix cajoleuse. Viens, Minou !

Le chat lui répondit par un miaulement qui fut noyé sous le grincement de la porte. Un rai de lumière s'engouffra dans la pièce, et une silhouette s'encadra sur le seuil.

— Tessa ? C'est vous ?

Tessa reconnut immédiatement la voix.

— Oui, c'est moi, Jem, répondit-elle d'un ton résigné. Apparemment, votre chat s'est égaré ici.

— Cela ne m'étonne pas, lança Jem avec amusement.

Elle le distinguait nettement à présent qu'il était entré dans la pièce et que la lumière du couloir l'éclairait. Assis par terre, le chat se lavait le museau avec une patte. Il semblait furieux, comme tous les chats persans.

— C'est un baroudeur, reprit Jem. Et depuis son arrivée, on dirait qu'il tient à être présenté à tout le monde. (Il s'interrompit, les yeux fixés sur Tessa.) Qu'est-ce qui ne va pas ?

— P… Pourquoi me demandez-vous cela ? bégaya-t-elle.

— Je le vois à votre expression. Il s'est passé quelque chose. (Il s'assit sur le tabouret du piano.) Charlotte m'a appris la bonne nouvelle. Ou du moins croyais-je que c'en était une. Vous n'êtes pas contente ?

Le chat se leva et se faufila vers lui.

— Si, bien sûr.

— Mmm, fit-il, dubitatif.

Il se pencha vers le chat qui frotta sa tête contre sa main tendue.

— Ça, c'est un bon chat, Church.

— Church ? C'est comme cela qu'il s'appelle ? demanda Tessa, égayée malgré elle. Ce n'était pas l'animal de compagnie de Mrs Dark ? Church[1] n'est peut-être pas le nom le plus approprié !

— Son animal de compagnie ? Pas du tout. C'était une pauvre créature qu'elle avait l'intention de sacrifier pour accomplir son rituel de nécromancie. Charlotte estime qu'il faut le garder parce que cela porte chance d'avoir un chat dans une église. Nous l'avons donc baptisé Church. Et si ce nom l'aide à se tenir à l'écart des ennuis, eh bien, tant mieux !

— Il me regarde d'un air condescendant, je trouve.

— C'est possible. Les chats se croient toujours supérieurs, déclara Jem en grattant Church derrière les oreilles. Qu'est-ce que vous lisez ?

---

1. En anglais, *church* signifie « église ». (*N.d.T.*)

Tessa lui montra le *Codex*.

— C'est Will qui me l'a donné…

Jem se pencha pour le lui prendre des mains d'un geste si brusque qu'elle resta les bras ballants. Le livre était encore ouvert à la page qu'elle lisait. Jem y jeta un coup d'œil, puis leva les yeux vers elle, inquiet.

— Vous ne le saviez pas ?

Elle secoua la tête.

— Ce n'est pas tant que je rêvais d'avoir des enfants. Je ne m'étais jamais projetée aussi loin dans l'avenir. Mais c'est comme si un autre détail me séparait de l'humanité. J'ai l'impression d'être un monstre. Quelqu'un d'à part.

Jem resta silencieux un bon bout de temps ; de ses longs doigts fins, il caressait la fourrure grise de Church.

— Peut-être que ce n'est pas si mal de se sentir à part, dit-il enfin. Tessa, même si, apparemment, vous êtes une sorcière, vous possédez un don qui n'a jamais été observé jusqu'à présent. Vous n'avez aucune Marque. Il y a trop d'incertitudes à votre sujet pour que ce malheureux détail vous pousse au désespoir.

— Je ne suis pas désespérée. C'est seulement que… je n'ai pas beaucoup dormi ces jours-ci. Je pense beaucoup à mes parents. Je me souviens à peine d'eux, vous savez. Et pourtant, je ne peux pas m'empêcher de m'interroger sur leur compte. D'après Mortmain, ma mère ignorait que mon père était un démon… Et s'il mentait ? Il prétend qu'elle ne savait pas ce qu'elle était, mais qu'est-ce que cela signifie ? Savait-elle que, moi, je n'étais pas humaine ? Est-ce pour cette raison qu'ils ont quitté Londres en secret, au beau milieu de la nuit ? Si je suis le résultat d'un acte abominable qu'on aurait fait subir à ma mère à son insu, alors comment pouvait-elle m'aimer ?

— Ils vous ont éloignée de Mortmain. Ils devaient savoir qu'il voulait mettre la main sur vous. Pendant toutes ces années, il vous a cherchée, et ils vous ont tenue à l'abri – d'abord vos parents, puis votre tante. C'est un acte d'amour, non ? (Jem la fixa avec insistance.) Tessa, je ne veux pas vous faire de fausses promesses, mais si vous tenez autant à connaître la vérité sur votre passé, nous pourrons mener l'enquête. Après tout ce que vous avez fait pour nous, nous vous devons bien cela. Nous pouvons essayer de percer les secrets qui vous entourent, si c'est ce que vous souhaitez.

— Oui, je le souhaite.

— Vous n'aimerez peut-être pas ce que vous découvrirez.

— Je préfère encore connaître la vérité, répliqua Tessa avec une conviction qui la surprit elle-même. Je sais qui est Nate maintenant, et même si cela me chagrine, c'est mieux que de vivre dans le mensonge ou que d'aimer quelqu'un qui ne vous aime pas. C'est mieux que de gâcher ses sentiments, conclut-elle d'une voix tremblante.

— Je pense qu'il vous aimait et qu'il vous aime encore, à sa manière, mais que vous ne devez pas vous tourmenter à ce sujet. C'est aussi beau d'aimer que d'être aimé. L'amour n'est jamais un gâchis.

— La solitude est parfois pesante, murmura-t-elle.

Elle sentait qu'elle s'apitoyait sur son sort, mais elle ne pouvait pas s'en empêcher.

Jem se pencha pour la regarder droit dans les yeux. Ses Marques rouges qui ressortaient comme du feu sur sa peau blanche évoquaient à Tessa les symboles qui ornaient le bas de la robe des Frères Silencieux.

— Moi aussi, j'ai perdu mes parents. De même que Will, Jessie, Charlotte et Henry. Je ne crois pas qu'il y ait une seule personne à l'Institut qui ne soit pas orpheline, sans quoi nous ne serions pas ici.

Tessa ouvrit la bouche, puis se ravisa.

— Je sais, dit-elle enfin. Pardonnez-moi. C'était très égoïste de ma part de ne pas…

Jem la fit taire d'un geste.

— Je ne vous blâme pas. C'est peut-être votre solitude qui vous a conduite ici, mais c'est pareil pour moi, pour Will, pour Jessamine, voire, dans une certaine mesure, pour Charlotte et Henry. Où Henry aurait-il pu installer son laboratoire sinon ici ? Où Charlotte pourrait-elle exercer son esprit brillant sinon ici ? Et bien que Jessamine prétende haïr le monde entier et que Will refuse toujours d'admettre qu'il peut avoir besoin de quelque chose, ils ont tous les deux trouvé un foyer entre ces murs. Nous ne sommes pas venus à l'Institut parce que nous n'avions pas d'autre endroit où aller ; nous n'avons pas besoin de vivre ailleurs, car ici nous avons trouvé une famille.

— Vous peut-être, mais pas moi.

— Vous changerez d'avis. J'avais douze ans à mon arrivée ici. À cette époque, je peux vous assurer que je ne m'y sentais pas chez moi. Je ne voyais que les mauvais côtés de Londres, et j'avais le mal du pays. Un jour, Will m'a rapporté ceci d'une boutique de l'East End. (Il tira sur la chaîne autour de son cou, et Tessa s'aperçut que le pendentif qu'elle avait déjà remarqué était une pierre verte taillée en forme de poing.) Je crois qu'il l'aimait pour ce qu'il représentait, mais il savait aussi que c'était du jade, et que le jade vient de Chine. Depuis, je le porte toujours.

En entendant le nom de Will, Tessa se rembrunit.

— Cela fait plaisir d'apprendre qu'il est quelquefois capable de gentillesse.

Jem lui jeta un regard perçant.

— Si vous êtes triste, ce n'est pas seulement à cause de ce que vous avez lu dans le *Codex*, n'est-ce pas ? C'est la faute de Will. Que vous a-t-il dit ?

Tessa hésita.

— Il m'a clairement annoncé qu'il ne voulait pas de moi à l'Institut, répondit-elle enfin.

— Et moi qui vous parlais de famille ! lança Jem avec une pointe de tristesse. Pas étonnant que vous fassiez cette tête.

— Pardonnez-moi, murmura Tessa.

— Ne vous excusez pas. C'est à Will de le faire. (Le regard de Jem s'assombrit.) Nous le jetterons dehors dès demain matin, proclama-t-il, j'en fais le serment.

Tessa sursauta.

— Oh… non, vous n'êtes pas sérieux…

Il sourit.

— Eh non… N'empêche que, l'espace d'un instant, vous vous êtes sentie mieux, non ?

— J'ai cru que je faisais un beau rêve, déclara-t-elle d'un ton grave.

Elle ne put s'empêcher de sourire, à son propre étonnement.

— Will est… difficile. Mais la famille, c'est difficile. Si je ne pensais pas que l'Institut est le meilleur endroit pour vous, Tessa, je ne le dirais pas. On peut choisir sa famille. Je sais que vous vous sentez différente des autres, un peu à l'écart de la vie et de l'amour, cependant… (Sa voix trembla un peu, et pour la première fois Tessa perçut de la gêne chez lui. Il se racla la gorge.) Je vous promets que celui qui vous méritera se moquera éperdument de ce détail.

Avant qu'elle puisse répondre, Tessa perçut des coups frappés à la fenêtre. Elle se tourna vers Jem, qui haussa les épaules : lui aussi avait entendu. En s'approchant, elle aperçut une créature ailée semblable à un petit oiseau, qui cherchait visiblement à entrer. Elle essaya en vain de lever la fenêtre à guillotine, le mécanisme était coincé.

Jem l'avait rejointe avant même qu'elle ait pu formuler sa demande et, d'un coup sec, il ouvrit la fenêtre. La petite forme ailée s'engouffra à l'intérieur et fonça droit sur Tessa. Elle l'attrapa au vol et sentit les ailes de métal battre contre ses paumes. Puis elles se refermèrent en même temps que les yeux de la miniature, et Tessa sentit son cœur mécanique tictaquer contre ses doigts.

Jem se détourna de la fenêtre, les cheveux ébouriffés par la brise qui s'engouffrait dans la pièce. Dans la lumière jaune, ils brillaient comme de l'or blanc.

— Qu'est-ce que c'est ? demanda-t-il.

Tessa sourit.

— Mon ange, répondit-elle.

ÉPILOGUE

Il se faisait tard, et Magnus Bane tombait de fatigue. Après avoir reposé les *Odes* d'Horace sur le guéridon près de lui, il regarda d'un air pensif les fenêtres battues par la pluie et la place au-delà.

C'était la maison de Camille, mais elle ne s'y trouvait pas, et Magnus n'espérait pas la voir rentrer de sitôt. Elle avait quitté la ville après cette nuit terrible chez De Quincey, et bien qu'il lui eût envoyé un message pour l'informer qu'elle ne risquait plus rien, il doutait qu'elle revienne. Il ne pouvait s'empêcher de se demander si elle voulait encore de sa compagnie, à présent qu'elle était vengée de son clan. Peut-être n'avait-il été qu'un moyen de s'en prendre à De Quincey.

Il aurait pu faire ses bagages et quitter tout ce luxe. Cette maison, ces domestiques, ces livres et même les vêtements qu'il portait appartenaient à Camille. Il était arrivé à Londres avec les poches vides. Non qu'il fût incapable de subvenir à ses besoins. Il avait connu la richesse par intermittence mais posséder trop d'argent l'assommait. Quoi qu'il en fût, il savait que rester ici était sa seule chance de revoir Camille.

Des coups frappés à la porte l'arrachèrent à ses rêveries. En se retournant, il vit Archer, le valet, debout sur le seuil de la pièce. Archer était l'assujetti de Camille depuis plusieurs années, et il méprisait Magnus, sans doute parce qu'à ses yeux le fait d'avoir une liaison avec un sorcier était indigne de sa maîtresse bien-aimée.

— Vous avez de la visite, monsieur.

Il insista suffisamment sur le mot « monsieur » pour le rendre insultant.

— À cette heure ? Qui est-ce ?

— Un Nephilim, répondit Archer avec une pointe de dédain. Il prétend que c'est urgent.

Ce n'était donc pas Charlotte, la seule Nephilim de Londres que Magnus se serait attendu à voir. Depuis plusieurs jours, il prêtait main-forte à l'Enclave, laquelle s'était mis en tête de questionner tous les Terrestres ayant fait partie du Pandémonium. Une fois l'interrogatoire terminé, il effaçait leurs souvenirs grâce à sa magie. C'était une tâche ingrate, mais l'Enclave payait bien, et il valait mieux être dans ses bonnes grâces.

— Je précise qu'il est trempé, ajouta Archer sur le même ton.

— Trempé ?

— Il pleut, monsieur, et ce gentleman ne porte pas de chapeau. Je lui ai proposé de faire sécher ses vêtements, mais il a refusé.

— Très bien. Faites-le entrer.

Archer plissa les lèvres.

— Il vous attend dans le petit salon. J'ai pensé qu'il aimerait se réchauffer près du feu.

Magnus soupira intérieurement. Bien sûr, il pouvait ordonner à Archer d'introduire le visiteur dans la bibliothèque, sa pièce préférée. Cela dit, c'était probablement beaucoup d'efforts pour un maigre résultat et, en outre, s'il satisfaisait son caprice, le valet bouderait sans doute pendant les trois prochains jours.

— Soit.

Satisfait, Archer disparut en laissant Magnus trouver seul son chemin.

Le petit salon était la pièce favorite de Camille, décorée par ses soins. Les murs étaient peints en bordeaux, et les meubles en bois de rose directement importés de Chine. De lourdes tentures en velours dissimulaient les fenêtres qui donnaient sur la place. Un jeune homme aux cheveux bruns et à la silhouette mince était campé devant la cheminée, les mains derrière le dos. Magnus le reconnut sur-le-champ.

Will Herondale.

Il était effectivement trempé, comme l'avait précisé Archer, et on voyait bien à sa mise qu'il s'en moquait. Ses vêtements dégoulinaient, ses cheveux lui tombaient sur les yeux, de grosses gouttes roulaient sur ses joues comme des larmes.

— William ? fit Magnus, sincèrement surpris. Que diable faites-vous ici ? Il s'est passé quelque chose à l'Institut ?

— Non, répondit Will d'une voix étranglée. Je suis venu ici de ma propre initiative. J'ai besoin de vous. Vous… vous êtes le seul à pouvoir m'aider.

Magnus l'observa plus attentivement. Il était beau. Magnus tombait souvent amoureux et il était très sensible à la beauté sous toutes ses formes. Pourtant, celle de Will le laissait de marbre. Ce garçon avait une part d'ombre, un côté bizarre et secret qui ne lui plaisait guère. Il avait l'impression qu'il ne montrait jamais son vrai visage. Cependant, en cet instant même, il était pâle comme un linge et il serrait si fort les poings que ses mains tremblaient. À l'évidence, un tourment terrible le dévorait de l'intérieur.

Sans le quitter des yeux, Magnus verrouilla la porte du petit salon.

— Très bien, dit-il. Pourquoi ne pas commencer par m'expliquer votre problème ?

NOTE SUR LE LONDRES DE TESSA

Le Londres de *L'Ange mécanique* est, autant que faire se peut, un mélange de réalité et de fiction, de lieux célèbres et d'endroits oubliés. J'ai fait de mon mieux pour conserver la géographie du vrai Londres victorien, mais dans certains cas cela s'est révélé impossible. Pour ceux qui s'interrogent sur l'Institut : la petite église de Tous-les-Saints (« All-Hallows-the-Less ») a réellement existé et elle a bel et bien brûlé pendant le Grand Incendie de 1666. En revanche, elle était située dans Upper Thames Street et non là où je l'ai placée, à la sortie de Fleet Street. Ceux qui connaissent Londres se sont peut-être aperçus que l'emplacement de l'Institut ainsi que sa flèche correspondent en réalité à la célèbre St. Bride's Church, lieu favori des journalistes, qui n'est pas mentionnée dans *L'Ange mécanique* puisque l'Institut a pris sa place. Il n'y a pas de « Carleton Square », bien qu'il existe un Carlton Square ; le pont de Blackfriars, Hyde Park, le Strand – et même le glacier Gunther – sont d'authentiques lieux londoniens qui ont sollicité mes maigres compétences de chercheuse. Parfois, j'ai l'impression que toutes les villes recèlent une part de mystère, où le souvenir des grands événements et des lieux illustres demeure bien après leur disparition. De fait, il y avait une Taverne du Diable à l'angle de Fleet Street et de Chancery Lane, que fréquentaient le diariste Samuel Pepys et l'écrivain Samuel Johnson. Et bien qu'elle ait été détruite en 1787, j'aime à imaginer que Will a pu s'y rendre en 1878.

NOTE SUR LES POÈMES

Les vers cités en exergue à chaque chapitre sont, pour la majorité d'entre eux, extraits de poèmes que Tessa serait susceptible de connaître, étant soit de son époque, soit d'une époque antérieure, à l'exception des œuvres de Wilde et de Kipling qui, bien que ces derniers se classent parmi les poètes victoriens, sont ultérieures aux années 1870, et du poème de Elka Cloke au début du roman, « Le chant de la Tamise », qui a été spécialement écrit pour figurer dans ces pages. Une version plus longue est disponible sur le site Internet de l'auteur : www.elkacloke.com.

REMERCIEMENTS

Un grand merci à mon père et à ma mère pour leur soutien, ainsi qu'à Jim Hill et Kate Connor ; à Nao, Tim, David et Ben ; à Melanie, Jonathan et Helen Lewis ; à Florence et à Joyce. À celles qui ont lu, critiqué et pointé du doigt les anachronismes : Clary, Eve Sinaiko, Sarah Smith, Delia Sherman, Holly Black, Sarah Rees Brennan, Justine Larbalestier… mille mercis. Merci également à celles dont les semonces et les visages souriants m'ont permis d'avancer pas à pas : Elka Cloke, Holly Black, Robin Wasserman, Maureen Johnson, Libba Bray et Sarah Rees Brennan. Merci à Margie Longoria pour son soutien de Project Book Babe. Merci à Lisa Gold : Research Maven (http://lisagoldresearch.wordpress.com) qui m'a permis de dénicher de la matière première très précieuse. Ma gratitude éternelle à mon agent, Barry Goldblatt, à mon éditrice, Karen Wojtyla, aux équipes de Simon & Schuster et de Walker Books sans qui cela n'aurait pas été possible. Et pour finir, merci à Josh qui a fait beaucoup de lessives pendant que je relisais cet ouvrage et qui s'est rarement plaint.

Ouvrage composé par
PCA – 44400 Rezé

Imprimé en France par CPI
en avril 2017
N° d'impression : 3021949

Dépôt légal : mai 2017

www.pocketjeunesse.fr
PKJ • POCKET JEUNESSE

12, avenue d'Italie - 75627 PARIS Cedex 13